D1431242

En el día de su cumplaños
16-7-2016

# El significado del matrimonio

Para nuestra joven amiga Grace,
con la oración a nuestro Señor,
que Provervios 4:18 sea la experiencia
de tu vida y futuro matrimonio.

Timothy Keller

# El significado del matrimonio

---

Enfrentando las dificultades del compromiso
con la sabiduría de Dios

ANDAMIO

Para nuestros amigos durante ya más de cuatro décadas. Nuestros caminos han ido discurriendo por sitios distintos, pero sin por ello distanciarnos los unos de los otros, ni de ese Primer Amor.

Adele y Doug Calhoun
Jane y Wayne Frazier
Louise y David Midwood
Gayle y Gary Somers
Cindy y Jim Widmer

**Publicaciones Andamio**
Alts Forns nº 68, Sót. 1º
08038 Barcelona
editorial@publicacionesandamio.com
**www.publicacionesandamio.com**

Publicaciones Andamio es la sección editorial de los Grupos Bíblicos Unidos de España (G.B.U.)

**El significado del matrimonio**
**© 2014 Timothy Keller**

**The Meaning of Marriage**
**Copyright © 2011 by Timothy Keller y Kathy Keller**

All rights reserved. No part of this book may be reproduced in any form without written permission from editor.
Todos los derechos reservados. Prohibida la reproducción total o parcial sin la autorización por escrito del editor.

Traducción: Pilar Flórez

Diseño cubierta e interior: Samuel López
Maquetación: Raquel Arlàndiz

Depósito Legal: B.19442013
ISBN: 978-84-15189-92-3
Printed by Ulzama
Printed in Spain

**© Publicaciones Andamio 2014**
1ª Edición febrero 2014

# Índice

# Agradecimientos

Como de costumbre, estoy profundamente agradecido a David McCormick y a Brian Tart, cuya maestría editorial y conocimientos literarios siguen haciendo posible mi trabajo de escritor. Quiero también darle las gracias a Janice Worth y a Tim y Mary Courtney Brooks, que colaboraron para que Kathy y yo pudiéramos 'escaparnos' y finalizar el libro. Gracias igualmente a Jennifer Chan, Michael Keller, Martin Bashir, Scott Kauffmann y John y Sarah Nicholls, que leyeron y comentaron el manuscrito antes de su publicación.

Un agradecimiento muy especial a Laurie Collins, que fue la primera en mecanografiar el manuscrito a partir de las cintas, y también a Marion Gengler Melton, que colaboró en ese mismo proyecto, y a todos los que han prestado su ayuda en esa tarea.

Gracias asimismo a Susie Case y a Dianne Garda, que trabajaron en base a las transcripciones de Laurie. Su esfuerzo, más que notable dado lo disperso de mi discurso, es digno de total y rendida admiración.

En el curso del tiempo, han sido muchísimas las personas que han sido de aliento y estímulo al prestarse a escuchar las cintas de los sermones de 1991 sobre el tema, conocidas, en su uso, como

"Las cintas del matrimonio". Desde su divulgación, no han dejado de producirse llamadas y cartas en las que se nos animaba a poner todo ese material por escrito. Gracias, pues, a todos los que habéis hecho patente vuestro interés, 'azuzándonos' sin descanso hasta ver coronado con el éxito vuestras peticiones. ¡Vuestro deseo se ha hecho realidad!

Por último, estamos profundamente agradecidos a todos los mencionados en la dedicatoria del libro, por estos años de fiel amistad y de travesía conjunta de nuestros respectivos matrimonios, produciendo abundante fruto espiritual y personal. Mucho de lo aprendido con vosotros transpira en las páginas de este libro. Infinitas gracias, verdaderos amigos nuestros, por lo mucho que significáis para Kathy y para mí.

# Introducción

*Que Dios, artífice de todo buen matrimonio,*
*haga uno de vuestros corazones.*

*William Shakespeare, Enrique V*

## Un libro para gente casada...

Antes que nada, pido a mi lector que vea este libro como un árbol de honda y triple raíz. La primera de esas raíces tiene que ver con mi vida de matrimonio con Kathy por espacio ya de treinta y siete años.[1] Ella ha colaborado conmigo en la redacción de este libro, siendo suyo por completo el capítulo 6, *"Acoger al otro"*. En el primer capítulo, aviso a mis lectores respecto a la manera como suele entenderse en la sociedad de hoy el concepto de "pareja idónea", en cuanto que sinónimo de "persona compatible ideal". Pero lo cierto es que, al empezar nuestra vida en común, pronto se hizo evidente que encajar mutuamente no iba a ser tarea fácil. Conocí a Kathy a través de su hermana, Susan, compañera mía en Bucknell University. Susan me había hablado con frecuencia de Kathy, y a ella de mí. En su adolescencia, Kathy se había acercado al cristianismo a través de C. S. Lewis y su libro *Las crónicas de Narnia*,[2] quedando tan impactada que incluso le dijo a Susan que me lo recomendara. Yo lo leí, impresionándome hasta el punto de leer otros libros suyos como tema de estudio. En 1972, nos matriculamos los dos en el mismo centro, el Seminario Teológico Gordon-Conwell de Boston North Shore, y pronto quedo claro que compartíamos ese "hilo secreto invisible" que Lewis afirma ser lo que une a las personas en estrecha amistad y, en algunos casos, incluso en algo más.

Puede que ya seas consciente de que los libros que realmente amas tienen un hilo conductor común y evidente en un plano más profundo. Sabes, desde luego, qué es lo que te hace amarlos, pero sin poder expresarlo muy bien con palabras:...¿No es verdad que toda amistad de por vida se fragua en ese instante en el que percibimos en la otra persona un atisbo de aquello que llevamos mucho tiempo buscando...?[3]

Nuestra amistad se transformó en romance y en posterior compromiso formal, y acto seguido en frágil matrimonio de recién casados, puesto numerosas veces a prueba, saliendo indemne de todas ellas, y convirtiéndose finalmente en una unión estable y duradera. Pero hasta entonces, había ido teniendo lugar todo un proceso de conversaciones que parecían "no llevar a ninguna parte", de tener que superar la terrible etapa del Tremendo Conflicto del Cambio de Pañales, de ir viendo cómo se iba "rompiendo pieza a pieza la vajilla de porcelana regalo de boda", y de otros muchos infaustos sucesos que fueron aconteciendo en nuestra familia y de los que iré dando cuenta y razón a lo largo del libro. Y todo ello, según iba discurriendo nuestro matrimonio por la dificultosa carretera que conduce a una feliz unión. Al igual que la mayoría de las jóvenes parejas de recién casados, descubrimos que la vida de matrimonio es mucho más dura y difícil de lo que habíamos pensado. Como punto final de nuestra ceremonia de casamiento, salimos de la iglesia a los acordes del conocido himno "Cuán firme nuestro cimiento es". Poco podíamos imaginar entonces qué reales iban a resultar en la práctica del matrimonio el contenido de sus versos, y ello hasta poder lograr por fin dar forma y fondo a un matrimonio fuerte y estable.

> *Cuando terribles pruebas encuentres en tu camino,*
> *mi gracia suplirá toda tu necesidad.*
> *Pues yo estaré contigo, bendiciendo en las dificultades,*
> *santificando hasta lo más recóndito de tu ser.*[4]

Este libro está dirigido a los matrimonios que son plenamente conscientes de los retos a los que hay que hacer frente en la vida en común, pero que buscan al mismo tiempo recursos prácticos para superar las dificultades y poder salir indemnes de las "terribles pruebas" que vayan sucediéndose en esa vida compartida. Las experiencias en ese sentido ha dado lugar a la aparición, en la sociedad occidental, de la expresión "la luna de miel ya pasó." Lo que sigue está dedicado muy particularmente a todos aquellos que hayan tenido esa experiencia como verdad literal, teniendo que enfrentarse a la dura realidad en verdadero estado de conmoción.

## ...Un libro para personas no casadas

La segunda fuente de inspiración de este libro se nutre de una dilatada experiencia como pastor en una ciudad de varios millones de habitantes (y en una iglesia con miles de miembros no casados). La congregación de El Redentor, iglesia presbiteriana radicada en la zona de Manhattan, que se sale del marco de lo común, estando integrada de forma predominante por personas solteras. Unos años atrás, contando ya nuestra iglesia con más de cuatro mil miembros no casados, le pregunté a un asesor pastoral cuántas iglesias conocía él que superaran ese número de personas no casadas en su congregación. Su respuesta fue: "Que yo sepa, vuestra iglesia es realmente única en ese sentido".

En el curso de nuestra tarea pastoral, tanto Kathy como yo estábamos constantemente sorprendidos por la profunda ambivalencia con que la sociedad occidental contemplaba el matrimonio allá por la década de los 80. A raíz de esa constatación empezamos a oír todo tipo de objeciones: el matrimonio tuvo en principio que ver con la noción de propiedad; el matrimonio anula la identidad individual y ha servido desde un principio para tener oprimida y en sujeción a la mujer; el matrimonio acaba con la pasión y no se ajusta a la realidad psicológica de las personas; el matrimonio no es más que un contrato "mero papel", únicamente sirve para estorbar el proceso de desarrollo del verdadero amor, y muchas opiniones más que oímos en esa misma línea. Pero lo cierto es que, subyacente a todas esas objeciones de supuesto tono ideológico, había toda una batería de espinosos conflictos personales y de sentimientos y emociones no resueltas surgidos de las múltiples experiencias negativas dentro de la institución matrimonial y la vida de familia.

En el otoño de 1991, justo al principio de nuestro ministerio en Nueva York, prediqué a lo largo de nueve semanas una serie completa dedicada al matrimonio, convirtiéndose en la serie de sermones con mayor cómputo de escuchas en su versión audio producida en nuestra iglesia. De entrada, tuve que dar mis razones para predicar sobre el matrimonio a una iglesia mayoritariamente de miembros solteros. Mi punto de vista era que las personas solteras necesitan oír una versión brutalmente honesta al tiempo que gloriosamente esperanzadora de lo que puede y debe ser el matrimonio. Los puntos que desarrollé siguen siendo válidos hoy día, y por eso dedico asimismo este libro a las personas solteras.

Durante la preparación de este libro, leí un gran número de textos cristianos sobre el tema. La mayoría de ellos habían sido escritos para ayudar a las parejas casadas, prestando particular atención a problemas muy específicos. El presente libro también va a serles de ayuda, pero su objetivo principal es proporcionar, tanto a casados como a solteros, una visión del matrimonio desde la perspectiva de la Biblia. Así, servirá para que los casados corrijan ideas equivocadas que puede que estén afectando negativamente a su matrimonio, siendo igualmente de ayuda para las personas solteras obsesionadas en exceso por casarse, o que rechacen hacerlo con actitud destructiva. Por otra parte, un libro con base bíblica ayudará siempre al lector a tener una noción más adecuada de lo que puede y debe esperarse de la vida en pareja.

## Un libro sobre la Biblia

Hay una tercera fuente más para el material que ha ido dando forma a este libro, siendo de hecho la principal de todas. Y aun estando basado en gran parte en mi experiencia personal del matrimonio y del ministerio, su base está, sin duda alguna, en las enseñanzas tanto del Antiguo como del Nuevo Testamento. Hace ya casi cuatro décadas, Kathy y yo estudiamos lo que la Biblia dice respecto al sexo, el género y el matrimonio. En los quince años siguientes, lo fuimos experimentando y aplicando en nuestro propio matrimonio. Y en estos últimos veintidós años, hemos puesto en práctica, además, todo lo aprendido de las Escrituras y de nuestra experiencia personal para guiar, animar, aconsejar y enseñar a jóvenes del entorno urbano en todo lo concerniente al sexo y al matrimonio. Lo que aquí presentamos es el fruto de estas tres fuentes de conocimiento e inspiración, siendo la Biblia, sus enseñanzas y directrices en todo momento la fuente principal, y catalizador muy particular.

En la Biblia, encontramos tres instituciones que destacan por encima de todas las demás: la familia, la iglesia y el estado. Pero, en cambio, no hay nada en la Biblia sobre la forma adecuada de llevar un colegio, aun siendo una institución crucial para un adecuado florecimiento de la sociedad. Y nada se dice tampoco de las empresas, de los negocios, ni de los museos, ni de los hospitales. De hecho, hay toda una serie de importantes instituciones y empresas de creación humana de las que la Biblia no se ocupa ni las regula. Y es por eso que tenemos vía libre para crearlas y gestionarlas en línea con los principios generales para la vida que la Biblia nos da.

En el caso del matrimonio, todo eso es algo diferente. En el *Libro Común de Oración* presbiteriano, se presenta a Dios "estableciendo la institución del matrimonio para bienestar y felicidad de la humanidad". El matrimonio no se desarrolló en la Edad de Bronce como medio para determinar los derechos de propiedad. En un punto culminante de la creación, vemos a Dios estableciendo el matrimonio como vínculo máximo entre el hombre y la mujer. En la Biblia, encontramos, ya en su mismo principio, una unión matrimonial (entre Adán y Eva), finalizando con el desposorio de Cristo con su Iglesia en el libro de Apocalipsis. El matrimonio es creación divina. Evidentemente, tiene asimismo mucho de institución humana, en cuanto que reflejo de las sociedades en las que se enmarca. Pero como concepto, y en lo que respecta a sus raíces, el matrimonio es una iniciativa de parte de Dios y por eso lo que la Biblia diga y enseñe al respecto es lo verdaderamente primordial y normativo.

En la correspondiente ceremonia de matrimonio presbiteriana, se ratifica el matrimonio como "instituido por Dios, regulado por sus mandamientos y bendecido por nuestro Señor Jesucristo". Lo que Dios instituye también lo regula. Si Dios ha sido el creador del matrimonio, aquellos que lo contraigan deberán hacer todo el esfuerzo posible por comprender y someterse a los propósitos para los que fue instituido. Eso es algo que hacemos en muchos otros aspectos de nuestra vida. Imaginemos por un momento que pensamos en comprarnos un coche: si adquirimos un vehículo, con una maquinaria que está fuera de nuestra propia capacidad mecánica, lo más lógico será hacer caso del fabricante y seguir sus instrucciones de uso, manejo y mantenimiento. Ignorar esas pautas puede hacer que demos con los huesos en la cárcel o en el hospital.

Sin embargo, son muchas las personas que no reconocen a Dios ni a la Biblia y que, aun así, disfrutan de matrimonios felices, y que, en realidad, siendo o no conscientes de ello, están rigiéndose por lo instituido por Dios. Con todo, será siempre infinitamente mejor si somos conscientes de ello. Y el lugar en el que encontramos la instrucción necesaria es la Biblia.

¿Qué va a pasar si te decides a leer este libro, pero sin creer que la Biblia sea revelación con autoridad divina? Pues, sin duda, puede que, aun así, aprecies parte de sus enseñanzas, pero sin concederle valor normativo en cuestiones tales como el sexo, el amor y el matrimonio. La ancestral sabiduría contenida en sus páginas choca con las posturas propias de la sociedad occidental, y es por ello que se etiqueta a la Biblia de "regresiva." Pero te animamos a darle ahora a este libro una oportunidad. En el transcurso de los años, Kathy y yo hemos enseñado en numerosas ocasiones respecto al matrimonio y ya he perdido la cuenta de las bodas en las que se me ha invitado a hablar. Eso nos ha permitido comprobar que, incluso en el caso de personas que no compartían ni nuestra postura bíblica ni nuestra fe cristiana, se quedaban profundamente impresionadas por la noción bíblica de matrimonio y su relevancia en el panorama actual. Han sido muchas las ocasiones en las que, después de la ceremonia, se han acercado distintas personas para decirme que "Aunque no soy persona religiosa, he de reconocer que esta ha sido la más directa y práctica presentación de la realidad del matrimonio que haya oído jamás".

Desde luego, es difícil tener una adecuada perspectiva del matrimonio. La tendencia innata es considerarlo desde nuestra propia experiencia, a riesgo de distorsionarlo. Si te has criado en un hogar estable, con el ejemplo del feliz matrimonio de tus padres, puede que pienses que es "algo fácil", y que cuando te enfrentes a la realidad de tu propio matrimonio se te haga evidente lo mucho que exige forjar una relación estable y duradera. En el punto opuesto, si tu experiencia personal del matrimonio, sea de niño o de adulto, ha sido negativa, acabando incluso en divorcio, es muy probable que tu actitud ante el matrimonio sea reticente e incluso pesimista. Es posible, por ello, que estés *demasiado* a la expectativa de problemas de relación y que, cuando de hecho aparezcan, estés demasiado proclive a decir, "Justo lo que me esperaba", y desistas y te rindas sin más. Dicho con otras palabras, sea cual sea tu noción y experiencia previa del matrimonio, puede que no estés adecuadamente preparado para vivirlo a título personal.

¿Dónde adquirir entonces una visión adecuada y completa del matrimonio? Sin duda, hay muchos buenos libros que se encargan del "cómo", y pueden ser una ayuda valiosa a tener en consideración. Pero lo cierto es que, transcurridos los primeros años de vida en común, esos manuales suelen quedarse cortos y caducos. En la Biblia, encontramos, en cambio, enseñanzas que han superado la prueba de los años y de las gentes en muy distintos ámbitos y lugares. ¿Qué mejor ayuda podríamos encontrar?

## El plan del libro

El planteamiento del tema viene dado por el extraordinario escrito de Pablo al respecto, tal como lo leemos en Efesios 5, y no sólo por su riqueza y profundidad, sino asimismo porque conecta y da razón de otro gran pasaje bíblico: Génesis 2.

En el capítulo 1, ponemos el discurso de Pablo en relación con el panorama social actual, sentando las bases de dos de las enseñanzas básicas de la Biblia respecto al matrimonio en cuanto que instituido por Dios, y como reflejo intencionado del amor salvador de Dios hacia los seres humanos en la persona de Jesucristo. Y esa es justamente la razón por la que los evangelios nos ayudan a comprender qué es realmente el matrimonio, y que este, a su vez, nos ayude a comprender los evangelios.

En el capítulo 2, presentamos la tesis de Pablo de que todo matrimonio necesita la ayuda del Espíritu Santo en su vida. La obra del Espíritu Santo hace que se haga realidad en nuestras vidas la obra salvadora de Cristo, proporcionándonos una ayuda sobrenatural ante los ataques del principal enemigo del matrimonio: el estar centrado tan sólo en uno mismo. Necesitamos por ello la plenitud del Espíritu para poder servirnos y ayudarnos mutuamente.

El capítulo 3 nos lleva al núcleo central del matrimonio, esto es, un amor mutuo. Ahora bien, ¿en qué consiste en realidad el amor? En este capítulo se analiza la relación existente entre los sentimientos amorosos y los actos hechos por amor, y la relación entre la pasión romántica y un compromiso asumido bajo pacto.

El capítulo 4 se ocupa de la *intención* del matrimonio: que dos personas afines espiritualmente se ayuden mutuamente para llegar a ser las personas que Dios quiere que en verdad sean. También tendremos ocasión de ver cómo una nueva y más profunda clase de felicidad tiene su base en una vida de santidad.

El capítulo 5 sienta las bases de tres puntos que pueden ser de gran ayuda en ese desarrollo.

El capítulo 6 se ocupa de la enseñanza cristiana específica del matrimonio como esfera en la que dos sexos se aceptan como género distinto y complementario, aprendiendo a aceptar y a crecer en esa diferencia.

El capítulo 7 ayuda a las personas solteras a usar el material de este libro para vivir con plenitud y a pensar sabiamente respecto a encontrar pareja.

Por último, el capítulo 8 se ocupa del tema del sexo, de por qué la Biblia lo limita al matrimonio, y cómo, de aceptarse la postura bíblica, tiene su lugar tanto en la vida como en el matrimonio.[5]

En el conjunto general del libro, examinaremos la noción cristiana de matrimonio, con su base, como ya he señalado anteriormente, en una lectura directa de los correspondientes textos bíblicos, lo que va a suponer que consideraremos el matrimonio como una unión monógama de por vida que tiene lugar entre un hombre y una mujer. Según la Biblia, Dios instituyó el matrimonio como reflejo de su amor redentor en la persona de Cristo, para refinar así nuestro carácter, para crear una comunidad humana estable en la que criar los hijos y para llevar todo ello a cabo a través de una unión estable en el seno de parejas de distinto sexo. Es, por tanto, obligado señalar que la visión cristiana del matrimonio no es algo que pueda darse entre personas del mismo sexo. Esa es la visión unánime de los distintos autores dentro de la Biblia y es, por lo tanto, la noción que se asume en este libro, y ello sin ocuparnos directamente del tema de la homosexualidad.

Las enseñanzas de la Biblia respecto al matrimonio no son mero reflejo de la perspectiva de otra cultura y otro tiempo. Las enseñanzas de las Escrituras son todo un reto a las nociones y posturas predominantes en la sociedad occidental, que ve la libertad individual a ultranza como único modo de ser felices. Al mismo tiempo, critica el modo en que las culturas tradicionales han considerado al adulto soltero como ser humano no completo. El libro de Génesis rechaza taxativamente la práctica de la poligamia, y ello pese a su aceptación en las sociedades de la época, describiendo con crudo realismo la destrucción del entramado familiar y el dolor y la infelicidad de sus gentes, sobre todo en el caso de las mujeres. Los escritores del Nuevo Testamento, con un realismo que sobresaltó al entorno pagano, presentaron como aceptable la soltería a largo plazo[6]. Dicho de otra forma, los autores bíblicos desafiaron de forma constante y sistemática los convencionalismos sociales de la época, por cuanto no eran simple producto de costumbres y prácticas ancestrales. Lo que significa que nosotros no podemos ahora desestimar la noción bíblica de matrimonio como algo culturalmente obsoleto y unilateralmente regresivo. La realidad es justamente la contraria, aportando esta sólida visión del matrimonio enfoques muy prácticos y a la vez una ilusionante perspectiva de la relación. Todo esto se articula en la Biblia a través una serie de bien trabadas narraciones, sorprendentes por la brillantez de su ejecución y con una conmovedora prosa lírica en su vertiente poética.[7] Debemos ser capaces de contemplar la institución del matrimonio desde la óptica de las Escrituras, en lugar de hacerlo desde nuestros temores, o de un romanticismo sin fundamento, o a través de la propia experiencia, o desde los límites que nos imponga nuestro contexto social, si no lo contemplamos desde la perspectiva bíblica tampoco vamos a ser capaces de tomar las adecuadas decisiones necesarias en relación a un futuro en pareja.

# Pasaje de Efesios

*[18] No os embriaguéis con vino, en lo cual hay disolución; antes bien sed llenos del Espíritu, [19] hablando entre vosotros con salmos, con himnos y cánticos espirituales, cantando y alabando al Señor en vuestros corazones; [20] dando siempre gracias por todo al Dios y Padre, en el nombre de nuestro Señor Jesucristo. [21] Someteos unos a otros en el temor de Dios. [22] Las casadas estén sujetas a sus propios maridos, como al Señor; [23] porque el marido es cabeza de la mujer, así como Cristo es cabeza de la iglesia, la cual es su cuerpo, y él es su Salvador. [24] Así que, como la iglesia está sujeta a Cristo, así también las casadas lo estén a sus maridos en todo. [25] Maridos, amad a vuestras mujeres, así como Cristo amó a la iglesia, y se entregó a sí mismo por ella, [26] para santificarla, habiéndola purificado en el lavamiento del agua por la palabra, [27] a fin de presentársela a sí mismo, una iglesia gloriosa, que no tuviese mancha ni arruga ni cosa semejante, sino que fuese santa y sin mancha. [28] Así también los maridos deben amar a sus mujeres como a sus propios cuerpos. El que ama a su mujer, a sí mismo se ama. [29] Porque nadie aborreció jamás a su propia carne, sino que la sustenta y la cuida, como también Cristo a la iglesia, [30] porque somos miembros de su cuerpo, de su carne y de sus huesos. [31] Por esto dejará el hombre a su padre y a su madre, y se unirá a su mujer, y los dos serán una sola carne. [32] Grande es este misterio; mas yo digo esto respecto de Cristo y de la iglesia. [33] Por lo demás, cada uno de vosotros ame también a su mujer como a sí mismo; y la mujer respete a su marido.*

*(Efesios 5:18-33) Reina-Valera 1960*

# El secreto del matrimonio

*Por esto dejará el hombre a su padre y a su madre, y se unirá a su mujer, y los dos serán una sola carne.*
*Grande es este misterio...*
*(Efesios 5:31-32)*

Estoy literalmente hastiado de oír charlas sentimentales sobre el matrimonio. En la iglesia, en las bodas y en la Escuela Dominical, mucho de lo que se oye no es más profundo que el texto de una postal de San Valentín. Y aunque el matrimonio es, desde luego, muchas cosas, lo que nunca va a ser es *mero* y banal sentimentalismo. El matrimonio es un compromiso y una experiencia sin igual de gozo y de plenitud, pero a la vez incluye espinas y momentos duros. Es compromiso como marco de experiencias agridulces, en el que puede experimentarse el gozo más maravilloso, los momentos más difíciles de sangre, sudor y lágrimas, las derrotas que nos enseñan humildad y las victorias que nos dejan exhaustos. No sé de un solo matrimonio que no reconozca que, a las pocas semanas de casados, no podían hablar ya de un cuento de hadas hecho realidad. Esa es la razón de que no deba sorprendernos que la frase clave en el discurso de Pablo sea la citada al inicio del presente capítulo. Hay momentos en la vida en común de la pareja en los que, llegada la noche, uno de los dos se dejará caer en la cama con un suspiro, entre agotado e incrédulo, preguntándose con honesta perplejidad cómo es que la verdadera comunicación resulta a veces tan difícil: "¡Misterio verdaderamente insondable!". La vida de matrimonio puede ser como un puzzle de miles y diminutas piezas que no sabe uno por dónde empezar a colocar y encajar; un verdadero laberinto en el que es muy fácil perderse.

Yo estoy completamente convencido de ello, pero, aun así, también creo que no hay posible relación humana que puede comparársele en importancia y profundidad. Tal como nos informa el relato bíblico, fue Dios mismo el que ofició en la primera boda celebrada en el mundo *(Génesis 2:22-25)*. Al contemplar el hombre a la mujer creada como compañera suya, exclama gozoso. *"Esto es ahora hueso de mis huesos…"*.[1] Después de la relación que podemos tener con Dios, la relación de pareja en el matrimonio es lo más profundo que humanamente puede experimentarse. Esa es la razón de que, igual que conocer a Dios, el llegar a conocer y amar a nuestra pareja sea una tarea difícil pero sumamente gratificante y plena.

Como lo más doloroso, y lo más extraordinario: así es como presenta la Biblia el matrimonio. Y es posible que no haya habido otro momento histórico en nuestra cultura y en nuestra sociedad en el que sea más significativo alzar la voz a favor suyo desde esa perspectiva única y singular.

## El declive del matrimonio

En estos últimos cuarenta años, los índices relativos a la salud y estabilidad de la institución del matrimonio en Norteamérica han ido experimentando un pronunciado declive, cada vez más negativo.[2] La tasa de divorcios se ha duplicado respecto a la década de los 60.[3] En 1970, el 89 por ciento de lo nacimientos tuvieron lugar en el seno de parejas estables. En la actualidad, la cifra es de un 60 por ciento.[4] Más revelador todavía, por encima del 72 por ciento de la población adulta estadounidense estaba casada en el año 60, siendo de un 50 por ciento en 2008.[5]

Todo esto pone de relieve la creciente prevención y el pesimismo de la población respecto al matrimonio. Son muchas ya las personas que piensan que las probabilidades de tener éxito en el matrimonio no son significativas, y ello incluso en los matrimonios estables, estando, además, convencidos de lo inevitable de la monotonía o la inapetencia respecto al sexo según van pasando los años. El cómico Chris Rock lo plantea como disyuntiva: "¿Qué prefieres, estar soltero y solitario, o casado y aburrido?". Y una gran parte de la población adulta joven está plenamente convencida de que de hecho esas son las dos únicas alternativas. De ahí que muchos opten por una postura intermedia entre matrimonio y relaciones sexuales en cohabitación.

Esa segunda opción ha experimentado un auge vertiginoso en las tres últimas décadas. En la actualidad, más de la mitad de las parejas viven juntas antes de casarse, mientras que en 1960, raro era el caso.[6] Una cuarta parte de las mujeres solteras, en edades comprendidas entre los veinticinco y los treinta y nueve años, viven con su pareja, aumentando al 60 por ciento al llegar a los cuarenta.[7] Las razones de esa opción son diversas. Así, está, por ejemplo, el absoluto convencimiento de que la mayoría de los matrimonios son infelices, señalándose al respecto las estadísticas que nos informan de que el 50 por ciento de los matrimonios acaban en divorcio, presumiéndose un porcentaje de esa infelicidad mencionada en el tanto por ciento restante de los que no se separan. Convivir de forma previa al matrimonio, se argumenta, incrementa las probabilidades de conseguir un buen matrimonio. Entre otras razones, porque te brinda la oportunidad de averiguar hasta qué punto eres compatible con tu pareja antes de dar el paso definitivo. Es, además, una forma de descubrir si la otra persona va a poder mantener tu interés y si está presente en la relación una buena "química". "Todas las parejas que conozco que se apresuraron a casarse han acabado en divorcio", afirmaba uno de los encuestados para el informe general del National Marriage Project.[8]

El problema con esas convicciones es que se parte de una base errónea.

## La sorprendente bondad del matrimonio

A pesar de lo aducido por el mencionado encuestado en el informe Gallup, "las estadísticas han demostrado que el riesgo de acabar en ruptura es notablemente superior en las parejas que han convivido de forma previa al matrimonio".[9] La cohabitación es una opción comprensible en aquellos que han vivido el divorcio de sus padres de forma traumática, pero los hechos apuntan a que, en este caso, el remedio puede ser peor que la enfermedad.[10]

Hay otros prejuicios más al respecto. Así, aunque sin duda es cierto que un 45 por ciento de los matrimonios acaba en divorcio, el porcentaje es superior entre las parejas que contrajeron matrimonio antes de cumplir los dieciocho años, que habían abandonado su formación y sus estudios, y que habían tenido un hijo antes de casarse. "Si eres una persona con un cierto nivel de estudios, con unos ingresos aceptables, procedes de una familia estable y de convicciones religiosas, y contraes matrimonio una vez cumplidos los veinticinco años de edad, y no has tenido un hijo antes de casarte, el riesgo de que te divorcies disminuye considerablemente.".[11]

Son muchas las personas adultas jóvenes que abogan por la cohabitación por estar convencidas que, para poder casarse, hay que contar primero con una situación económica estable.[12] La idea que se tiene es que el matrimonio es una sangría financiera. Pero los estudios realizados al respecto han puesto de relieve lo que ha dado en llamarse "el sorprendente beneficio económico derivado del matrimonio".[13] Un estudio llevado a cabo en 1992 respecto a la jubilación puso de relieve que los individuos que permanecieron casados hasta ese momento tenían un 75 por ciento más de haberes en el momento de jubilarse que los que habían permanecido toda su vida solteros, o enviudados sin segundas nupcias. Además, los hombres casados habían ganado entre un 10 y un 40 por ciento más que los que habían permanecido solteros, dentro de una franja similar de formación profesional e historia laboral.

¿Cómo explicar esas diferencias? En parte, porque las personas casadas gozan de una mejor salud tanto física como mental, y también porque el matrimonio te va preparando para asumir las dificultades con mayor "entereza", de forma particular ante las frustraciones, las enfermedades y los problemas de cualquier tipo, con un índice más elevado de recuperación ante las crisis. Ventajas que parecen derivarse de lo que los expertos catalogan de "normas sociales maritales". Los estudios en ese sentido han constatado que los cónyuges se muestran más responsables y disciplinados de lo que puedan serlo sus familiares o sus amigos. Un ejemplo de ello lo tenemos en la tendencia a gastar más y de forma incontrolada si no hay que rendir cuentas a nadie. Los matrimonios suelen hacer del ahorro una norma, estando más fácilmente dispuestos a posponer la gratificación personal. El matrimonio nos hace madurar más pronto.[14]

Sin embargo, es posible que una de las razones por las que los adultos jóvenes desconfían del matrimonio sea el índice de infelicidad que se da en la relación marital. Yahoo es fuente inagotable que lo confirma a diario. En un foro en ese sentido, un joven de veinticinco años declaraba su intención de no casarse nunca. Tras compartir esa decisión con amigos suyos casados, todos se habían reído, pero sin dejar de sentir por ello una cierta envidia, y felicitándole por ser él, desde luego, más listo. Lo que le llevaba a pensar que, cómo mínimo, un 70 por ciento de las parejas casadas se sentían infelices. Una mujer joven, en respuesta a su entradilla en el foro, se mostraba totalmente de acuerdo con él, confirmándolo por propia experiencia y por la comprobada en el caso de amigos suyos. "De cada diez parejas, siete son desgraciadas de verdad", comentaba "Yo voy a casarme el año que viene porque estoy enamorada de mi pareja. Pero, si las cosas cambian una vez casados, no dudaré en divorciarme".[15]

En un artículo aparecido no hace mucho en *New York Times Magazine*, se analizaba la película *Monogamy* del director Dana Adam Shapiro.[16] En 2008, Shapiro empezó a darse cuenta de que muchos de sus amigos casados, todos ellos con edades comprendidas entre los treinta y los cuarenta años, se iban separando o divorciando. En la preparación de su película, decidió probar con una historia oral que tratara el hecho de la separación, entrevistando para ello a más de cincuenta personas, de forma profunda e intensa, que hablaban de cómo habían ido viendo que su matrimonio se disolvía. Esa investigación suya no incluía parejas estables y felices. Al preguntársele la razón, citó la célebre frase de Tolstoi al principio de Ana Karenina: "Las parejas felices son siempre iguales. Por eso resultan tan aburridas".[17] "Por lo que no ha de sorprendernos", concluía el periodista de *Times*, "que su película acabe con una nota sombría y hasta apocalíptica respecto a las relaciones." La película presenta a dos personas que se aman profundamente pero que son incapaces de hacer que su relación "funcione." En otras entrevistas en relación a esta película, el director afirmaba estar absolutamente convencido de lo extraordinariamente difícil que resulta, por no decir imposible, que dos personas de mentalidad moderna se amen sin asfixiar la libertad y la individualidad respectivas. En palabras del periodista, Shapiro, que nunca había estado casado, pero que esperaba hacerlo algún día, no creía que su película fuera un alegato contra el matrimonio, pero que sí consideraba que la monogamia era una cuestión "difícil de solventar". Convicción que refleja en gran medida la opinión típica de muchos adultos jóvenes, sobre todo en las zonas urbanas de los Estados Unidos.

Como pastor de una iglesia en la zona de Manhattan, con más de cuatro mil personas solteras en su congregación, he tenido ocasión de hablar con incontables hombres y mujeres que tenían esa misma visión negativa del matrimonio. Pero lo cierto es que se está subestimando las probabilidades que hay de tener éxito en la vida de casados. Todos los análisis al respecto indican que el número de personas casadas que afirman ser *"muy felices"* es elevado, entre un 61 y un 62 por ciento, con un descenso apenas perceptible en esas cifras en la última década. Lo más sorprendente de todo es que una serie de estudios longitudinales, ponía de relieve que dos tercios de aquellos que eran desdichados en su matrimonio se volverían felices si permanecían casados por espacio de cinco años más y no se divorciaban.[18] Dato que llevó a Linda J. Waite, socióloga de la Universidad de Chicago, a afirmar que "los beneficios del divorcio se han exagerado".[19]

En las dos décadas pasadas, la importancia creciente de los análisis al respecto ha servido para evidenciar que las personas que se mantienen casadas y estables muestran un índice notablemente más alto de satisfacción que las personas solteras, divorciadas o que cohabitan en pareja.[20] Otro hecho relevante es que son mayoría las personas que se sienten felices en su matrimonio, y que aquellas que no lo son, pero que no se divorcian, también acaban siendo felices. Además, los niños que crecen en familias con ambos progenitores presentes tienen un índice mayor de experiencia positiva en su vida.[21] La abrumadora conclusión es, pues, que criarse con padres que permanecen casados, y mantenerse casado uno a su vez, son factores que contribuyen muy notablemente al bienestar personal.

## La historia del matrimonio

Hubo un tiempo en que se consideraba creencia común y universal que el matrimonio era algo bueno y deseable. En la actualidad, eso ya no es así. Un reportaje hecho público recientemente en la Universidad de Virginia, como resultado del estudio National Marriage Project, concluía con las siguientes palabras: "Menos de un tercio de las chicas y no mucho más de un tercio de los chicos no parecen creer... que el matrimonio sea beneficioso para las personas, al compararse con las otras posibles alternativas. Pero lo cierto es que esa visión tan negativa del matrimonio contradice la evidencia empírica, que indica de forma constante, y fiable, los sustanciales beneficios personales y sociales que se derivan de estar casado comparándolo con permanecer soltero o vivir en pareja".[22] El informe asegura que la opinión de los adultos jóvenes no sólo no cuenta con el respaldo de un consenso veterano, yendo por tanto en contra de lo que preconizan la mayoría de las religiones del mundo, sino que, además, no cuadra con la evidencia acumulada en base a las indagaciones más recientes de la ciencia social.

A la vista de semejante postura, ¿de dónde viene tanto pesimismo y por qué está tan alejado de la auténtica realidad? Paradójicamente, puede que tenga su origen en una nueva forma de idealismo, poco realista en su visión del matrimonio, nacido de un significativo cambio respecto a cuál sea su propósito. El experto en jurisprudencia John Witte, Jr. señala que el antiguo ideal del "matrimonio visto como una unión en compromiso permanente, siendo su propósito el amor mutuo, la procreación y la protección, está paulatinamente dando paso a una nueva realidad, en la que el matrimonio se contempla en términos de 'contrato sexual condicionado' con vistas a la gratificación a ultranza de las partes contrayentes".[23]

Witte apunta asimismo a una competitividad entre distintas concepciones, en cuanto a su "forma y función", como fenómeno característico de las sociedades occidentales.[24] Las dos primeras posturas fueron, sucesivamente, la católica y la protestante, y aunque sin duda son distintas en muchos de sus apartados, se preconizaba en ambos casos por igual la creación de un marco referencial para una convivencia de amor y fidelidad entre marido y mujer. Se trataba de un vínculo solemne, en el que ambos contrayentes subordinaban los propios impulsos e intereses en aras de una venturosa relación, refrendada como sacramento por el amor de Dios (énfasis católico) o para fomento de un bien común (énfasis protestante). Los protestantes entendían además el matrimonio como gracia otorgada no sólo a los cristianos, sino también para toda la humanidad. El matrimonio imprimía carácter al unir lo masculino y lo femenino en el vínculo del compañerismo. Más en particular, el matrimonio de por vida era visto como único factor de estabilidad social para una adecuada crianza de los hijos. De ahí que la institución del matrimonio se considerara una inversión rentable en cuanto que garante de futura prosperidad, y desde luego no cabía pensar en ninguna alternativa igual de sólida.[25]

Witte expone una novedosa noción emergente respecto al matrimonio, iniciada entre los siglos XVIII y XIX, y con un auge particular y muy notable durante la Ilustración. Hasta entonces, las gentes habían encontrado sentido a la vida cumpliendo fielmente con una obligación asumida como responsabilidad social. La Ilustración vino a cambiar ese orden en más de una forma, con consecuencias imprevisibles. Así, el sentido de la vida empezó a ser visto como fruto directo del ejercicio de una libertad individual, para elegir la forma de vida que más satisfacciones ofreciera de cara a una realización personal. En lugar de encontrarle sentido a la existencia en base a una autonegación, y en la renuncia a la libertad individual en sujeción a las exigencias conyugales y familiares, el matrimonio se redefinió como ámbito de realización emocional personal, satisfacción sexual propia y vehículo de potenciación de la individualidad.

Los proponentes de ese nuevo enfoque no consideraban que lo esencial del matrimonio estuviera en un supuesto simbolismo sacramental o en un compromiso social para beneficio de la comunidad, sino que era considerado como un contrato entre dos personas para satisfacción y potenciación a título individual. En ese nuevo enfoque, se daba por sentado que los contrayentes se unían por mutua y exclusiva conveniencia, y desde luego no para cumplir con una responsabilidad personal ante Dios o de cara a la sociedad. De lo que lógicamente se derivaba una libertad absoluta para actuar como mejor conviniera según propio gusto, sin obligación alguna respecto a la iglesia, la tradición o la comunidad, y sin que nada, ni nadie, pudiera imponer un criterio normativo externo. Dicho de forma resumida, la Ilustración vino a privatizar el matrimonio, sacándolo de la esfera pública, redefiniendo su propósito en base a la gratificación individual y haciendo caso omiso de un posible bien común que reflejara la naturaleza de Dios, que ayudara a forjar el carácter o que sirviera de marco ideal para la crianza y educación de los hijos. De forma paulatina, pero imparable, esa nueva concepción del sentido del matrimonio desplazó la anterior tal como se había entendido en Occidente durante siglos.

Ese cambio se ha caracterizado, además, por tener una muy clara percepción de sí mismo. En fecha reciente, Tara Parker-Pope, columnista de *New York* Times, escribió un artículo que llevaba por título "The Happy Marriage Is the 'Me' Marriage":

La idea de que los mejores matrimonios son aquellos que proporcionan satisfacción a las personas a título individual puede parecer contraria a lo que la intuición nos dicta. Porque, ¿no se supone que el matrimonio consiste en anteponer la relación de pareja a cualquier otra consideración? Pues bien, ya no es así. Cierto que durante siglos el matrimonio era considerado una institución al servicio de intereses económicos y comunitarios, quedando relegadas a un segundo plano las necesidades emocionales e intelectuales de los casados en aras de la pervivencia de la institución. Todo eso ha cambiado ahora radicalmente. En las relaciones modernas, se busca por encima de todo el compañerismo, que nuestra pareja haga que la vida sea más interesante… y que sea una ayuda idónea en la consecución de unas metas personales, y todo ello como algo deseable y valioso.[26]

Ese cambio ha sido verdaderamente revolucionario y Parker-Pope lo señala sin ambages y sin empacho alguno. El matrimonio fue durante mucho tiempo una institución pública inscrita en el ámbito de un bien común. Ahora, es un acuerdo privado con vistas a una satisfacción exclusivamente personal. Y si antes se trataba de un *nosotros*, ahora tiene que ver primeramente con un *yo*.

Un tanto irónicamente, esta nueva forma de ver el matrimonio supone una carga adicional respecto a lo que se espera de la pareja y de la vida en común; algo que no era ni mucho menos así en su concepción tradicional. Todo ello nos deja atrapados entre unas expectativas poco realistas ante la vida en pareja *y* un miedo tremendo frente a semejante compromiso.

## La búsqueda de la persona "ideal" compatible

Encontramos una muy clara visión de esas expectativas en el significativo estudio realizado bajo el epígrafe National Marriage

Project, con el título "Why Men Won´t Commit", llevado a cabo conjuntamente por Barbara Dafoe Whitehead y David Popenoe.[27] De todos es conocido que a los hombres suele acusárseles, por parte de las mujeres, de tener "alergia al compromiso", esto es, miedo cerval al matrimonio. En ese sentido, los autores del estudio señalan que hay evidencia que confirma esa idea popular "y así hemos podido constatarlo en el curso de nuestra investigación". Acto seguido, añaden una lista completa de las razones que los hombres aducen para no querer casarse, o al menos no hacerlo a edad muy temprana. Lo más sorprendente de todo es cómo son muchos los hombres que dicen no estar dispuestos a casarse hasta que encuentren a su pareja "ideal," esto es, alguien con quien congenien y que sea totalmente "compatible". Ahora bien, ¿qué quiere decir eso en realidad?

Al conocer a mi futura esposa, Kathy, muy pronto se hizo evidente que compartíamos un número significativo de lecturas, de historias, de temas, de formas de ver la vida y de experiencias que nos proporcionaban un gozo especial. Reconocíamos la existencia de un "espíritu gemelo" y de un potencial para una amistad más profunda. Pero no suele ser eso en lo que piensan la mayoría de los adultos jóvenes al referirse a alguien compatible. Según Whitehead y Popenoe, dos son los factores a tener en cuenta.

El primero de ellos es la atracción física y la química sexual. Uno de los temas obvios en las entrevistas realizadas por Shapiro con personas divorciadas era hasta qué punto había sido importante la práctica de un sexo satisfactorio. Una mujer dijo expresamente que se había casado con su marido porque "era sexualmente muy activo". Para su desencanto, al poco de casarse empezó a engordar y a dejar de preocuparse de su físico. La luna de miel era ya cosa del pasado y lo más importante que ella conocía era el sexo. Decidió entonces que no iba a tener relaciones sexuales a menos que la apeteciera realmente, pero lo cierto es que casi nunca tenía ganas: "Nos instalamos en una rutina en la que, como mucho, teníamos relación sexual una vez a la semana, e incluso menos. No había variedad ni gran interés, ni comunicación mental o emocional. Había desaparecido por completo el apremio y la tensión que hace de la espera y su culminación algo tan grande —ese entusiasmo que te mueve a conquistar y a satisfacer...".[28]

En opinión de esa mujer, la atracción y la química sexual eran factores fundamentales a la hora de elegir la pareja idónea y compatible.

Pero lo cierto es que esa idoneidad en lo sexual no era el factor mencionado primordialmente por la mayoría de los encuestados en el National Marriage Project. La "compatibilidad" se entendía más bien como la "disposición a aceptar a la otra persona tal como es y a no tratar en modo alguno de cambiarla".[29] No pocos de los hombres encuestados expresaron su resentimiento respecto a las mujeres que tratan de cambiar a su pareja... Algunos dijeron de hecho que, para ellos, la "compatibilidad" consistía en encontrar una mujer que 'encajara en su forma de vida'. 'Si de verdad se es compatible, no hay razón alguna para cambiar', comentó uno de los encuestados".[30]

## Hacer a los hombres verdaderamente masculinos

Nos encontramos ahí con una ruptura significativa con el pasado. Tradicionalmente, los hombres se casaban sabiendo que su vida iba a cambiar de forma significativa. Se admitía tácitamente que el matrimonio "civilizaba" a los hombres. De hecho, los hombres se habían visto siempre a sí mismos como más independientes y menos dispuestos y capaces que las mujeres para mantener una relación que requiriera mutua comunicación y apoyo, y trabajar en equipo. Uno de los propósitos tradicionales del matrimonio era, sin duda, "cambiar" al hombre y que fuera una escuela en la que se aprendiera una nueva forma de relacionarse en mutua dependencia.

Los hombres comprendidos en el estudio expresaron esas actitudes que, en el pasado, se suponía que el matrimonio corregiría. En determinado momento del estudio, se les preguntó si eran conscientes de que las mujeres sufren la presión de casarse y tener hijos antes de que les sea biológicamente imposible. Los hombres entrevistados asumían plenamente que posponer la edad de casarse hacía más difícil que las mujeres de su misma edad alcanzaran *su* propia meta, pero desinteresándose del problema todos por igual. Tal como uno de ellos señaló: "Eso es problema suyo".[31] La mayoría de los hombres entrevistados se manifestaron completamente decididos a que su posible relación con una mujer no coartara en absoluto su libertad. En las conclusiones finales del estudio, se señalaba que "La alternativa de la cohabitación le proporciona al hombre las ventajas sexuales y domésticas de una pareja, pero sin tener que renunciar por ello a seguir a la expectativa de una compañera mejor".[32]

En un artículo aparecido en *New York Times*, Sara Lipton incluía toda una lista de políticos de renombre, casados, que se habían negado a dejar que el matrimonio les confinara a una relación sexual exclusiva con sus esposas: Arnold Schwarzenegger, Dominique Strauss-Kahn, Mark Sandford,

John Ensign, John Edwards, Elliot Spitzer, Newt Gingrich, Bill Clinton y Anthony Weiner. En todos esos casos, se habían resistido a amoldarse al patrón tradicional: transformar los instintos naturales, dominar las pasiones y aprender a no satisfacer los deseos por encima de todo, y estar por ello dispuesto a tener en consideración a los demás.

La explicación que suele darse a esta conducta es que el matrimonio no encaja adecuadamente en la mentalidad masculina. Más en concreto, se afirma que a los hombres más virilmente masculinos no les va bien en el matrimonio. Se dice incluso que "la necesidad de conquista y de adulación femenina, junto con el riesgo de la aventura ilícita, es lo que verdaderamente les motiva, dando con ello rienda suelta a su vena de ambición, potenciándose así el 'macho alfa'". Pero Lipton sostiene que, muy al contrario, donde el hombre *se hacía* verdaderamente masculino era en el matrimonio: "En la mayor parte de la historia de Occidente, la característica primaria más valorada de la hombría era el propio control… Un hombre que se permitía comer, beber y tener relaciones sexuales sin tasa ni control había fracasado al no saber 'dominarse,' siendo por ello considerado incapaz de gobernar su casa y, menos aún, su actuación en la esfera de lo público...".

Lipton, profesora de Historia en SUNY Stony Brook, concluía al respecto: "A la vista de lo hecho público recientemente acerca de conductas sexuales de gratificación sin compromiso por parte de destacadas figuras públicas, no estaría quizás de más recordar que, en otros tiempos, el control de las pasiones, y no su satisfacción a cualquier precio, era lo que daba la auténtica medida y valía de un hombre". [33]

Evidentemente, no puede adjudicarse al hombre toda posible responsabilidad en ese cambio paradigmático de actitudes. Hombre y mujeres por igual aspiran en la actualidad a una unión matrimonial en la que alcanzar satisfacción tanto emocional como sexual, en el marco de una relación de igualdad que permita a ambas partes una verdadera "realización personal". En la actualidad, se espera que la pareja sea divertida, intelectualmente estimulante, sexualmente atractiva, que comparta los mismos intereses y que, además, nos apoye en la consecución de nuestras metas personales y encaje sin fisuras en nuestra forma de vida.

Y si lo que se espera de la pareja es que no demande demasiado de nosotros, lo que en realidad estaremos buscando es alguien de carácter maduro y equilibrado, que no exija "excesiva atención" y que no nos cargue con sus posibles problemas. En resumen, alguien que no nos haga cambiar y que no espere en modo alguno poder hacerlo. Lo que se desea en definitiva es una pareja ideal, que sea una persona feliz, sana, interesante y satisfecha con su vida. En ningún otro período de la historia se ha dado una sociedad tan exigente a la hora de buscar pareja.

## La ironía del pesimismo idealista

Puede parecer un contrasentido que este novedoso idealismo haya dado lugar a un nuevo pesimismo respecto al matrimonio, pero eso es lo que en realidad ha ocurrido. En generaciones anteriores, no se hablaba tanto de "compatibilidad" y de encontrar la pareja idónea. En la actualidad, lo que buscamos es alguien que nos acepte tal como somos y que colme nuestras expectativas, creándose por ello una esperanza poco realista que acaba la mayoría de las veces en mutua frustración.

La obtención de satisfacción sexual en la pareja es un problema en sí mismo, tal como muestra otro de los estudios del National Marriage Project:

> *En una sociedad en la que es omnipresente la pornografía, se producen unas expectativas nada realistas respecto a la imagen y comportamiento de una hipotética pareja ideal. Influidos por las imágenes que pueden verse en los principales medios de comunicación, en anuncios y en desfiles de ropa interior sexy, los hombres están posponiendo el casarse con su novia en la esperanza de que aparezca en el horizonte la combinación perfecta de "compañera ideal/muñeca despampanante".*[34]

Pero estaríamos en un error si achacáramos en exclusiva el cambio de actitud en la sociedad actual respecto al matrimonio al afán por parte masculina de belleza física. Las mujeres se han visto igualmente afectadas por esos vientos de cambio. Hombres y mujeres sin distinción buscan actualmente en el matrimonio la "consecución de los más íntimos anhelos, y ello tanto en el plano de lo físico como igualmente en lo emocional y espiritual".[35] Actitud que da lugar a un idealismo extremo que, a su vez, se transforma en profundo pesimismo cuando se desespera de encontrar a la pareja que cumpla todos esos requisitos. Esa es la razón de que cada vez sea mayor el número de los que posponen el casarse, descartando toda posible candidata que no sea "suficientemente completa".

Y esto no deja de ser irónico. Las pasadas formas de contemplar el matrimonio se consideran, hoy día, demasiado tradicionales y hasta opresivas, viéndose en la novedosa concepción del "Matrimonio Yo" toda una liberación. Pero lo cierto es que ha sido esta nueva actitud respecto a lo que pueda, y deba, encontrarse en la vida marital lo que ha generado un declive muy notable en la celebración de matrimonios y un opresivo sentimiento de desesperanza respecto a sus posibilidades de éxito. La realidad práctica evidencia que para que triunfe un matrimonio, en el que prima el "yo" por encima de todo, la pareja tiene que ser completamente madura y centrada, feliz en su individualidad, sin necesidades emocionales demandantes y sin defectos de carácter que haya que pulir o incluso erradicar. El problema entonces es que, a la vista de semejantes premisas, ¡no va a haber prácticamente nadie que cumpla con todos esos requisitos! Esta nueva concepción del matrimonio como vehículo de realización personal lleva a esperar demasiado de la experiencia marital, pero, paradójicamente, sin no esperar obtener todo lo que sí debiera.

Con su ya clásico sentido del humor, John Tierney trata de hacernos reír a la vista de la difícil situación en que nos ha puesto la cultura imperante. Así, en un artículo que lleva por título "Picky, Picky, Picky", expone las múltiples razones (caprichosas = 'picky') que aducen sus amigos para haber puesto fin a sus relaciones sentimentales:

> *"Es que ella no pronunciaba bien 'Goethe'."*
>
> *"¿Cómo voy a tomarle en serio después de descubrir entre sus libros un ejemplar de 'El camino menos transitado'?"*
>
> *"Si al menos ella adelgazara cinco kilos."*
>
> *"Sí, es socio de la empresa. Pero no es una empresa importante. Y los calcetines que usa son un horror."*

> *"De entrada todo parecía perfecto… guapa de cara, un tipo estupendo, una sonrisa atractiva. Todo daba la medida… hasta que se dio la vuelta." Pausa por parte del afectado, y movimiento de cabeza indicando terrible decepción. "… resulta que tenía los codos sucios.".*[36]

Tras examinar los increíblemente poco realistas anuncios personales (en los que la clase de pareja que se busca no va a existir nunca en la realidad), Tierney llegó a la conclusión de que los adultos jóvenes estaban dominados por una especie de artilugio mental que él denomina "Defectómetro". Se trata de "una voz interior, más bien un chirrido cerebral que advierte de inmediato todo posible defecto presente en la persona potencialmente candidata." ¿Cuál es el propósito del Defectómetro? Una posibilidad que Tierney contempla es que sea algo ideado por personas "decididas a conseguir más de lo que se merecen, rechazando en el proceso precisamente a todas aquellas personas que se le parezcan, aunque sea mínimamente". Pero en su conclusión final Tierney señala que, en la mayoría de los casos, se trata de un recurso que nos proporciona la excusa necesaria para no comprometernos y salvaguardarnos de los peligros que conllevan las relaciones personales. "En lo más íntimo de su corazón, saben por qué recurren al Defectómetro… No es algo fácil admitir, sobre todo llegado el Día de San Valentín, que lo que en realidad quisieran decir en esos anuncios es 'Se busca: Estar solo'."

Dicho de otra forma, en nuestra sociedad hay personas que, de cara al matrimonio, esperan demasiado de su pareja, y no entienden el matrimonio como la unión de dos personas con sus respectivos fallos y defectos, que se plantean estar juntas para crear un espacio común de amor, de estabilidad y de consuelo —un "puerto seguro en un mundo que a veces es hostil", como bien señala Christopher Lasch.[37] Las expectativas que algunos parecen tener requerirían para su cumplimiento una mujer que fuera al mismo tiempo "novelista, astronauta y con un cuerpo y unas maneras de modelo";[38] o su equivalente en hombre, en el caso de las mujeres. Un matrimonio que se basa no en la negación del propio yo, sino en una autorrealización, exigiría una pareja que apenas necesitara atención personal y que satisficiera todas las necesidades propias sin esperar nada a cambio. Dicho de forma sencilla— hay quien espera demasiado de su pareja.

En el polo opuesto, hay quien no espera gran cosa del matrimonio, pero que, aun así, le tiene un miedo irracional. Tierney está convencido de que eso es así en un gran número de casos, tal como ha podido constatar en su propio círculo de amigos. De hecho, el sueño del emparejamiento perfecto se ve superado en mucho por el de aquellos que no quieren saber nada del tema, aunque no quieran admitirlo. La cuestión de fondo es que la gente de nuestro tiempo aprecia, por encima de todo, su libertad, su autonomía y el poder hacer realidad las distintas metas que se hayan propuesto en la vida; y las personas más reflexivas saben muy bien que llevar adelante una relación amorosa implica renunciar a todo ello. Sin duda, se puede decir "Quiero a alguien que me acepte tal como soy", pero sin por ello dejar de saber en lo más íntimo de nuestro ser que no somos perfectos, que hay muchas cosas que deberíamos cambiar y que quien nos llegue a conocer más de cerca va a querer que modifiquemos mucha de nuestra conducta. Pero nadie está libre de faltas y todos tenemos necesidades que satisfacer. Los cambios conllevan siempre dolor y a nadie le gusta sufrir. Es duro, por eso, tener que admitir ante el mundo, y ante uno mismo, que no quieres contraer matrimonio por toda esa serie de razones. La solución más socorrida entonces es echar mano del Defectódromo, solución infalible para conjurar todo riesgo.

Pero si la razón para no querer casarse es únicamente no querer perder la libertad, eso sería lo peor que pudieras hacerle a tu corazón. C. S. Lewis lo expresa con muy acertadas palabras:

> Deposita tu afecto en cualquier cosa posible, y no te quepa la menor duda de que acabarás con el corazón destrozado. Para asegurarte de que no sea así, no se lo entregues a nadie, ni siquiera a tu mascota. Rodéalo de aficiones y pequeños caprichos; evita todo tipo de compromiso; guárdalo bajo llave en el cofre de tu egoísmo. Pero no olvides que ahí —sin luz, ni aire, ni movimiento— sufrirá un cambio. Ciertamente, no se romperá; de hecho, será inquebrantable, pero también impenetrable e irrecuperable. La alternativa a la tragedia, o al riesgo de que ocurra, será su condenación.[39]

La sociedad actual peca de pesimista en cuanto a la posibilidad de éxito de la monogamia, pero es por ser demasiado *idealista* en cuanto a lo que se espera de la pareja. Algo que, a no dudar, tiene su origen en una errónea concepción del propósito del matrimonio.

## Nunca vas a casarte con la persona adecuada

¿Cuál es entonces la solución? Sencillamente, averiguar qué es lo que la palabra de Dios dice respecto al matrimonio. De hacerlo así, la Biblia no sólo explicará la situación de riesgo en que nos encontramos, y de la que somos culpables nosotros mismos, sino que proveerá asimismo la clave para evitarlo.

La Biblia explica por qué la búsqueda de la compatibilidad puede llegar a parecer tarea imposible. Como pastor, he tenido ocasión de hablar con miles de parejas, algunas de ellas con deseo de casarse, otras tratando de salvar su matrimonio, y otras decididas a no caer en ese compromiso. Y una y otra vez he oído cómo decían: "El amor *no debería* ser algo tan difícil; debería manifestarse de forma natural y espontánea". A lo que yo siempre respondo, "¿Por qué crees que debería ser así? ¿Crees que un jugador que aspire a marcar para su equipo puede decir 'No debería ser tan duro y difícil'? ¿Podría alguien que aspire a escribir una gran novela decir 'No debería ser tan difícil crear unos personajes creíbles dentro de una trama interesante'"? La respuesta más lógica sería entonces "Pero es que mi vida no es ni un partido ni una novela. Se trata del *amor*. El amor debería ser algo completamente natural entre dos personas, si es que son verdaderamente compatibles".

La respuesta cristiana a semejante razonamiento es que la compatibilidad *no* existe. Stanley Hauerwas, profesor de ética en Duke University, lo hace ver así:

> *Nada hay tan destructivo en un matrimonio como la ética de una autorrealización que da por sentado que el matrimonio y la familia son instituciones para fomento del desarrollo personal y necesarias para hacernos felices y personas "completas". Vivimos convencidos de que existe esa persona ideal con la que casarnos y que, si nos esforzamos por buscarla, acabaremos encontrándola. Pero ese enfoque no*

*tiene en cuenta un factor crucial en todo matrimonio: que siempre vamos a casarnos con una persona que no es ideal.*

Creemos que conocemos a la persona con la que nos casamos, pero no es ni mucho menos así. Y aunque sin duda sea posible que acertemos y que nos casemos con la persona adecuada, deja que pase un tiempo y verás cómo cambia. El matrimonio [siendo, como es, algo tremendo] conlleva un cambio ineludible una vez iniciada la convivencia. El principal problema es entonces... aprender a amar y a ocuparte de esa persona desconocida con la que convives.[40]

Hauerwas presenta la futilidad de la búsqueda de la persona ideal con la que casarnos. En el matrimonio, se experimenta la convivencia en un grado de intimidad no alcanzable en ningún otro tipo de relación, operándose en consecuencia unos cambios no imaginables de forma previa. No sabemos, ni es posible saber de antemano, qué persona va a ser tu pareja en el plano de la convivencia. Eso es algo que sólo es posible averiguar en la práctica.

Han sido muchas, y sonadas, las reacciones por parte de la gente ante el enunciado de Hauerwas. Pero eso es algo que no debería sorprendernos, por ser intencionado ese choque frontal con el espíritu de los tiempos. Para conseguirlo, se generaliza de forma deliberada. Como es lógico y comprensible, habrá siempre muy buenas razones para no casarse con alguien mucho más mayor, o mucho más joven, o con alguien con quien no se compartan ideales. El matrimonio ya es de por sí lo suficientemente difícil como para añadirle la difícil tarea de acortar distancias entre opuestos. La 'ley' que propone Hauerwas va en escala. Y de hecho hay personas con las que *nunca, nunca* va a ser aconsejable casarse.

Pero la incompatibilidad será siempre un factor presente, aun en los casos más afortunados y venturosos. Y todos aquellos que hayan pasado por las distintas etapas que llevan a un matrimonio estable y feliz lo saben sobradamente. En el transcurso de los años, se deberá aprender a amar de nuevo a una persona que no es ya la misma con la que te casaste, porque habrá cambiado en la medida de lo que es lógico y natural. Entonces se tendrá que hacer ajustes que quizás no sean tan fáciles, y lo mismo le ocurrirá a nuestra pareja respecto a nosotros. Ese es un viaje que podrá conducirnos a una unión más fuerte, más real y mucho más gozosa. Pero, desde luego, no porque nuestra pareja sea absolutamente ideal y perfectamente compatible con nosotros. Esa persona no existe, ni nunca va a existir.

Las personas a las que está dedicado este libro son amigos de Kathy y míos, a los que conocemos desde hace ya cuatro décadas. En el curso de nuestra amistad, hemos tenido el privilegio de ver otras formas de vivir en venturosa unión. Nuestra amistad se fraguó durante nuestra época de estudiantes en el seminario, es decir, ellas se hicieron amigas, incorporándose los maridos al grupo de forma progresiva. Han sido años de escribirnos, de llamarnos, de comunicarnos por correo electrónico, de visitarnos, de ir en ocasiones juntos de vacaciones, de tener experiencias en común y también de pérdidas y de dolor, y de experimentar el gozo inigualable de una auténtica amistad. No hay mucho que no sepamos los unos de los otros. Y puedo decir que pocas cosas hay que nos hagan reír más que pasar el día juntos recordando las anécdotas de cuando empezamos a salir las respectivas parejas. ¿Qué nos movió en realidad a escoger a nuestra pareja? Visto desde fuera, no parecía tener ningún sentido.

Cindy y Jim: Ella era una mujer elegante, criada en la iglesia ortodoxa griega, callada, contemplativa y GRIEGA. Jim era extrovertido, parlanchín, divertido y miembro de una iglesia Bautista. Gayle y Gary: Aparte de los siete años de diferencia, y considerables discrepancias teológicas, Gary organizaba sistemáticamente cada año dos semanas de campamento de supervivencia en el bosque, mientras que la idea de Gayle de ir de acampada consiste en alojarse en Holiday Inn. Louise y David: ella es licenciada en Historia del Arte y en Literatura Inglesa, y se toma muy en serio la fe de la Reforma. David procede de las Asambleas de Dios, con la 'bonita' costumbre de despertarnos a todos en la residencia cantando a pleno pulmón coros de alabanza. Wayne y Jane: Según la versión de Jane, Wayne era oro puro sin refinar, oculto bajo un poco atrayente exterior típico de Pittsburgh, admitiendo ella ser una estirada señorita del Sur. Estaban también Doug y Adele: Ella ha viajado por todo el mundo en campañas misioneras y Doug es más joven que ella y ocupa un puesto en el comité directivo de Inter-Varsity Fellowship (GBU en EEUU). Cuando se conocieron, ella acababa de poner fin a una relación previa desafortunada (con alguien que se llamaba también Doug). La víspera de su boda, Adele se sentó a los pies de nuestra cama de matrimonio y se puso a llorar desconsolada, preguntándose si había hecho una buena elección. En la actualidad, dice recordándolo: "Nuestro matrimonio empezó en el umbral de la duda y de una forma particular de infierno, pero ahora puedo decir que estamos a las puertas del Cielo".

Y ahora, cómo no, mi propio matrimonio. Kathy era presbiteriana, con opiniones muy suyas y muy segura de querer involucrarse en un ministerio en una ciudad (según idea influenciada por su lectura de *The Cross and the Switchblade,* de

David Wilkerson). Por mi parte, yo le había prometido al obispo de mi pequeña comunidad rural, no presbiteriana, que *nunca* me haría presbiteriano, a pesar de estar estudiando en un seminario con una fuerte tendencia en esa dirección.

Nada de lo que teníamos pensado iba a verse hecho realidad. Pero lo cierto es que aquí estamos, felices, prosperando en nuestro ministerio, viendo cómo crecen nuestros hijos y se casan, y nos hacen abuelos, ayudándonos mutuamente como matrimonio en momentos de crisis de todo tipo, visitas a hospitales y fallecimientos incluidos.

Hauerwas da la primera razón de por qué no hay posible pareja compatible y es porque el matrimonio va a cambiarnos querámoslo o no. Y hay otra razón más. El pecado es una realidad inevitable, que va a suponer, entre otras cosas, estar centrado en uno mismo, viviendo en cierta medida *incurvatus in se*.[41] Denis de Rougemont señala en uno de sus escritos: "¿Qué razón hay para que unas personas neuróticas, egoístas e inmaduras se vuelven de repente seres angelicales por haberse enamorado…?".[42] Y esa es la razón de que un matrimonio de éxito sea algo más difícil y más duro de conseguir que una proeza atlética o un mérito artístico. El talento natural sin cultivar no te permite jugar al béisbol como profesional, ni escribir grandes novelas sin someterte primero a una muy severa disciplina y a un esfuerzo continuado. ¿Qué puede hacernos pensar que va a ser fácil vivir en armonía y felizmente con otro ser humano a la vista de nuestra naturaleza caída? De hecho, mucha gente que ha logrado triunfar en el deporte y en el arte, ha fracaso estrepitosamente en su matrimonio. La doctrina bíblica del pecado explica por qué el matrimonio, más que cualquier otra empresa humana, es algo tan difícil de conseguir que triunfe.

## Un romance apocalíptico

La gente moderna hace que lo difícil del matrimonio aún lo sea más, y ello por sufrir de forma muy dolorosa y particular el peso de unas expectativas de proporciones prácticamente cósmicas. Ernest Becker, ganador de un Premio Pulitzer, estaba convencido de que la cultura moderna ha dado lugar a lo que él califica de "romance apocalíptico". Hubo un tiempo en el que del matrimonio y de la familia se esperaba amor, apoyo y seguridad. Pero en lo que respectaba al sentido de la vida, a la esperanza respecto al futuro, a la moral y a una identidad personal, nos dirigíamos a Dios y a la vida en el más allá. En la actualidad, la cultura predominante nos lleva a creer que nadie puede estar seguro de esas expectativas y que ni siquiera puede pensarse que sean algo realizable. Dado que algo tiene por fuerza que llenar ese vacío, sostiene él, la solución ha sido eso que llamamos amor romántico. Esperamos obtener del sexo y de las relaciones románticas lo que antes esperábamos de la fe depositada en Dios. Así lo escribe:

> *Nuestra pareja se convierte en un ideal divino en el que realizarnos en esta vida. Las necesidades espirituales y morales se centran ahora en una persona… Dicho de forma resumida, el objeto de amor es Dios… "El ser humano intentó alcanzar un "tú" cuando la visión del mundo de la gran comunidad religiosa supervisada por Dios murió".[43] En definitiva, ¿qué es lo que esperamos al poner a nuestra pareja a la altura de Dios? Pues, ¡nada menos que redención!.[44]*

Como pastor, he oído cientos de historias de relaciones difíciles y de amor truncado. Un caso típico es el de Jeff y Sue.[45] Jeff era alto y apuesto, el tipo de compañero con el que siempre había soñado Sue. Él era un gran conversador y ella era tímida y de pocas palabras, por lo que estaba encantada con que él llevara la voz cantante en público, acaparando toda la atención en las reuniones sociales. Pero Sue tenía muy claro qué metas quería alcanzar en esta vida, planificando todo con vistas al futuro, mientras que Jeff prefería "vivir el presente". En un principio, esas diferencias parecían compensarse mutuamente. A Sue, le había parecido increíble que alguien tan apuesto se fijara en ella, mientras que Jeff, al que muchas mujeres encontraban muy poco ambicioso, se había considerado afortunado por encontrar una mujer que le adoraba. Transcurrido el primer año de su matrimonio, la facilidad de palabra de Jeff empezó a parecerle a Sue una incapacidad fundamental para escuchar a los demás, estando además siempre centrado en sí mismo. Su falta de ambición era motivo de amargo desengaño. Por su parte, Jeff pensaba que la ausencia de conversación en Sue era síntoma de falta de transparencia, y además había empezado a hacerse evidente que la timidez de Sue y sus pocas palabras enmascaraban una personalidad dominante. El matrimonio empezó a deslizarse por una peligrosa pendiente, acabando en un rápido divorcio.

El desencanto, a manera de abrupto "fin de la luna de miel", es algo tan común hoy día como lo fue también en el pasado. Es algo completamente normal, y absolutamente inevitable. Pero la hondura del desengaño que está al orden del día en nuestra sociedad sí que es algo nuevo, al igual que lo es la velocidad con que se deshacen los matrimonios. En la actualidad, algo ha intensificado esa experiencia volviéndola tóxica. Se trata de la quimérica ilusión de poder encontrar nuestra alma gemela y ver entonces cómo se resuelven todos nuestros problemas. Pero eso lo que hace es convertir a la persona objeto de nuestro amor en una especie de dios, y no hay ser humano alguno capaz de estar a la altura de semejante exigencia.

Vistas las cosas, ¿por qué no desechar la institución del matrimonio como algo ya caduco e inservible? Las gentes hoy se sienten libres y autónomas. La familia, las instituciones religiosas y las naciones-Estado —todo ello, fundamento básico del entramado social—, parece haberse convertido en instrumentos de opresión. Es posible, entonces, que el matrimonio sea en verdad algo del pasado. O eso es lo que creen algunos. A partir de la década de los 70, se empezaron a oír voces que anunciaban la muerte del matrimonio como institución social. En fecha más reciente, se han ido haciendo públicos unos estudios, realizados por el Pew Research Center, en los que se informa que casi el 40 por ciento de los americanos cree que el matrimonio está volviéndose obsoleto[46]. Tal como manifestó en una entrevista uno de los actores de la película *Monogamy*, "En este país hemos fracasado en esa empresa. Tratamos de protegerlo en cuanto que institución sagrada pero fracasada. Y por fuerza tiene que hacer su aparición otro modelo".[47]

## Una profunda ambivalencia

A pesar de esa impresión popular, que ve el matrimonio en vías de extinción, los analistas no están tan seguros, multiplicándose las ideas en conflicto a ese respecto. Dos ejemplos emblemáticos los tenemos en el libro de Laura Kipnis *Against Love: A Polemic* (Pantheon, 2003) y el de Pamela Hag *Marriage Confidential: The*

*Post-Romantic Age of Workhouse Wives, Royal Children, Undersexed Spouses, and Rebel Couples Who Are Rewriting the Rules (* (Harper, 2011). Ambas autoras han dedicado mucho tiempo y esfuerzos a investigar qué es lo que está acabando con el matrimonio tradicional y la razón de que sea prácticamente imposible encontrar un matrimonio con muchos años de convivencia que sea genuinamente feliz. Pero su conclusión final, a regañadientes, es que es necesario preservar la institución del matrimonio, aunque no obstante deberíamos ser muy abiertos respecto a las relaciones extramaritales y los encuentros casuales.

Pero Elissa Strauss, en su reseña crítica del libro de Haag, aparecida en la revista *Slate*, señala que la autora "no aporta prueba alguna que demuestre que los pioneros en las relaciones no monógamas estén en mejor situación que las parejas monógamas".[48] De hecho, las "parejas rebeldes" sobre las que basa Haag su estudio —personas casadas que han tenido relaciones extramatrimoniales o que mantienen relaciones casuales a través de los 'chats'— encontraron esas otras experiencias poco satisfactorias e incluso gravemente perjudiciales para su matrimonio. "En última instancia", concluye Strauss, "hay algo que no cuadra en la lealtad de Haag a la institución del matrimonio... dado que prácticamente lo desmantela".[49] Eso pone de relieve la profunda ambivalencia con la que los detractores del matrimonio abordan el tema.

Hay pocos argumentos serios y rigurosos que prueben que la sociedad actual puede prescindir de la institución del matrimonio. Incluso los que critican la monogamia tienen que admitir que, al menos en el plano pragmático, no podemos vivir sin él.[50] Certeza que viene respaldada por los distintos estudios y análisis realizados al respecto, ya mencionados en el presente capítulo.[51]

De hecho, son cada vez mayores los indicios que apuntan a que el matrimonio —el tradicional y monógamo— es fuente de grandes beneficios para la población adulta, dentro de un amplio espectro social, y más aún para los niños y para la sociedad en general.

Pero, desde luego, no es necesario recurrir a las investigaciones científicas para saber que el matrimonio va a seguir siendo una realidad. La extensión de su práctica así lo confirma. No ha habido siglo y sociedad conocida que no haya hecho del matrimonio una institución particular.[52] Y a pesar de haber decrecido sin duda el número de matrimonios en la sociedad occidental, el porcentaje de personas que tienen la esperanza de casarse no ha disminuido en absoluto. Hay un profundo deseo de comprometerse a fondo en el matrimonio. Adán lo hizo patente al reconocer en Eva a la compañera idónea, siendo esa vida compartida un tesoro inconmensurable. Y así es como debería ser. El problema no radica en el matrimonio en sí. Según Génesis 1 y 2 fuimos hechos para vivir unidos en matrimonio. Aunque ya en Génesis 3 se nos advierte que esa unión, al igual que tantos otros aspectos de la vida, ha sido quebrantada por el pecado.

Si nuestra forma de concebir el matrimonio es demasiado romántica e idealista, estaremos subestimando la influencia que el pecado tiene en nuestras vidas. Pero si se es demasiado cínico y pesimista, estaremos perdiendo de vista su auténtico origen y sentido. Y si hacemos un todo de ambas vertientes, algo muy frecuente en la sociedad actual, nos quedaremos con una visión distorsionada. Sea como fuera, lo realmente cierto es que el problema no es la institución, sino nosotros.

## El gran secreto

Tal como señalábamos al inicio del capítulo, el apóstol Pablo califica el matrimonio como un "gran misterio". Y hemos pasado revista a varias formas en las que es realmente un misterio para nosotros. No podemos desecharlo, porque es demasiado importante, y por eso mismo nos abruma. El término griego que Pablo está usando ahí es *mysterion*, con una cobertura léxica que incluye la noción de "secreto". En la Biblia, este término no se aplica a un conocimiento esotérico, del que sólo participan los iniciados, sino a un hecho verdaderamente prodigioso y a algo que se sale fuera de lo normal, una verdad no buscada que Dios da a conocer a través de su Espíritu.[53] En otros textos, Pablo utiliza este mismo término en referencia a otras revelaciones relativas al propósito de la obra de salvación de Dios, según lo encontramos en el evangelio. Pero, más concretamente, en Efesios 5 Pablo aplica este término, un tanto sorprendentemente, al matrimonio. En el versículo 31 de ese capítulo, cita el versículo final del relato de Génesis, que presenta el primer matrimonio de la creación: *"Dejará el hombre a su padre y a su madre, y se unirá a su mujer, y los dos serán una sola carne"*. A lo que añade, acto seguido, ese *mega-mysterion (versículo 32)* —verdad extraordinaria, grande y profunda que únicamente puede entenderse con la ayuda del Espíritu de Dios.

Ahora bien, ¿en qué consiste *ese* secreto relativo al matrimonio? Y ahí es donde Pablo traza un paralelismo tan sorprendente como cautivador, *"digo esto respecto de Cristo y de la iglesia"*, en clara referencia a su enunciado en el (*versículo 25)*: *"Maridos, amad a vuestras mujeres, así como Cristo amó a la iglesia, y se entregó a sí mismo por ella…"*. En esencia, pues, ese "secreto" no tiene tan sólo que ver con el matrimonio como tal. Se trata de que los maridos han de hacer por sus esposas lo que Jesús hizo para establecer un vínculo con nosotros. ¿En qué consiste eso exactamente?

Jesús se entregó por nosotros. Jesús el Hijo, aun siendo igual al Padre, renunció a su gloria, asumiendo nuestra naturaleza humana (Filipenses 2:5ss). Y, más aún, fue a la cruz por propia voluntad, pagando la culpa de nuestras transgresiones y pecados, quitando nuestra culpa y condena para que podamos estar unidos a Él (Romanos 6:5) y participar por ello de su misma naturaleza (2 Pedro 1:4). Cristo renunció a su gloria y poder, haciéndose siervo por nosotros. Antepuso nuestros intereses a los suyos (Romanos 15:1-3). Su sacrificio hizo posible la unión que ahora podemos tener con Él. Ahí radica la clave de cómo ha de entenderse y vivirse el matrimonio. Relación que establece el nexo de unión entre el matrimonio en Génesis 2 y la realidad de la unión de Cristo con su iglesia. En acertadas palabras de un experto en teología, "Pablo se dio cuenta de que al instituir Dios el primer matrimonio de la historia de la humanidad, ya tenía a Cristo y a su iglesia en mente. De hecho, es uno de los grandes propósitos de Dios en su proyecto de unión entre el sacrificio de Cristo y su pueblo redimido".[54]

Disponemos, por ello, de un poderoso argumento ante la objeción que ve en el matrimonio algo opresivo y obsoleto. En Filipenses 2, Pablo dice que el Hijo de Dios no se aferró a su condición de ser igual al Padre, sino que su grandeza se hizo patente en su disposición de servir al Padre. Sufrió cruz, pero el Padre le levantó de entre los muertos.

Eso nos muestra cómo es Dios... El Padre, el Hijo y el Espíritu Santo no se utilizan mutuamente con vista a fines propios... No hay pugna por una unidad en la diversidad, ni una diversidad en la unidad. Las tres personas son una y la unidad está integrada por una trinidad.[55]

Pero no debemos detenernos ahí. En Efesios 5, Pablo llama nuestra atención sobre el hecho de que Jesús nunca hizo uso de su poder para opresión, sino que se sacrificó hasta lo último para que podamos llegar a alcanzar la unión con él. Eso es algo que nos lleva más allá del ámbito filosófico, para situarnos de pleno en el terreno de lo práctico y lo personal. Si en los planes de Dios, el evangelio hubiera sido únicamente para salvación en Jesús, el matrimonio exclusivamente "funcionaría" en la medida en que nos aproximara al modelo del amor en la entrega de Dios en Cristo. Pero lo que Pablo dice no sólo da respuesta a las objeciones al matrimonio como institución opresiva y restrictiva, sino que da forma y expresión a las abrumadoras demandas del matrimonio. Pero hay tanto que hacer, que no sabemos siquiera por dónde empezar. Y es justamente ahí cuando Pablo nos dice: "empezad por lo básico pero fundamental, amando a vuestra esposa como Dios nos ha amado en Jesús, y todo lo demás vendrá por añadidura".

Ese es el verdadero secreto —que el evangelio de Jesús y la institución del matrimonio están mutuamente relacionados. Al crear Dios a la pareja, ya tenía en mente la obra salvadora de Cristo.

## Sin falsas elecciones

Deberíamos oponernos con toda razón a la elección binaria a que nos abocan tanto la concepción tradicional del matrimonio como su variante moderna. ¿Es realmente el propósito del matrimonio negar los intereses personales en aras del bien familiar, o se trata en cambio de tratar de hacer que imperen nuestros intereses para realizarnos personalmente? El cristianismo no nos demanda elegir entre la realización personal y el sacrificio de todo otro posible interés, sino, y muy por el contrario, una plena realización en generosa entrega mutua. Jesús ofreció su persona, muriendo en la cruz para salvarnos y hacer de nosotros su familia. Y ahora nos corresponde a nosotros renunciar a nosotros mismos y morir al egoísmo, primero cuando nos arrepentimos y creemos en el evangelio, y posteriormente cuando nos sometemos a la voluntad divina en un diario caminar. Subordinación por parte nuestra que está libre de todo riesgo, por cuanto Jesús estuvo dispuesto a ser él el que fuera al infierno y regresara por amor a nosotros. Esa gloriosa verdad anula todo posible miedo a que la entrega en amor conlleve pérdida del yo personal.

¿Qué es entonces necesario para que el matrimonio funcione? Conocer, desde luego, su secreto, esto es, su íntima relación con el evangelio, y cómo este ofrece poder y ejemplo para la relación marital. Así, la experiencia del matrimonio pondrá de relieve la belleza y la profundidad del evangelio, fomentando con ello una plena confianza por parte nuestra. Pero eso no es todo. La mejor y más amplia comprensión del evangelio nos ayudará a experimentar en mayor profundidad la relación de pareja según vayan pasando los años.

Y en eso consiste el mensaje radical y novedoso de este libro —que, a través del matrimonio, "el misterio del evangelio se desvela".[56] El matrimonio es el vehículo idóneo para remodelar nuestros corazones de dentro hacia fuera, proporcionando sólido fundamento a una vida compartida.

El matrimonio es a la vez doloroso y maravilloso por ser reflejo del evangelio, relación en la que se aúnan de forma singular ambas cualidades. El evangelio revela una verdad sorprendente: somos pecadores en una medida que no nos atrevemos a reconocer, al tiempo que somos amados y aceptados por Jesús como jamás pudimos imaginar. Esa es la única relación que podrá obrar un auténtico cambio en nosotros. El amor que no va acompañado de la verdad es mero sentimentalismo; nos reafirma y nos da aliento, pero sin hacernos reconocer nuestras faltas. La verdad sin amor es inclemente, proporcionando información que no estamos en disposición de poder escuchar. El amor para salvación de Dios en Cristo se caracteriza tanto por una verdad radical respecto a quiénes somos, y por un compromiso de fidelidad igualmente radical. La misericordia que nos brinda nos hace ver la realidad del estado en que nos encontramos, instándonos a un arrepentimiento. Convicción y arrepentimiento que nos mueven a aferrarnos a esa gracia y misericordia divina.

Los momentos duros y difíciles del matrimonio pueden hacernos experimentar ese amor de Dios para transformación, mientras que las experiencias positivas en pareja también servirán para transformarnos humanamente. El evangelio puede llenar nuestros corazones con el amor de Dios, algo que nos ayuda a superar crisis de pareja en las que nuestra esposa o esposo no nos ama como debería, con la ventaja añadida de poder ver los defectos de nuestra pareja en su auténtica dimensión, comentarlos y, aun así, amar y aceptar a nuestra pareja. Y cuando, por el poder del evangelio, nuestra pareja experimenta esa misma verdad en amor, surge la oportunidad de mostrar ese mismo amor para transformación.

¡Ese es el gran secreto! A través del evangelio, nosotros recibimos poder y dirección para el viaje del matrimonio. Pero lo cierto es que hay mucho más que decir acerca de ese camino y de la fuerza que lo sustenta. Efesios 5 va a ayudarnos a comprender ese gran y profundo misterio en toda su plenitud.

# La fuerza para el matrimonio

*Someteos unos a otros en el temor de Dios.*
*(Efesios 5:21)*

## Sed llenos del Espíritu

La declaración introductoria de Pablo, en su muy conocido párrafo sobre el matrimonio en Efesios, la encontramos en el versículo 21: "*Someteos unos a otros en el temor de Dios*".[1] Las versiones en lenguas modernas suelen ponerlo como versículo independiente cuando lo cierto es que, en el original en griego, forma parte de la extensa frase previa donde Pablo señala lo que distingue a la persona que está verdaderamente "llena del Espíritu". La marca final distintiva de la plenitud en el Espíritu es, pues, la ausencia de orgullo y la renuncia al propio interés, lo que lleva a querer servir a los demás con humildad y deferencia. De la sumisión en el Espíritu del versículo 21, Pablo pasa sin dilación a los deberes de esposas y maridos.

Los lectores occidentales se fijarán enseguida en el verbo "someteos" (reaccionando entre airados e indignados), por cuanto incide de pleno en el controvertido tema de los papeles según sexo. Pero discutir aquí ese tema es un error que puede suponer acabar no entendiendo nada de lo que Pablo está realmente diciendo, por cuanto da por sentado que ambas partes están por igual llenas del Espíritu de Dios. Hay que aprender, pues, primero a servir a los demás, ayudados por el Espíritu, para poder hacer frente así con éxito a los retos y dificultades del matrimonio.

El libro, dentro de los escritos del Nuevo Testamento, donde más extensamente se habla acerca de la obra del Espíritu es el evangelio de Juan. Jesús consideraba tan importante esa enseñanza que la tuvo presente de forma particular la víspera de su muerte. Cuando leemos acerca de "estar llenos del Espíritu", pensamos principalmente en una paz interior y en un poder particular, y, sin duda, es así. Pero Jesús se refirió al Espíritu Santo primeramente como *"Espíritu de Verdad" que "os recordará todo lo que yo os he dicho" (Juan 14:17, 26). El Espíritu Santo le "glorificará; porque tomará de lo [suyo], y [nos] lo hará saber" (Juan 16:14).* Pero, ¿qué significa eso exactamente?

"Dar a conocer" traduce una locución griega indicativa de algo extraordinario que demanda plena atención. La tarea del Espíritu Santo es, por consiguiente, desvelar el significado de la persona y obra de Jesús a los creyentes, y ello de manera que su gloria, en toda su inconmensurable importancia y bondad, se haga patente en la mente y en el corazón.[2]

Esa es la razón de que, unos párrafos antes, Pablo haya orado pidiendo que sean *"alumbrados los ojos de [nuestro] entendimiento" (1:18), para que así seamos nosotros "capaces de comprender... el amor de Cristo" en toda su gloriosa y profunda extensión (3:17-18).* El ministerio del Espíritu Santo consiste, por tanto, en transmitir las verdades de Jesús y hacer que las entendamos con la mente y las vivamos con el corazón, adquiriendo, por último, tal carta de naturaleza, que sean en verdad de consuelo y de poder, transformándonos en lo más profundo de nuestro ser.

La vida en la "plenitud del Espíritu" es a la vez gozo y sosiego, pero también exaltación y experiencia que nos desborda. Las verdades acerca de la gloria de Dios y la obra de salvación de Jesús no sólo han de creerse con la mente, sino que han de exteriorizarse con cánticos de alegría *(Efesios 5:19)* para solaz del alma. *"Hablando entre vosotros con salmos, con himnos y cánticos espirituales, cantando y alabando al Señor en vuestros corazones; dando siempre gracias por todo al Dios y Padre, en el nombre de nuestro Señor Jesucristo…" (versículos 19-20).* Y por ser el objeto de ese cántico, no las circunstancias favorables de la vida (que pueden cambiar), sino la verdad y la gracia de Jesús (que son inmutables y para siempre), van a persistir aun en medio de la adversidad.

De forma inmediata tras la alocución sobre la vida en el Espíritu, Pablo habla del matrimonio, estableciendo una íntima relación entre la vida en el Espíritu y la vida de matrimonio, quedando claras dos cuestiones en particular.

En primer lugar, el cuadro que ahí se traza sobre el matrimonio no es el de dos personas necesitadas, inseguras respecto a su propia valía y propósito, tratando de encontrar la razón de su existencia en la otra persona. Pues, si ese es el caso, el vacío personal, unido al ajeno, generaría un vacío aún mayor y más destructivo. Esa es la razón de que Pablo dé por sentado que cada cónyuge tiene previamente asumidas las grandes cuestiones de la vida, esto es, por qué fuimos creados por Dios y quiénes somos en Cristo. Nadie vive en continuo gozo. Y la felicidad no es algo automático y constante. Si fuera así, Pablo no habría comenzado el versículo 18 con un imperativo, exhortando a sus lectores a, literalmente, ser "llenos del Espíritu", como algo necesario en su renovación de forma permanente. Aun así, con frecuencia, suele darse el caso que, en el plano de lo espiritual, tratamos de avanzar con el depósito vacío. Pero lo sabio y prudente es hacer primero aprovisionamiento de 'fluido' en el depósito que ha sido puesto a nuestra disposición. Tras probar muchas otras cosas, los cristianos hemos aprendido por fin que el adorar a Dios con todo el corazón, en la plena seguridad de su amor en virtud de la obra de Cristo, es lo que llena el depósito de nuestra alma para vivir la realidad presente. Eso es lo que activa nuestros circuitos. Si no entendemos eso, obrando en consecuencia, careceremos del recurso necesario para un matrimonio consecuente y gozoso. Pero, si lo que esperamos es recibir esa energía de nuestra pareja, que es algo que tan sólo viene de Dios, estaremos esperando lo imposible.

## Someteos los unos a los otros

El ministerio del Espíritu en nuestras vidas es lo único que va a prepararnos en la forma adecuada para poder hacer frente a los retos del matrimonio. Y únicamente estando llenos del Espíritu dispondremos de los recursos necesarios para cumplir con el deber de servir y ser de ayuda a nuestra pareja. En los versículos 22-24, Pablo dice, en clara controversia, que la mujer ha de someterse al marido, añadiendo, acto seguido, que los maridos han de amar a sus esposas de la manera como Cristo amó a la iglesia, *"entregando su vida por ella"* (25), que es, en comparación, una petición de mayor renuncia a los propios intereses que lo que se les pide a las mujeres. Tal como tendremos ocasión de ver, cada petición se articula desde distintos presupuestos, siendo, por tanto, distintas las obligaciones, pero manteniéndose la exhortación al sacrificio personal en aras de un mutuo beneficio. Tanto da que seamos el marido o seamos la esposa. No podemos vivir para satisfacer nuestros propios intereses, sino para ser primeramente ayuda idónea de nuestra pareja. Y esa es, sin duda alguna, la función más importante que pueda darse dentro del matrimonio cristiano.

El apóstol Pablo está aplicando al matrimonio un principio general que rige en la vida cristiana, a saber, que todos los cristianos que en verdad hayan comprendido el evangelio, experimentarán un cambio radical en sus relaciones personales. En Filipenses 2:2-3, Pablo afirma sin ambages que los cristianos estamos llamados a *"con toda humildad, considerar a los demás como superiores a nosotros mismos"*. Nótese ahí, además, que no está diciendo que debamos creer, de forma poco realista, que los demás son siempre superiores a nosotros en toda posible cuestión. Eso sería algo absurdo. Se trata, muy al contrario, de que debemos *tener en cuenta* los intereses ajenos por encima de los nuestros. Punto crucial sobre el que insiste en otros textos más, instándonos a renunciar a "darnos gusto a nosotros mismos" para "agradar al prójimo en lo que es bueno, para edificación. Porque ni aun Cristo se agradó a sí mismo" *(Romanos 15:1-3)*. Pablo usa ahí el tajante término *douloi* en la realización de ese servicio *(Gálatas 5:13)*, indicativo de verdadera servidumbre. Y ello por cuanto Cristo se humilló a sí mismo, haciéndose siervo para satisfacer nuestras necesidades al precio de su propia vida. Nosotros tenemos ahora que ser siervos también —los unos para con los otros.

Esto es algo que molesta a la mentalidad moderna por su radicalismo de fondo. ¿Es que tenemos que ser realmente *siervos*? Aclaremos. En el uso que hace Pablo de esa metáfora, no se indica una servidumbre literal de absoluta dependencia respecto a un amo, tal como ocurría en los tiempos antiguos. Lo que, por el contrario, está diciendo es que: el siervo antepone las necesidades ajenas a las suyas propias. Y así es como han de vivir los creyentes. Y si el comportamiento entre creyentes ha de ser de esta manera, mayor razón hay todavía para que igualmente ocurra entre maridos y mujeres. Y aunque Pablo dice que el marido es la "cabeza" de su mujer, sea cual sea su sentido, no se puede obviar el hecho de que es al mismo tiempo su hermano en la fe y siervo suyo, según Gálatas 5:13. Los maridos y las esposas deben servirse mutuamente, renunciando a sí mismos para mutuo beneficio de la pareja. Eso es algo que no anula el ejercicio de la autoridad dentro de las relaciones humanas, sino que, las transforma radicalmente.[3]

Ya cuesta bastante, en las relaciones con los amigos y los compañeros, anteponer los intereses ajenos a los propios, buscando complacerles antes que darnos gusto a nosotros mismos. Pero aplicar esos mismos principios a la relación de pareja en el matrimonio significa ponerlos en práctica en su forma más intensa. Pasar un día juntos, como pareja, puede suponer quién decide qué se hace, y quién cede de su gusto y voluntad. Y eso cada cinco minutos. En semejante situación, tres son las alternativas: Se puede servir al otro con alegría, se puede hacer con resentimiento, o se puede insistir egoístamente en que impere la propia voluntad. La primera alternativa es la única que puede permitir que la relación de pareja perdure y prospere. Pero ¡cuán difícil y duro puede ser llegar a conseguirlo!

Kathy y yo recordamos un incidente dentro de nuestro matrimonio, que tuvo lugar durante una visita a Nueva Inglaterra, donde habíamos realizado estudios antes de casarnos. Estábamos alojados, junto con nuestros tres hijos, en casa de unos amigos, y yo había planeado, con mucha ilusión, acercarme a la librería del centro, con la idea de ver las novedades y quizás comprar algún libro que me pareciera interesante. Pero era consciente de que eso supondría restar tiempo a otras actividades que teníamos planeadas como familia, así como dejar a Kathy sola con la carga de los niños. Todo ello me impedía decírselo a Kathy. La verdad es que esperaba que Kathy adivinara mi deseo y me ofreciera tener ese tiempo libre. Pero no lo hizo y de repente me descubrí a mí mismo profundamente resentido por ese "fallo" suyo de no adivinarme el pensamiento. ¿Cómo era posible que no se diera cuenta de lo mucho que me apetecía visitar esa librería? Yo trabajo duro, ¿cómo es que no se plantea que tenga una tarde libre que bien me merezco? Y empecé a fantasear, imaginando que *sí* se daba cuenta del caso, pero que no estaba dispuesta a ceder.

Después de una larga e irritante jornada, ayudando a Kathy con los niños y compadeciéndome todo el rato a mí mismo, por fin le dije a Kathy lo mucho que me dolía no haber podido ir a visitar la librería. Ante lo cual ella se indignó, y con toda razón, diciendo, "Pues, sí, desde luego que eso habría supuesto más trabajo para mí, pero *me habría encantado* hacerlo por ti. Apenas tengo oportunidades de hacer cosas por ti y tú estás siempre echándome una mano en todo. ¡Ahora me has privado de una oportunidad de servirte!".

Eso me llevó a darme cuenta de que yo *no había estado dispuesto a dejar que me sirviera*, porque en modo alguno quería depender del favor de los demás. Y Kathy se sentía ofendida y disgustada porque no le había dado la oportunidad de hacer algo por mí. Regresamos, por último, a casa en tenso silencio, dándole yo vueltas a lo ocurrido.

Finalmente, empecé a ver claro lo que en realidad había pasado. Yo estaba dispuesto a servir, desde luego, pero porque eso hacía que me sintiera disponiendo el control. Y la razón moral iba así a estar siempre de mi parte. Pero esa clase de "servicio" no lo es en absoluto, sino que es, y muy al contrario, pura manipulación. Pero al no darle a Kathy la oportunidad de servirme, yo había fracasado en mi servicio a ella. Y la razón de fondo era mi propio orgullo.

En esas situaciones es cuando el Espíritu de Dios nos ayuda de forma tan especial. En todos los textos relacionados, el apóstol Pablo traza un vínculo entre un "corazón para el servicio" y el mensaje del evangelio. ¿Qué mensaje es ese? Que somos seres tan caídos y perdidos, y tan proclives al pecado, que Jesús tuvo que morir por nosotros, por mí y por ti, pero que, llevado por su gran amor, murió voluntariamente para darnos vida y a ti y a mí. El Padre nos acepta ahora, deleitándose en nuestra relación con Él, y no porque lo merezcamos, sino por pura gracia. Mi renuencia a dejar que Kathy me sirviera era, en el fondo, una negativa por parte mía a vivir bajo la gracia. Yo quería conseguir todo por propio mérito y no tener que deber favores a nadie. Estaba, sin embargo, dispuesto a hacer favores a los demás, para poder sentirme magnánimo. Pero no quería, en modo alguno, que nadie me sirviera. Mi corazón seguía operando a ese nivel, aun habiendo aceptado con la mente el mensaje básico del evangelio que por la fe en Cristo vivimos en gracia reconciliados con Dios.

El mensaje cristiano de pura gracia *debería* llevarnos a ser humildes y, al mismo tiempo, a elevar nuestro ánimo. Lo que en verdad nos enseña es que somos seres pecadores centrados en nosotros mismos. Mensaje que, por la gracia que comunica, desbarata toda posible idea nuestra de propia bondad y superioridad. Pero el evangelio también nos habla de un amor sin igual y de una afirmación personal que sobrepasa todo lo imaginable. No necesitamos esforzarnos para poder ser personas de valía por propio mérito. Y significa también que no tiene que preocuparnos el vernos privados de algún privilegio y comodidad, o de elogios o compensaciones. Tampoco es necesario llevar la cuenta de salidas y entradas, de pagos y de débitos. Podemos dar gratuitamente y asimismo recibir de gracia.

Entonces, ¿cómo es que no dejé que en mi relación con Kathy entrara el evangelio? Pues, sencillamente, porque lo que creía con la cabeza, no había pasado a mi corazón. La disposición a servir a los demás requiere la intervención del Espíritu Santo, Espíritu de la Verdad, para que esa realidad penetre en nuestros corazones y los transforme.

## El problema del egocentrismo

El principal obstáculo en la consecución de un corazón dispuesto a servir en el matrimonio es el problema ya mencionado en el primer capítulo, esto es, el egocentrismo que anida en el corazón humano. El egocentrismo es una lacra que puede causar la ruina y es siempre un enemigo en la sombra *en todo matrimonio.* Cuando hace su aparición, tiene que ponérsele a raya de inmediato. En la conocida descripción del amor que hace el apóstol Pablo en 1 Corintios 13, dice taxativamente:

> *El amor es sufrido, es benigno; el amor no tiene envidia, el amor no es jactancioso, no se envanece; no hace nada indebido, no busca lo suyo, no se irrita, no guarda rencor.*
>
> *(versículos 4-5)*

Pablo insiste en varios de sus escritos en que el amor es lo opuesto a "buscar un beneficio propio", que supone, en la práctica, pensar preferentemente en el interés personal. El egocentrismo se manifiesta en múltiples formas: impaciencia, irritabilidad, envidia, trato desabrido, ausencia de compasión ante el mal ajeno y un espíritu de rencor que no olvida las ofensas. En las entrevistas a parejas divorciadas realizadas por Dana Adam Shapiro, se aprecia que esas son muchas de las razones que llevan a la desintegración marital. El egocentrismo de cada cónyuge se reafirmaba imperativo (como siempre ocurre), suscitando en su pareja una reacción de impaciente resentimiento, acompañada de frialdad y dureza insólitas. Dicho de otra forma, se reacciona ante el egocentrismo ajeno activando el propio. ¿Por qué es así? El egocentrismo, por su propia esencia, hace que no lo reconozcamos personalmente, mostrándonos en cambio hipersensibles ante su presencia en los demás, suscitando un enfado ofensivo y provocador.[4] La resultante es siempre una espiral descendente hacia la autocompasión, la irritabilidad y la desesperanza, pudiendo quedar afectada la relación hasta el punto incluso de disolverse.

Pero el evangelio, incorporado a nuestra vida por la acción del Espíritu, puede llevarnos felizmente a ser humildes, con una plenitud interna que nos libera para ser generosos con los demás, incluso en momentos y situaciones que no nos dan la alegría y satisfacción que esperábamos. Sin la ayuda del Espíritu, sin llenar el alma de la gloria y el amor del Señor, esa sumisión ante los intereses ajenos es virtualmente imposible ponerla en práctica de forma prolongada y sin resentimiento. La complejidad del tema la entiendo yo como "la economía del amor". Para poder ser generosos, hay que disponer de fondos en el Banco. De igual manera, si la única fuente de amor y de significado es tu pareja, cuando te falle no sólo será causa de dolor, sino un verdadero cataclismo emocional. Pero si verdaderamente has experimentado algo de la obra del Espíritu en tu vida, tendrás suficientes reservas de afecto para poder obrar con generosidad, incluso en el caso de no recibir suficiente cariño y aprecio en un momento dado.

Para lograr un matrimonio feliz, es necesario aplicar la capacidad que el Espíritu forma en nosotros para el servicio, lo que supone retirarse del centro, para poner delante las necesidades de los demás. La obra del Espíritu de hacer real el evangelio en nuestras vidas debilita el natural egocentrismo del alma. De hecho, va a ser tarea imposible luchar contra el egocentrismo y tener una pronta disposición para el servicio, sin esa ayuda sobrenatural.[5]

La profunda felicidad que puede vivirse en el matrimonio tiene gran parte de su fundamento en la renuncia generosa al propio yo ayudados por el Espíritu. La verdadera felicidad se descubre en la prioridad que damos a las necesidades de nuestra pareja. Prioridad que es respuesta voluntaria ante lo que Jesús ha hecho por nosotros. Habrá entonces quien pregunte: "Si pongo la felicidad de mi pareja por delante de mis necesidades, ¿qué gano *yo* con ello?". La respuesta es clara: felicidad. Eso es lo que ganamos. Una felicidad derivada de servir a las personas en vez de usarlas, que nunca te hará sentir mal. Es el gozo que resulta de servir a otra persona con un coste por nuestra parte. En la sociedad actual, con la mentalidad predominante del "Matrimonio Yo", no encaja bien esta propuesta de anteponer las necesidades ajenas a las propias por encontrarla opresiva. Pero eso es por no examinar con la necesaria profundidad esta enseñanza cristiana acerca de la naturaleza de la realidad. ¿Qué enseñanza es esa?

El cristianismo afirma, ya desde el principio, que Dios es trino, esto es, que hay tres personas distintas dentro de la unidad que es Dios. En Juan 17, y otros pasajes más, se nos informa de que, desde la eternidad, cada una de las personas de esa trinidad —Padre, Hijo, y Espíritu Santo— ha glorificado, honrado, y amado a las otras dos. Lo que significa que Dios está esencialmente orientado hacia otro. Al asumir la cruz, Jesús obró en fidelidad a la esencia de su naturaleza. C. S. Lewis señaló, en ese sentido, que Jesús se sacrificó voluntariamente a favor nuestro "en la dura realidad del entorno terrenal", aquello que llevaba ya haciendo desde la eternidad "en el seno de la Trinidad en gloriosa voluntad".[6]

La Biblia nos enseña que los seres humanos hemos sido creados a imagen de Dios. Lo que quiere decir que, entre otras cosas más, fuimos creados para adorar a Dios y vivir para su gloria, no para la nuestra. Fuimos, pues, creados para servir a Dios y a nuestro prójimo. Eso supone, un tanto paradójicamente, que si nos empeñamos en dar prioridad a nuestra propia felicidad por delante de la debida obediencia a Dios, estaremos contraviniendo nuestra propia naturaleza esencial, convirtiéndonos en seres desdichados. Jesús formula de nuevo este principio cuando dice: *"Porque todo el que quiera salvar su vida, la perderá; y todo el que pierda su vida por causa de mí, la hallará" (Mateo 16:25).* La esencia de su mensaje es, pues: "Si buscas tu felicidad antes que buscarme a mí, no conseguirás nada de ello; si, en cambio, buscas primero servirme a mí por delante de tu felicidad, obtendrás ambas cosas".

El apóstol Pablo aplica este principio al matrimonio. Si buscamos servir a los demás por encima de nuestra propia felicidad, descubriremos una nueva manera de ser feliz, mucho más real y profunda. Son muchas las parejas que han descubierto está insospechada realidad. ¿Por qué es esto así? Por la sencilla razón de que el matrimonio ha sido "instituido por Dios". Un Dios para el que el amor en entrega de sí mismo es atributo esencial y reflejo de su naturaleza, de forma muy particular en lo que revela la obra de Cristo.

En consecuencia, al tener que hacer frente a cualquier problema dentro del matrimonio, lo primero que se ha de buscar es si hay en su base un fondo de egocentrismo y una falta de voluntad de servir a la pareja. El vocablo "someterse", que Pablo utiliza al respecto, es de origen militar, y en el original griego connota la sumisión en obediencia del soldado ante un oficial. ¿Qué le impulsa a hacerlo así? Pues el hecho cierto de que cuando se entra a formar parte del sistema militar, se somete uno por propia voluntad a un orden que marca por igual pautas de trabajo y de descanso, y cuándo y por qué se hacen las cosas. Para formar parte de un todo, hay que estar dispuesto a renunciar a una parte de nuestra independencia y a tomar decisiones unilateralmente. Pablo dice que esta buena disposición a no imponer los derechos que nos asistan por el bien común no es algo instintivo que nos salga de forma natural. De hecho, es justamente lo opuesto a lo natural. Pero ese es el fundamento sobre el que se edifica el matrimonio que resiste.

A primera vista, puede parecer opresivo. Pero así es como puede darse un buen funcionamiento en el matrimonio. Hay quien sostiene que de esta forma es como todo podría funcionar debidamente. Tenemos que estar dispuestos a ceder de nuestro gusto y derecho para poder, en última instancia, recuperarlo. La genuina satisfacción personal no se logra si no se está primeramente dispuesto a rendir un servicio desinteresado. Lo que más anhelamos es lo que más paciencia y tiempo nos va a costar. Es, de hecho, un principio universal en esta vida:

> *En el ámbito de las relaciones sociales, nunca vamos a causar una buena impresión en los demás hasta que no dejemos de plantearnos obsesivamente si lo estamos consiguiendo o no. En el terreno de la literatura y de las artes plásticas, el artista que se plantee de entrada si está siendo original, nunca va verdaderamente a serlo: mientras que, si tan sólo trata de decir la verdad de lo que ve (y tanto da si es ya algo dicho o hecho), será, en una proporción de nueve a uno, realmente original sin haber sido consciente de ello. Este es un principio que afecta a la vida en su totalidad. Renunciando a un yo impositivo, encontramos el verdadero yo. Perdiendo la vida personal, la salvamos de forma definitiva… Nada a lo que primeramente no hayamos renunciado llegará a ser verdaderamente nuestro…*[7]

## Las heridas que arrastramos

Muchas son las razones para no poder darnos cuenta de nuestro egocentrismo. Uno de los principales factores que nos impiden verlo es nuestro bagaje emocional. Lamentablemente, no pocas personas llegan al matrimonio con la carga de un pasado desdichado, por haber sufrido injustamente a manos de sus propios padres, por relaciones amorosas previas, o por un matrimonio anterior fallido. Y no me estoy refiriendo a casos de abusos físicos. Estoy hablando de experiencias de desafecto, de maltrato psicológico, de la práctica sistemática del insulto y el menosprecio. Por su parte, las relaciones sentimentales previas sea en pareja de hecho sea en matrimonio formal, pueden ser ocasión para experimentar engaño y trato desleal. Todas esas posibles experiencias negativas pueden hacer que sea muy difícil volver a confiar en el sexo opuesto, sembrando, al mismo tiempo, la duda de si uno es capaz o no de juzgar adecuadamente situaciones y personas. El estado de perenne duda a causa de anteriores injusticias sufridas puede desembocar en desilusión y patente resentimiento.

Al matrimonio llegamos con un cúmulo de experiencias personales previas. Y cuando, inevitablemente, surgen los conflictos, los recuerdos de situaciones previas pueden sabotearnos. De hecho, pueden impedir que llevemos a cabo la ineludible tarea de arrepentimiento, perdón y concesión de gracia; tareas todas ellas cruciales para poder progresar adecuadamente en la relación de pareja. El peligro ahí es quedarnos anclados en aquello que nos duele.

Esto es algo que comprobamos con mucha frecuencia al hablar con personas que tienen pendientes deudas emocionales, porque siempre acaban hablando en exclusiva de sus heridas y problemas, sin siquiera ser conscientes de estar haciéndolo. Incapaces de ser sensibles a las necesidades ajenas, no perciben el dolor del otro, y si lo hacen es por asociación con algo personal suyo. La ayuda que presten, será siempre por un deseo de sentirse bien respecto a sí mismos. De comprometerse con una causa ajena, aspiran a poder controlarla para satisfacer necesidades personales, aun sin reconocerlo. Sucede siempre que somos los últimos en darnos cuenta de que estamos completamente centrados en nosotros mismos. Las heridas emocionales no resueltas provocan que ese egocentrismo sea aún más difícil de tratar. Si intentamos hacerle ver a la persona afectada lo que le está pasando, la reacción suele ser de escepticismo: "Vale, puede que sea así. Pero es que tú no sabes cómo es esto". Lo que han tenido que soportar les lleva a justificar su comportamiento.

Dos son las posibles formas de diagnosticar y tratar esa condición. En las tendencias culturales de la sociedad actual, está ampliamente difundida la creencia en la bondad esencial del ser humano. Según el razonamiento al uso, si una persona está centrada por completo en sí misma, y en perpetuo conflicto emocional, será por falta de una autoestima sana y adecuada. Por lo que, sigue dicha postura, lo que habrá que hacer es decirle a esa persona que se trate bien a sí misma y que viva para sí y no para los demás. Con esa actitud de fondo, lo único que haremos será ofrecer consuelo y apoyo, instándoles a que no dejen que nadie les diga cómo deben vivir, que intenten que sus sueños se hagan realidad y que den los pasos necesarios para que así sea. Y lo hacemos convencidos de que de esta manera solucionarán su problema. Pero esa forma de tratar el egocentrismo da por sentado que el egocentrismo no es natural, que no es más que la reacción que cabe esperar en un caso de tratamiento injusto. Enfoque, por cierto, que está ampliamente difundido y que es comúnmente aceptado como correcta comprensión de la naturaleza humana. Pero, en ese sentido, merece la pena tener en cuenta que se ha convertido en todo un artículo de fe, casi en toda una creencia religiosa. No, desde luego, que ninguna de las principales religiones del mundo propugne esa enseñanza, pero sí que, en cambio, es popular artículo de fe en la sociedad occidental.

Pero ese enfoque no da resultado en la práctica. Toda relación matrimonial incluye un porcentaje, por mínimo que sea, de inevitable renuncia a la propia satisfacción y derecho. De hecho, es totalmente imposible llevar adelante una relación con una persona que crea ser merecedor de una preeminencia en todo, simplemente por un sufrimiento previo.

El enfoque cristiano es completamente distinto desde su mismo inicio. Así, por profunda y dolorosa que pueda ser la herida sufrida, no puede justificar el egocentrismo actual, aunque, evidentemente, todo maltrato fomentará y aumentará un egocentrismo de base. Las injusticias pueden actuar como gasolina sobre un fuego ya encendido. Las llamas y el humo resultante podrán asfixiarnos, pero la herida era anterior. Si reaccionamos exigiendo plena atención y derechos indiscutibles, acabarán pasando factura en forma de relaciones truncadas y posible fracaso matrimonial. Con esto no queremos decir que las personas con heridas antiguas no necesiten un trato de especial consideración y paciencia. Pero el pasado nunca da derecho a manipular el presente a nuestro antojo. Las personas con complejo de inferioridad *y* las que se creen superiores tienden a centrarse en sí mismas de forma insana, obsesionadas como están por la imagen que puedan proyectar de cara a los demás, y por el trato que reciban. En situaciones así, podemos ayudar a alguien a superar su complejo de inferioridad para convertirlo en uno nuevo de superioridad, empeorando con ello la situación inicial, y sin haber proporcionado herramientas y claves para vivir de forma plena y saludable.

## Hacer frente al egocentrismo

La descripción de Pablo del efecto que puede tener el evangelio es sorprendente:

> *Y por todos murió, para que los que viven, ya no vivan para sí, sino para aquel que murió y resucitó por ellos.*
> *(2 Corintios 5:15)*

Esa es la esencia del pecado, según nos informa la Biblia: vivir para nosotros antes que para Dios y las personas que nos rodean. Por eso Jesús puede resumir la totalidad de la Ley, esto es, la voluntad expresa de Dios para nuestras vidas, en dos grandes mandamientos: amar a Dios y vivir para Él en lugar de para nosotros, y amar a las personas anteponiendo las necesidades ajenas a las nuestras *(Mateo 22:37-40)*.

Toda persona necesita ser tratada con amabilidad y con respeto, especialmente aquellas que hayan sufrido de forma muy particular, acusando por ello un trato duro. Pero, aun así, tiene que hacérseles ver que seguir morbosamente centradas en sí mismas no se justifica por esa deuda pendiente, sino que obedece a su propio carácter, aunque agravado sin duda por los abusos sufridos. En situaciones así, es imperativo intervenir, o serán personas desdichadas de por vida.

En la sociedad occidental, las personas suelen casarse en su mayoría por sentirse mutuamente atraídas. Pensamos que nuestra pareja es alguien maravilloso. Pero, transcurridos uno o dos años, o puede que nada más pasar un par de meses, suceden tres cosas insólitas. En primer lugar, descubrimos hasta qué punto es egoísta esa persona que creemos maravillosa. En segundo lugar, se hace evidente que lo mismo piensa nuestra pareja respecto a nosotros. Y, en tercer lugar, y aun admitiendo tener ese defecto, consideramos que el de nuestra pareja es mucho más pronunciado y problemático que el nuestro. Esto es algo particularmente cierto si crees que ya has sufrido bastante en la vida con todas las dolorosas experiencias acumuladas. Para tus adentros, pensarás: "Vale, sé que no tendría que obrar así, pero es que *tú no me entiendes*". Todo lo negativo previo puede inducirnos a minimizar nuestro propio egoísmo. Y esa es la situación a la que llegan muchos matrimonios tras un tiempo de convivencia relativamente breve.

¿Qué se puede hacer entonces? Dos son los posibles caminos a seguir. En el primero, se decide que lo que se ha sufrido en el pasado cuenta más que el posible egocentrismo personal y que, si la pareja no lo considere así, asumiendo que tiene que ayudarte y disculparte en todo, la vida conjunta no va a funcionar. Pero lo más probable es que la parte contraria no lo vea de la misma forma, produciéndose por ello un distanciamiento emocional y, quizás, un compás de espera por si las cosas cambian. Puede llegarse entonces a un acuerdo tácito de no mencionar ciertos temas. Habrá a buen seguro cosas que haga tu pareja que te irriten en extremo, pero estarías dispuesto a no mencionarlo si, a cambio, tu pareja deja de reprocharte otras cosas a ti. Ninguno va a cambiar al otro. A lo máximo que se puede aspirar es a un "cedo si tú también cedes". Las parejas que optan por esta clase de relación pueden parecer exteriormente felices, pero cuando llega el momento de la foto de aniversario, el beso será forzado.

La alternativa a una relación de mero pacto es reconocer el egoísmo propio como problema fundamental en la relación de pareja y ocuparse de buscar solucionarlo con mayor ahínco e interés que el que pueda darse a idéntico defecto en el cónyuge. ¿Por qué es conveniente hacerlo así? Pues por la sencilla razón de que únicamente tú puedes solucionar realmente tu problema de egoísmo, y tan sólo tú eres, además, verdaderamente responsable de hacerlo. Como matrimonio cristiano, la pareja tiene que tomarse muy en serio la Biblia y estar por ello dispuestos a "renunciar al propio yo". Nada hay más perjudicial que inventar excusas para nuestros actos egoístas. La Palabra revelada nos conmina a cesar en esa actitud. Y eso es lo que debemos hacer a título personal, sin escudarnos en el posible egoísmo contrario. Si ambos cónyuges dicen, *respectivamente*, "Voy a ocuparme de solucionar mi egocentrismo como principal problema en el matrimonio", estarán en el camino adecuado para lograr un gran matrimonio.

## Basta con uno para iniciar un proceso reparador

Puede que ninguno de los dos optéis por esa línea de acción, o que acordéis hacerlo conjuntamente. Pero queda todavía una tercera posibilidad: Que uno de los dos opte por actuar en base al versículo 21, y el otro cónyuge no. Si resulta que eres tú quien ha decidido que "Voy a ocuparme de solucionar el tema de mi egoísmo", ¿qué es lo que puede pasar? Lo normal es que no se produzca una respuesta inmediata en la parte contraria. Pero, sin embargo, sucede que, con el paso del tiempo, esta nueva actitud tuya, unida a un comportamiento distinto, hará mella en tu pareja. Tus esfuerzos se verán recompensados con una actitud más conciliadora en tu pareja, siéndole incluso más fácil admitir las propias faltas, ahora que tú has dejado de señalárselas. De lo que se deriva que, de estar ambos decididos a solucionar el respectivo problema de egoísmo, ayudándoos mutuamente para conseguirlo, el futuro de vuestro matrimonio es venturoso. Pero incluso en el caso de que sea tan sólo uno el que se decida a intervenir, las perspectivas seguirán siendo positivas.

Todo esto me trae a la memoria el capítulo 4 de Génesis donde Dios contempla a Caín, compadeciéndose de sí mismo, y le dice: "Caín, el pecado está al acecho en tu puerta, deseando hacerse contigo. Pero tú puedes dominarlo". Lo importante es ser consciente del ansia de dominio del yo. Nuestro yo natural quiere dominarnos y es tarea y responsabilidad nuestra hacer algo al respecto. Dios nos pide que nos neguemos a nosotros mismos y que estemos dispuestos primero a perdernos para así poder encontrarnos. Si tratamos de hacerlo sin la ayuda del Espíritu y sin creer en la realidad de la obra de Cristo a favor nuestro, el tener que renunciar a derechos y voluntades propias será cosa ardua. Pero en Cristo y en el Espíritu, será una experiencia completamente liberadora.

Este principio actúa como correctivo de los matrimonios de mentalidad moderna, que tienen como meta "una vida en pareja totalmente satisfactoria y gratificante".

Pero lo cierto es que también está el modelo de mentalidad clásica que pone un gran énfasis en los distintos papeles por sexo según la tradición. Desde esa perspectiva, el problema básico en el matrimonio es no someterse a lo establecido por Dios al respecto, esto es, que el marido asuma su papel y responsabilidad como cabeza de la familia y que la esposa se someta en todo al marido.

Se enfatiza, por lo tanto, las diferencias existentes entre hombre y mujer. El problema en ese caso es que ese énfasis desmesurado puede fomentar el egoísmo, sobre todo en el marido.

Existe también una forma más secular de plantear el matrimonio que sostiene que el verdadero problema del matrimonio es que hay que conseguir que nuestra pareja se dé cuenta de nuestro potencial y que nos ayude a desarrollarlo. Lo que en modo alguno puede permitirse es que la pareja nos arrolle. La consecución de los objetivos personales es la meta definitiva. Si en ese punto nuestra pareja no nos está ayudando, el paso a dar es la negociación. Pero si tu pareja se niega a negociar, entonces tienes que dejar esa relación para no naufragar. Actitud que, tal como ya hemos hecho notar, supone echar más leña al fuego del egoísmo, en vez de apaciguarlo.[8]

El principio cristiano que tiene que estar ahí operativo y funcionando es el de la generosidad que obra en nosotros el Espíritu, esto es, no pensar menos bien o más bien de uno mismo, sino pensar menos en uno mismo. Y supone apartar el pensamiento de nuestra persona, para darnos cuenta de que en Cristo nuestras necesidades van a ser satisfechas, que de hecho ya lo están siendo, y que, por lo tanto, no tienes que esperar que tu pareja sea tu salvación. Las personas que han entendido en profundidad el evangelio, son capaces de cambiar de rumbo y admitir que su egoísmo es el problema y que por eso mismo van a tener que remediarlo. Al hacer frente al problema de manera directa y responsable, experimentarán una sensación inmediata de liberación, como ocurre cuando nos despertamos después de una pesadilla. Es entonces cuando por fin nos damos cuenta de la estrechez de nuestra mente y de lo insignificantes que son en realidad algunos de los problemas que nos tenían abrumados. Las personas que son capaces de dejar de pensar en lo desdichadas que son, descubrirán que su felicidad va en aumento. Tenemos ciertamente que perdernos para podernos encontrar.

## El temor de Cristo

Hay otra frase crucial en el versículo 21, de la que todavía no nos hemos ocupado. El apóstol Pablo dice ahí, en la mayoría de las versiones disponibles, que tenemos que someternos los unos a los otros *"en el temor de Dios"*. Pero lo que Pablo dice ahí literalmente es que debemos hacerlo por *el temor de Cristo*, si bien en algunas versiones leemos "por reverencia". Pero lo cierto es que ni "temor" ni "reverencia" transmiten de forma adecuada el sentido y el fondo del vocablo original en griego, por parecer en nuestras versiones indicativo de miedo o de respeto que guarda las distancias. Entonces, ¿cuál es su verdadero significado?

Si consultamos el Antiguo Testamento, donde la expresión "el temor del Señor" es muy común, descubrimos que puede tener algunos usos desconcertantes. Entre otras cosas, porque el temor del Señor se asocia con un gran gozo. *(Proverbios 28:14)* asegura que *"bienaventurado es el hombre que siempre teme a Dios"*. Ahora bien, ¿cómo puede alguien atemorizado sentir gran alegría? Más sorprendente incluso es el *(Salmo 130:4)*, donde el salmista dice: *"En ti hay perdón, para que seas temido y reverenciado"*. El perdón y la gracia incrementan el temor reverencial al Señor. Otros pasajes nos informan de la posibilidad de ser instruidos y crecer así en el temor del Señor *(2 Crónicas 26:5; Salmo 34:11)*, siendo hecho patente en alabanza y maravillado deleite *(Salmo 40:3; Isaías 11:3)*. ¿Cómo puede ser eso? Un comentarista del Salmo 130 lo explica así: "El temor servil [estar amedrentado] se habría visto disminuido, no acrecentado, por el perdón... El verdadero sentido de la expresión 'el temor del Señor' en el Antiguo Testamento [pues]... implica relación".[9]

Obviamente, temer al Señor supone no tenerle miedo, aunque el término hebreo incluye las nociones de respeto y sobrecogimiento. "Temor" en la Biblia significa estar en alguna manera abrumado ante la majestuosidad y el poder de algo. Temer al Señor supone estar abrumado ante la grandeza de Dios y la inmensidad de su amor, verdaderamente deslumbrados por el brillo que se desprende de la "belleza de su ser". Esa es la razón de que cuanto más experimentamos su gracia y su perdón, mayor es nuestro estupor ante tan asombrosa generosidad a favor nuestro. Temer a Dios significa reverenciarle por ser glorioso. Pablo afirma que el amor de Cristo nos *"constriñe" (2 Corintios 5:14).* ¿Qué es lo que más te motiva y conmueve? ¿El deseo de triunfar? ¿Alcanzar una meta en particular? ¿La necesidad de demostrarles a las personas lo mucho que vales? ¿Qué tus amigos y compañeros te respeten? ¿Eres de esas personas que buscan siempre vengar una ofensa? El apóstol nos advierte, en ese sentido, de que si cualquier otra posible cosa nos influye más que la realidad del amor de Dios, no estarás en la debida disposición para poder ayudar a los demás sin egoísmo. Tan sólo por el temor del Señor Jesús seremos libres para un servicio desinteresado.

Todo esto puede parecer muy teológico, pero el versículo 21 nos informa que es crucial para nuestra relación con los demás.

Conocí en cierta ocasión a una mujer, cercana a los 40, que nunca se había casado. Tanto su familia como el entorno social en el que se había criado creían que había algo intrínsecamente erróneo en permanecer solteros de por vida. Ella luchaba por eso con unos angustiosos sentimientos de culpa y de vergüenza, convencida de haber fallado como mujer, lo cual la llevaba a odiar con todas sus fuerzas al hombre con el que había estado saliendo durante años y que no había estado dispuesto a casarse con ella.

A la desesperada, se decidió a consultar con un consejero. El terapeuta le dijo que se había tomado demasiado en serio la concepción de su familia respecto a los valores personales, esto es, la absoluta necesidad de casarse y tener hijos para ser algo en esta vida. Su amargura fue en aumento respecto a ese hombre por no haberle ayudado a hacer realidad su destino como mujer. La propuesta del consejero fue que desechara noción tan negativa y paralizante y que dedicara todos sus esfuerzos a formarse profesionalmente. "Si consigues verte como una persona capaz y completa, comprobarás que no necesitas ni a un hombre, ni a ninguna otra persona, en tu vida para sentirte valiosa." Así fue cómo empezó a desechar un lastre familiar y cultural, dedicándose con entusiasmo a su carrera. De hecho, empezó a sentirse mucho mejor, aunque pronto descubrió que no conseguía superar el rencor que sentía hacia su exnovio.

Por entonces, ella asistía a una iglesia en la que había escuchado el evangelio por primera vez. Lo que oía era distinto a lo que ella había pensado siempre: que acumulamos una cierta cantidad de buenas obras, las presentamos ante Dios, y Él entonces nos concede la salvación. En lugar de eso, lo que ahora oía es que había sido Jesucristo el que había hecho toda buena obra necesaria y que, al aceptarle, él nos salva. Jesús había vivido como tendríamos que hacerlo nosotros, sufriendo la muerte que nos correspondería haber sufrido, para que ahora podamos creer, sean perdonados nuestros pecados y transgresiones, y seamos "tenidos por justos" ante Dios. Al creer en el Señor, somos aceptados y amados incondicionalmente por el Único, en todo el universo, que realmente importa.

Esa mujer empezó a darse cuenta de que el consejero tenía razón a medias. De hecho, se equivocaba al decirle que cifrara su valía como persona en el afecto de un hombre. Esa es la trampa en la que hay que evitar caer, porque entonces se está a merced de la aceptación ajena, masculina en su caso. Ahora, se le aconsejaba que se ocupara de su carrera y de sus posibles logros como medida para sentirse bien. Eso suponía que su autoimagen pasaba a depender de su éxito en la tarea que emprendiera y de su independencia económica, lo que le hizo llegar al siguiente razonamiento: "¿Por qué tengo que renunciar a la idea de formar una familia para, simplemente, pasar a engrosar las filas de las muchas personas que hacen de su carrera su vida? ¿No me sentiría entonces tan mal como me sentí por el fracaso sentimental? No quiero de ningún modo que eso me vuelva a pasar. Descansaré en la justificación en Cristo, y me gozaré en ello. Así podré enfrentarme a relaciones personales y opciones profesionales y decir: 'Lo que hace que yo sea hermosa a los ojos de Dios es Jesús, no esas otras cosas'".

Y empezó a obrar en consecuencia. Y no sólo descubrió muy pronto que estaba menos ansiosa respecto a su situación laboral, sino que empezó a disfrutar en toda su extensión el profundo amor de Dios en Cristo. El sentirse amada incondicionalmente hizo que adquiriera lo que se conoce como "capital emocional", un sentirse amada tan profundamente que cuando alguien nos causa un perjuicio podemos ser generosos y capaces de perdonar. Su anterior odio hacia su exnovio y los hombres en general desapareció. Pasados unos años, conoció, para gran sorpresa suya, a un hombre del que se enamoró y con el que se casó. Contemplando retrospectivamente la trayectoria de su vida hasta ese momento, se le hizo evidente que, de haberse casado con ese otro hombre, la relación habría acabado en desastre. Habría esperado de él que le diera lo que tan sólo conseguimos en Cristo, sin poder, por tanto, servirle y amarle adecuadamente.

Uno de los ejemplos más dramáticos de esta verdad la encontramos en la biografía de Laura Hillenbrand sobre Louis Zamperini, héroe de la II Guerra Mundial. En una misión en el Pacífico en 1943, su avión cayó al océano, muriendo la mayor parte del pasaje. Tras cuarenta y siete días a la deriva, en aguas infestadas de tiburones, Louis y otro superviviente fueron capturados, sufriendo prisión durante dos años, soportando constantes palizas, humillaciones sin fin y tortura.

A su regreso a casa tras finalizar la guerra, sufrió un desorden agudo postraumático, haciéndose alcohólico. Su esposa, Cynthia, perdió toda esperanza respecto a su matrimonio. Louis pasaba la mayor parte del tiempo planeando volver a Japón para matar al "Pájaro", el sargento japonés que le había sometido a tortura y vejaciones sin cuento. Una noche, soñó que el Pájaro estaba planeando sobre su cabeza, aprestándose él de inmediato para defenderse. Un grito le despertó de súbito, y se encontró a sí mismo apoyado contra el pecho de su mujer, con las manos dispuestas para ahogarla, embarazada ella de varios meses. Al poco tiempo, Cynthia le pidió el divorcio. El desánimo se apoderó de él con mayor fuerza todavía, pero ni siquiera la pérdida de su mujer y su hijo hicieron que desistiera de su ansia de venganza y de su constante ingesta de alcohol, persistiendo en una clara conducta autodestructiva. El fondo de amargura por todo lo sufrido hacía que le fuera imposible plantearse cambiar, ni siquiera pensando en su familia.

Corría ya el año 1949 y un buen día de otoño una amiga suya le dijo a Cynthia Zamperini que iba a venir a la ciudad un joven predicador evangélico llamado Billy Graham y que iba a dar una serie de conferencias en una carpa a las afueras de la ciudad. Tras asistir a la primera de ellas, Cynthia regresó a su casa sintiéndose como "iluminada". Lo primero que hizo fue decirle a Louis que ya no quería el divorcio, que había experimentado un despertar espiritual y que quería que le acompañara a oír a ese joven predicador. Tras resistirse a lo largo de la semana, por fin accedió a ir. Esa noche, la predicación fue sobre el concepto de pecado. Louis se sintió completamente indignado. *Yo soy un buen hombre*, se decía a sí mismo. Pero, casi de forma simultánea, se descubrió reconociendo que eso no era del todo cierto. Unas noches más tarde, volvió a la carpa y, una vez finalizada la reunión, se acercó arrepentido a la plataforma del predicador, aceptando a Cristo como su salvador.

Zamperini se liberó de inmediato de su dependencia del alcohol. Pero, más importante todavía, experimentó cómo el amor de Dios le transformaba, viéndose capaz de perdonar a los que le habían apresado y torturado. La vergüenza y la indefensión que habían alimentado su odio y su amargura desaparecieron. Su relación con Cynthia "se renovó e hizo más profunda, experimentando una dicha imposible antes". En octubre de 1950, Louis pudo regresar a Japón y hablar, a través de un intérprete, en la cárcel en la que ahora estaban prisioneros muchos de sus antiguos guardianes. Les habló del poder de la gracia en Cristo para perdonar y, para sorpresa de los presos, les abrazó de uno en uno con rostro resplandeciente.[10]

He incluido este ejemplo con cierta duda, porque a menudo ocurre que los testimonios de cambio instantáneo pueden acabar resultando fallidos. Las heridas emocionales de Louis Zamperini eran extremadamente profundas, por lo que la obra del Espíritu —hacer que el amor de Cristo fuera una realidad en su vida— era particularmente dramática y poderosa. El Espíritu de Dios no siempre obra de forma tan inmediata y evidente, pero su trabajo no deja de ser el mismo y con idéntico fin. Puso esperanza y futuro en la vida de Louis y Cynthia, al liberar a Louis de su amargura y rencor. La influencia activa será siempre la misma, sea de forma paulatina, sea de manera instantánea.

> *Justificados, pues, por la fe, tenemos paz para con Dios por medio de nuestro Señor Jesucristo... y la esperanza no avergüenza; porque el amor de Dios ha sido derramado en nuestros corazones por el Espíritu Santo que nos fue dado.*
>
> *(Romanos 5:1-2, 5)*

Las torturas sufridas por Louis Zamperini habían dejado en él un sentimiento de vergüenza y temor, convertido en ira, que habían inutilizado su capacidad para amar y servir a las personas. Pero lo cierto es que todos llegamos al matrimonio con algún desorden emocional. Muchos de nosotros hemos tenido que superar dudas e inseguridades a base de consagrarnos con todas las fuerzas a nuestro trabajo. Eso supone en la práctica dar preferencia a la profesión sobre la pareja y la familia, en detrimento del matrimonio. Otros piensan que un amor romántico es lo que les hará sentirse bien, haciendo de su relación de pareja su tabla de salvación. Pero no hay relación que pueda asumir eternamente esa función.

¿Entendemos ahora por qué Pablo introduce el tema del matrimonio instándonos en primer lugar a amarnos los unos a los otros "en el temor de Cristo"? Llegamos al matrimonio motivados por miedos, deseos y necesidades. Si me planteo el matrimonio como el medio para llenar el vacío espiritual que corresponde llenar a Dios, no estaré en verdadera disposición de servir a mi esposa. El hueco de Dios sólo él lo puede ocupar. Mientras Dios no disponga en mi vida del lugar que le corresponde, seguiré quejándome de que ella no me ama lo suficiente, que no me respeta como debiera y que no me apoya como yo necesito.

## Crecer en el temor del Señor

En última instancia, estar lleno del Espíritu y temer al Señor vienen a ser una única cosa. En ambos casos, se trata de una experiencia espiritual muy real, poniendo de relieve cada fase un aspecto diferente.[11] La persona experimenta ahí un "salirse de sí misma". Pablo afirma que ese dejar de estar centrado en uno mismo es factor crucial si es que en verdad vamos a vivir nuestro matrimonio en su debida forma. El gozo maravillado ante el sacrificio en amor de Cristo es la razón de fondo de todo llamamiento en el Nuevo Testamento a amar, a servir y a dar preferencia a los demás sobre uno mismo. El apóstol Pablo afirma en Romanos 15 que no estamos llamados a complacernos a nosotros mismos, así como Cristo no se complació a sí mismo en la cruz. En Filipenses 2, el apóstol afirma que debemos considerar a los demás como superiores a nosotros, y ello porque, en su venida al mundo, Cristo no se aferró a su superioridad, sino que se vació de su gloria para servirnos, hasta el extremo de morir por nosotros. Dejemos nosotros ahora que el Espíritu Santo haga eso realidad en nuestros corazones hasta el punto de que podamos cantar de gozo, henchidos de un amor indescriptible. Llevados, pues, de ese "santo temor", en la plenitud del Espíritu, podremos tratar a nuestra pareja como estamos llamados a hacerlo en el matrimonio.

La cuestión que se plantea entonces es si en verdad podemos ser llenos del Espíritu. Así, ¿cómo crecer en un sano temor al Señor, de manera que no nos dejemos dominar por temores humanos? Pero lo cierto es que, aun poniéndonos ahora mismo a escribir montones de libros sobre el tema, no pasaríamos de esbozar el inicio de la respuesta. Pero hay una ilustración que creo que puede encaminarnos en la dirección adecuada.

Hace ya unos años, un hombre que acostumbraba a asistir de forma regular a mis predicaciones, hizo una observación muy aguda. Sus palabras exactas fueron: "Cuando está bien preparado para su sermón, cita una gran cantidad de fuentes, pero cuando no está tan bien preparado, sólo cita a C. S. Lewis". Y tenía toda la razón. Pero eso es debido a que, a lo largo de los años, he leído prácticamente todo lo disponible escrito por C. S. Lewis. Al convertirme a la fe cristiana, sus escritos daban respuesta a mis preocupaciones y mis preguntas como ningún otro autor. Por eso persistí en su lectura, repitiendo pasajes hasta sabérmelos de memoria. Y también he leído biografías y ensayos sobre su vida y obra, así como muchas de sus cartas personales.

Cuando uno se adentra en la vida y obra de otra persona, ocurre algo muy interesante. Y es que no sólo se llega a conocer bien su obra, sino que se entiende cómo funciona su mente. Así, uno puede imaginarse cómo reaccionaría y pensaría ante determinado caso y cuestión, o cómo habría actuado en determinadas circunstancias. La razón que puedo aducir es que, si me veo en la necesidad de improvisar, C. S. Lewis es el que acude a mi mente por formar ya parte de mí mismo.

Por eso no puedo menos que preguntarme qué ocurriría si dedicáramos todas nuestras energías y nuestra capacidad mental a conocer y examinar la vida y obra de Cristo. Qué pasaría si estuviéramos inmersos en sus promesas y llamadas, en sus consejos y en sus polémicas; cómo afectarían a nuestra vida interior; cómo captarían nuestra imaginación y cómo estarían presentes al hacer frente a los desafíos. Así, ¿cómo serían nuestras vidas si, de forma instintiva, casi inconsciente, conociéramos en todo momento la mente de Cristo y su sentir respecto a las dificultades que vayan surgiendo en el camino? Cuando fuéramos objeto de crítica, ya no nos sentiríamos frustrados o anulados, porque el amor de Jesús y su aceptación estarían ahí, presentes y activos. En nuestras críticas, seríamos amables, pacientes y justos, por estar llenos del amor y la paciencia de Cristo.

Eso no significa que cada vez que seamos objeto de crítica vayamos a tener que reaccionar preguntándonos: "¿Qué diría y haría Jesús en un caso así?". No es en absoluto necesario hacerlo, porque Jesús y su Palabra estarán tan dentro de nosotros que nos sostendrán y fortalecerán en la medida de nuestra necesidad. Formarán parte integral de nuestro ser. Nos veremos con sus ojos y contemplaremos el mundo con su mirada. Nuestra mente estará acoplada por completo a su vida y enseñanzas.

Eso no va a suceder de la noche a la mañana, claro está. A muchos, nos llevará años de constante reflexión y dedicación, de disciplina y de intenso estudio de la Palabra, de incontables conversaciones con maestros y amigos, y de activa adoración y de compromiso con la congregación. Y, a diferencia de aprender y crecer en base a otros pensadores o autores, el Espíritu de Jesús se hace presente para vivir en nuestro interior, iluminándonos de tal forma que el evangelio se hace gloriosa realidad en nuestras vidas. La *"palabra de Cristo more en abundancia en vuestros corazones"*, nos recuerda *(Colosenses 3:16)*, y así es como tenemos fuerza para servir, para dar y recibir críticas con buena disposición, y para no esperar de nuestra pareja y de nuestro matrimonio que satisfaga todas nuestras necesidades y que cure todas nuestras heridas.

## Dos formas de "Amar"

Una de las canciones comprendidas en la obra poética de William Blake, "Songs of Experience," muestra de forma muy particular y sorprendente que existen dos formas de llevar adelante una relación romántica.

> *El amor no busca complacerse a sí mismo,*
> *ni de sí mismo se cuida,*
> *sino que es a la persona amada a la que ayuda,*
> *creando un cielo en la desesperanza del Averno.*
>
> *El amor tan sólo busca complacerse a sí mismo,*
> *unir a la persona amada en su deleite,*
> *gozarse en su desasosiego,*
> *creando un infierno mal que al cielo pese.*
>
> *(Tomado de "The Clod and the Pebble")*

Es muy posible sentir que uno está "locamente enamorado," cuando en realidad no deja de ser mera atracción por alguien que satisface nuestras necesidades, nos ofrece refugio en las inseguridades y da respuesta a nuestros interrogantes. En esa clase de relación, se exige y controla, más que se da y se recibe. La única manera de evitar el sacrificio del gozo y la libertad de nuestra pareja es volvernos a Aquel que verdaderamente ama nuestra alma. Aquel que se sacrificó voluntariamente por nosotros en la cruz, asumiendo la culpa que pesaba sobre nosotros por nuestros pecados y transgresiones contra Dios y contra el prójimo. En la cruz, Jesús sufrió abandono, experimentando la tortura del infierno. Y todo por amor a nosotros. Ahora, por la gracia y perdón del sacrificio del Hijo, podemos conocer el cielo del amor del Padre por la acción del Espíritu. Jesús sí que "creó un cielo en medio de la desesperanza del infierno". Fortalecidos por ese amor de Dios, nosotros ahora podemos entregarnos verdaderamente en amoroso servicio a nuestra pareja dentro del matrimonio.

*"Nosotros le amamos a él, porque él nos amó primero"*
*(1 Juan 4:19)*

# La esencia del matrimonio

*Por esto dejará el hombre a su padre y a su madre, y se unirá a su mujer, y los dos serán una sola carne.*
*(Efesios 5:31 y Génesis 2:24)*

## El amor y un "trozo de papel"

Recuerdo haber estado viendo un día, hace ya varios años, una representación en televisión en la que un hombre y una mujer, que vivían juntos, debatían si casarse o no. El hombre quería dar ese paso, pero ella se oponía. En el punto más álgido de la discusión, la mujer no pudo más y explotó: "¿Es que necesitamos un trozo de papel para querernos? ¡Yo no necesito ningún papel para amarte! Eso tan sólo complicaría las cosas".

Esa afirmación se me quedó grabada en la memoria, porque, como pastor en la ciudad de Nueva York, he oído durante años eso mismo de parte de adultos jóvenes. Al decir la mujer "No necesito un trozo de papel para quererte", aplicaba una concepción muy específica de "amor". De hecho, estaba dando por sentado que, en esencia, el amor un sentimiento totalmente particular. Pero lo que en realidad estaba diciendo era: "Siento una pasión romántica por ti y un trozo de papel no sólo no va a hacer que sea algo mejor, sino que puede estropearla". Esa mujer medía el amor en base a sus impulsos afectivos. Tenía razón en que un "trozo de papel" legal poco o nada influía en sus sentimientos hacia su pareja.

Pero, cuando la Biblia habla de amor, la medida no es cuánto afecto deseamos o esperamos recibir, sino cuánto estamos dispuestos a dar de nosotros para beneficio de nuestro cónyuge, a qué estamos dispuestos a renunciar y si seremos capaces de ceder de nuestro derecho y libertad en aras de la relación con el otro, respecto a tiempo, emociones y recursos. En definitiva, cuánto y cómo vamos a invertir en esa relación. Visto desde esa perspectiva múltiple, los votos del matrimonio no sólo suponen una ayuda o garantía, sino toda una prueba. Son muchos los casos en los que cuando una persona le dice a otra "Te amo, pero no lo estropeemos casándonos", lo que esa persona está diciendo en realidad es "No te quiero *lo suficiente* para cerrarme a otras posibles oportunidades. No te amo como para entregarme a ti sin reservas". Decir "No necesito un papel legal para amarte" es lo mismo que decir "Mi amor por ti no llega al nivel del matrimonio".

Una de las creencias más extendidas en nuestra sociedad es que el amor romántico es algo fundamental en la vida, pero que rara vez dura mucho tiempo. Una segunda creencia es que el matrimonio siempre debería estar basado en un amor romántico. Convicciones que, relacionadas, llevan a la conclusión de que el matrimonio y el afecto romántico son en esencia incompatibles y que es cruel obligar a las personas a comprometerse en una relación de por vida si desaparece la ilusión romántica.

La noción bíblica de amor no excluye las emociones más profundas. Tal como veremos más adelante, un matrimonio carente de pasión y deseo emocional mutuo no cumple con los requisitos que se contemplan en esa visión. Pero la Biblia en modo alguno refrenda una pasión que no esté dispuesta a una entrega para beneficio de la persona amada. Si en lo primero que pensamos en una relación amorosa es en el deseo emocional, y no en un compromiso activo, acabaremos oponiendo deber y deseo para mutua destrucción. La manera positiva de armonizar ambas realidades va a ser el objeto de este capítulo.

## Una visión subjetiva del amor

En la mentalidad moderna, el amor se plantea en términos subjetivos de mera satisfacción. De ahí que la idea de una noción de *deber* no sea muy aceptable. En el curso de los años, he actuado como consejero con personas que estaban atrapadas en ese dilema, siendo particularmente cierto en lo que respectaba al sexo. Son muchas las personas convencidas de que si se hace el amor con la pareja, sin ganas, pero por complacerla, no sólo sería falso, sino que también sería opresivo. Pero esa es una forma totalmente subjetiva de ver el amor como manifestación de pasión, lo que a menudo aboca a un círculo vicioso. Si no estamos dispuestos a hacer el amor sin sentirnos romántica y apasionadamente motivados, y coincidiendo en deseo y momento con nuestra pareja, su frecuencia será esporádica. Lo que puede acabar suponiendo una pérdida de interés en el sexo por parte de nuestra pareja, algo muy comprensible a la vista de nuestra falta de entusiasmo, reduciéndose aún más las oportunidades. La realidad es que si sólo estamos dispuestos a tener relaciones motivados por una pasión mutua, irán disminuyendo las ocasiones en que se produzca esa pasión conjunta.

Una de las razones por las que, en la sociedad actual, se cree que la práctica del sexo tiene que ser siempre la consecuencia de una pasión desbordante es que un sorprendente número de personas ha aprendido a tener relaciones sexuales fuera del matrimonio, y esa es sin duda una experiencia muy distinta a su práctica dentro del mismo. Al margen del vínculo matrimonial, el sexo va acompañado de un deseo de impresionar o de atraer. La excitación es parecida a la que se siente al cazar. Cuando la intención es atraer a una persona desconocida, el acicate del riesgo, de la incertidumbre y de la tensión acelera los latidos del corazón y estimula las emociones. Si definimos un sexo gratificante desde esos supuestos, entonces el matrimonio, visto como poco más que un "trozo de papel", sí que ahogará toda posible emoción. Ahora bien, si somos realistas, hay que reconocer forzosamente que una pasión sexual de esas características es imposible de mantener de forma continuada. El hecho cierto es que "la emoción de la caza" no es la única clase de emoción o de pasión posible, ni, en definitiva, tampoco la mejor y más satisfactoria.

Kathy y yo llegamos vírgenes al matrimonio. Incluso en nuestra época, éramos minoría en ese sentido. Pero eso supuso que en nuestra noche de bodas ninguno de los dos podía impresionar al otro. Lo único capaces de hacer era tratar de expresar con nuestros cuerpos, de la forma más considerada posible, la unión que habíamos empezado a sentir primero como amigos, y después, de forma más profunda y afianzada, como una pareja enamorada. Con franqueza, en esa primera vez fui más bien torpe, sintiéndome yo mismo raro e inadecuado, y quedándome dormido con sensación de fracaso. Nuestra relación sexual fue, sin duda, frustrante para ambos en esas primeras ocasiones. Era como la frustración que puede sentir un artista que tiene en su mente un cuadro, o una historia, pero se ve incapaz de hacerla realidad.

Lo que salvó la situación fue que no pensábamos en el sexo como algo para impresionar, ni como el placer y la excitación de lo prohibido. Nuestra intención era compartir, sin condiciones ni expectativas previas, la satisfacción de unirnos sabiendo que éramos mutuamente vulnerables. Según fueron pasando los meses, convirtiéndose luego en años, fuimos mejorando cada vez en nuestra relación física. Y supuso, y supone todavía, tener relaciones en ocasiones en las que tan sólo a uno de los dos le apetece de entrada. Pero el sexo en el matrimonio, practicado con la intención de dar placer antes que impresionar, puede hacer que se cambie de actitud sobre la marcha. El sexo practicado en toda su extraordinaria dimensión te lleva a lanzar exclamaciones de puro gozo, pero no al orgullo de una buena actuación.

## ¿Consumismo o pacto?

En total contraste con lo que es habitual en la sociedad actual, la Biblia insiste en que la esencia del matrimonio entraña un compromiso en mutuo y voluntario sacrificio, para beneficio de nuestra pareja. Eso significa que el amor es antes acción que emoción. Pero, al presentarlo en estos términos, se corre el peligro de caer en el error contrario, característico de muchas de las más antiguas y tradicionales sociedades. Así, es posible ver el matrimonio como mera transacción social, una forma de cumplir con la obligación de cara a la tribu o al clan. Las sociedades tradicionales hacían de la familia el valor principal en la vida, por lo que el matrimonio no pasaba de ser un convencionalismo que redundaba en beneficio de los intereses familiares. Con un cambio total de mentalidad, la sociedad occidental hace de la felicidad personal la meta a alcanzar, por lo que el matrimonio pasa a ser en primer lugar una vivencia romántica. Pero la Biblia ve a *Dios* como el verdadero bien supremo, antes que la familia o la persona. Lo que nos ofrece una visión del matrimonio que conjuga, en feliz unión, sentimientos *y* obligaciones, pasión *y* promesa. Y eso es así porque en la Biblia el matrimonio es contemplado como un pacto.

Las relaciones de consumo han sido una constante a lo largo de la historia. Pero ese tipo de relación dura únicamente en la medida en que la oferta satisface a la demanda. Si la competencia ofrece algo más atractivo, o a mejor precio, la relación cesa por falta de interés en el consumidor. Las necesidades personales están ahí siempre por encima de la relación.

Los acuerdos por mutuo interés vienen de muy antiguo, perpetuados por una serie de vínculos. En un pacto o acuerdo, lo ventajoso de la relación tiene preferencia sobre las necesidades inmediatas del individuo. Así, por ejemplo, un padre puede que no obtenga una gran satisfacción emocional de cuidar de su hijo pequeño. Pero la sociedad ha estigmatizado siempre a los padres que se desentienden de cuidar a sus hijos por considerarlo una carga en exceso pesada o poco gratificante. La inmensa mayoría, sigue considerándolo una idea inaceptable. ¿Por qué razón? La sociedad continúa considerando que la relación entre padres e hijos es de pacto y no de consumo.

Los sociólogos sostienen al respecto que, en la sociedad occidental actual, el mercado de intercambio se ha visto completamente dominado por el modelo consumista, característico de las principales relaciones históricas de pacto, matrimonio incluido. Hoy día, mantenemos activa una relación mientras responda a nuestras necesidades y a un coste aceptable. Cuando la ganancia deja de existir, esto es, cuando la relación demande de nosotros más amor y apoyo de lo que obtenemos a cambio, "reducimos costes" de forma drástica dando por terminada dicha relación. En cuanto que práctica bastante difundida, se la conoce también por "acomodación", quedando reducidas las relaciones a mero intercambio económico, desapareciendo en su curso toda idea de pacto contractual. De hecho, la noción de pacto ha ido quedando relegada al olvido, pero la Biblia insiste en que es parte irrenunciable de la esencia del matrimonio, siendo, pues, inapelable dedicar un tiempo a analizarlo.

## La relación vertical y la relación horizontal

La persona que lee la Biblia con atención, en seguida se da cuenta de la existencia de múltiples pactos, acordados en muy diversas formas y circunstancias. Los pactos que podríamos calificar de "horizontales" se suscribían en el ámbito humano. Los encontramos entre amigos *(1 Samuel 18:3; 20:16)* y también entre las naciones. Aun así, los pactos más importantes y destacados de toda la Biblia son de carácter "vertical". Pactos suscritos por Dios con individuos a título personal *(Génesis 17:2)*, y también con familias, y hasta con pueblos enteros *(Éxodo 19:5)*.

La relación matrimonial, en cambio, es única por una serie de características que le son propias, y es sin duda la más profunda y compleja que pueda darse entre dos seres humanos. En Efesios 5:31, Pablo evoca la noción de pacto citando Génesis 2:24, que quizás sea el texto mejor conocido de todo el Antiguo Testamento en relación al matrimonio.

> *Por tanto, dejará el hombre a su padre y a su madre, y se unirá a su mujer, y serán una sola carne.*

En Génesis 2:22-25, encontramos la primera ceremonia de casamiento. En el original hebreo, el verbo que nosotros traducimos por "unir" tiene la fuerza de una auténtica fusión, de algo que, una vez unido, no es posible separar. En otros textos de la Biblia, ese término se aplica a la unión producida por un pacto, por una promesa vinculante o por un juramento formal.[1]

¿Qué razones podemos aducir para afirmar que el matrimonio es el pacto más profundo que pueda establecerse en el ámbito humano? La principal de todas es que el matrimonio cuenta con características horizontales *y* también verticales. En Malaquías 2:14, se le dice al hombre que su esposa *"es tu compañera, tu mujer según un pacto matrimonial" (cf. Ezequiel 16:8).* Proverbios 2:17 dice de la mujer que se desvía de su marido *que "ha abandonado al compañero de su juventud, olvidando el pacto suscrito ante Dios"*. El pacto entre marido y mujer tiene lugar "ante Dios," formando Él parte del mismo. Quebrantar el voto pronunciado afrenta a Dios por igual.

Esa es la razón de que tantas ceremonias de boda tradicionales incluyan preguntas de forma conjunta con los votos. Preguntas que se formulan, más o menos, en la siguiente línea:

*¿Aceptas a esta mujer como legítima esposa? ¿Prometes amarla y honrarla en todo deber y servicio, y vivir con ella en fidelidad y en respeto, cuidándola según lo instituido por Dios en el santo vínculo del matrimonio?*

A lo que el esposo deberá responder: "Sí, quiero" y "Sí, lo prometo". Y nótese ahí que no están hablando entre sí. Los votos y las promesas se hacen delante del pastor responsable de la congregación, lo que en realidad supone hacerlo ante Dios más que entre sí. Sus votos y promesas suben en "vertical," para luego reafirmarse en lo "horizontal." Los contrayentes se oyen mutuamente ante Dios, y delante de sus respectivas familias, en el seno de la iglesia y en sujeción a las leyes terrenales, prometiéndose mutua lealtad y fidelidad. Establecido ese fundamento previo, se toman de la mano diciendo algo similar a lo que sigue:

*Te tomo como mi legítimo esposo y prometo cumplir con mis votos ante Dios y ante los testigos presentes, y amarte y serte fiel tanto en la riqueza como en la pobreza, en la salud y en la enfermedad, todos los días de nuestra vida.*

Si imaginamos una casa en forma de A mayúscula, los laterales se encontrarían en el vértice superior, soportándose mutuamente. Pero el fundamento que la sustenta está en su base central. Así ocurre con la alianza establecida con Dios y ante Él por parte de los contrayentes. El matrimonio es el más profundo de los pactos humanos.

# El amor y la ley

¿Qué es, pues, lo que caracteriza a un pacto? En primer lugar, que crea un vínculo de carácter particular que ya no es frecuente en la sociedad actual. Se trata de una relación mucho más íntima y personal que la que pueda darse en el ámbito de las relaciones contractuales de negocios de cara a la Ley, siendo, aun así, mucho más durable, vinculante e incondicional que el establecido por sentimientos y afectos. La relación de pacto conjuga amor y ordenanza.

Tal como ya hemos tenido ocasión de ver, el pensamiento moderno no cree compatibles la pasión y la obligación, ni que puedan estimularse en mutua dependencia. El filósofo Bertrand Russell aportó toda una serie de argumentos a favor de las relaciones sexuales fuera del matrimonio. Y, aun concediendo que no hemos de disociar "el sexo de una emoción más profunda y comprometida, en la que entren en juego los sentimientos afectivos", siguió abogando por una intensa pasión romántica que produzca genuino deleite en cuanto que actividad sexual y que pueda darse en el ámbito de una libre espontaneidad. "Pero lo cierto es que esa forma de pasión sexual espontánea se ve truncada por la noción del deber."[2] Esa manera de pensar se suele considerar acertada y sensata, por entender que el amor tiene que ser reacción libre ante un deseo espontáneo y nunca un contrato legal o una promesa formal.

Pero lo que la Biblia enseña al respecto es algo radicalmente distinto. El amor entendido a la luz de la Palabra precisa un marco legal vinculante para que pueda hacerse patente en toda su plenitud. Una relación de pacto no puede ser realmente íntima en ausencia de un compromiso legal. Es una relación que es *más* íntima precisamente *por ser* legal. ¿Cómo es posible que eso sea así?

Hemos de empezar señalando que hacer votos de amor y fidelidad a otra persona en público es, en sí, un extraordinario acto de amor. La persona que dice "Te amo, pero no tenemos por qué casarnos" puede que en realidad esté diciendo "No te quiero lo suficiente como para renunciar a mi libertad por ti". La voluntad de contraer un compromiso formal, lejos de apagar el amor, lo fomenta y hasta lo aumenta. Una promesa de matrimonio es prueba fehaciente de que el amor que se profesa es firme en su intención y un acto radical de entrega de uno mismo.

Hay otra forma más en la que la legalidad del matrimonio incrementa su carácter personal. Al salir con una persona en un plano afectivo, o al convivir como pareja de hecho, se tiene que demostrar por fuerza la propia valía impresionando y atrayendo. Se ha de hacer patente que hay una química en la relación que suponga que merezca la pena y que sea algo divertido, porque, si no, va a tener un pronto final. Se estaría ahí en una relación básica de consumo y eso supone constante promoción y una definida estrategia relacional. El vínculo legal del matrimonio, en cambio, crea un entorno de seguridad en el que poder ser uno mismo. La estrategia de mercado deja ahí de ser necesaria. Se pueden bajar las defensas y mostrarnos desnudos ante nuestra pareja, tanto en sentido literal como figurado.

La fusión de amor y compromiso ante la Ley se corresponde con nuestros anhelos más profundos. G. K. Chesterton sostenía que, cuando nos enamoramos, tenemos una inclinación natural no sólo a expresar nuestros afectos, sino también a hacer promesas. Los que se aman se descubren a sí mismos impulsados a hacer promesas muy grandes. "Te amaré siempre", decimos en lo más álgido de nuestra pasión, y sabemos como algo cierto que la otra persona, si en verdad está enamorada, querrá oír esas palabras. El verdadero amor, dice la Biblia, aspira instintivamente a que sea algo permanente. El extraordinario Cantar de los Cantares de Salomón finaliza con una declaración en esa línea:

> *Ponme como un sello sobre tu corazón, como una marca sobre tu brazo; porque fuerte es como la muerte el amor; sus brasas, brasas de fuego, fuerte llama. Las muchas aguas no podrán apagarlo, ni lo ahogarán los ríos."* (8:6-7)

Cuando dos personas se aman verdaderamente y no están usándose simplemente para tener sexo, para medrar socialmente o para su realización personal, nunca van a querer que la situación cambie. Lo que se desea es la seguridad del voto de compromiso, estando por ello más que dispuestos a pronunciarlo de forma pública. Esa es la razón de que la "ley" de fondo que subyace a los votos y a las promesas esté en sintonía con la pasión del presente. Y es asimismo algo que un corazón amante necesita para hacer frente al futuro.

## La promesa de amor futuro

Hace unos años, asistí a una boda en la que la pareja contrayente había redactado sus propios votos. El contenido venía más o menos a decir así: "Te amo y quiero estar contigo".[3] Nada más oírlo, me di cuenta de lo que han tenido en común los votos cristianos del matrimonio en el curso del tiempo, y ello con independencia de las diferencias teológicas según denominación. Esa pareja estaba manifestando la realidad de su amor en el presente y eso era algo que no sólo estaba bien, sino que además era entrañable. Pero la auténtica cuestión es que los votos del matrimonio no tienen primariamente ese objetivo. Y tampoco es así como funcionan los pactos. Los votos matrimoniales no son una declaración de amor en el presente, sino una promesa de amor con proyección futura y de carácter vinculante. Una boda no debe ser ocasión para hacer públicamente manifiesto el mutuo amor que la pareja se profesa —que ya se supone. Muy al contrario, en la ceremonia cristiana de boda, la pareja está delante de Dios, de su familia y de la sociedad y, lo que en verdad debe prometerse es amor, fidelidad y honestidad, en mutua reciprocidad y de cara al futuro, sin importar posibles oscilaciones personales futuras o circunstancias externas cambiantes.

Cuando Ulises estaba a punto de arribar a la isla donde se encontraban las sirenas, sabía que enloquecería si oía su canto. Pero también sabía que se trataba de un trastorno pasajero que desaparecería cuando se alejara lo suficiente como para no oírlo más. Su intención era no hacer nada estando enajenado que tuviera después nefastas consecuencias. Para hacer frente a ese riesgo, se taponó los oídos con cera y le pidió a la tripulación que le ataran al mástil de la nave, advirtiéndoles que en modo alguno tenían que obedecerle si les pedía cambiar de rumbo, por mucho que lo rogara.

Tal como ya indicamos en su momento, los análisis de proyección revelan que dos tercios de los matrimonios desdichados recuperarían una convivencia feliz al cabo de cinco años, si resisten y no se divorcian.[4] ¡Dos tercios es un porcentaje realmente notable! ¿Qué será entonces lo que va a poder mantener unida a la pareja en los momentos de crisis? Los votos. Sin duda alguna. Una promesa hecha ante testigos, y de cara a la sociedad, te mantiene seguro en tu nave particular, hasta que la mente se aclare y empiecen a verse las cosas en su debida perspectiva. La relación se mantendrá viva aunque los sentimientos fluctúen. En cambio, las relaciones fundadas en el interés no van a poder resistir las pruebas que vayan surgiendo, porque ninguno de los dos estará "sujeto al mástil".

¿Significa eso que nunca hay razones de peso para renunciar al matrimonio, ni para el divorcio? La Biblia dice que sí que las hay. En Mateo 19:3, se presenta la pregunta que le hicieron a Jesús los fariseos: "¿Le es lícito al hombre repudiar a su mujer por cualquier causa?". Algunas escuelas rabínicas de la época sostenían que le era lícito por cualquier cosa que le desagradara en ella. La relación de pacto estaría ahí ausente, imponiéndose en exclusiva el propio interés. Jesús rechazó esa actitud y su práctica, pero sin irse por ello al extremo opuesto.

> *Él, respondiendo, les dijo: ¿No habéis leído que el que los hizo al principio, varón y hembra los hizo, y dijo: Por esto el hombre dejará padre y madre, y se unirá a su mujer, y los dos serán una sola carne? Así que no son ya más dos, sino una sola carne; por tanto, lo que Dios juntó, no lo separe el hombre. Le dijeron: ¿Por qué, pues, mandó Moisés dar carta de divorcio, y repudiarla? Él les dijo: Por la dureza de vuestro corazón Moisés os permitió repudiar a vuestras mujeres; mas al principio no fue así. Y yo os digo que cualquiera que repudia a su mujer, salvo por causa de fornicación, y se casa con otra, adultera; y el que se casa con la repudiada, adultera.*
>
> *(Mateo 19:4–9)*

Jesús no admitió el divorcio por cualquier causa. Al citar Génesis 2:24, confirma que el matrimonio es un pacto y una alianza. Nada que ver con una relación casual a la que puede ponerse fin caprichosamente. La alianza matrimonial crea una nueva realidad, unida en un vínculo que sólo puede ser roto en circunstancias muy especiales, que Jesús asocia con *"la dureza del corazón humano"*. Dureza que, inducida por el pecado, y en ausencia de arrepentimiento y deseo de restablecimiento, aboca a una grave violación del pacto contraído, estando permitido el divorcio en ciertos casos. Ahora bien, la única transgresión que Jesús menciona es el adulterio. En 1 Corintios 7, el apóstol Pablo da otra razón más, a saber, el abandono voluntario. Esas conductas quebrantan el pacto de forma que, como Pablo dice en 1 Corintios 7:15, el cónyuge agraviado *"queda libre del compromiso"*.

Desde luego, hay mucho más que decir respecto al divorcio en la Biblia,[5] pero el texto mencionado basta para mostrar la sabiduría de Jesús en este asunto. Permitir el divorcio por cualquier motivo supone desvirtuar el concepto de alianza y promesa. El divorcio nunca tendría que ser fácil, y, desde luego, ni siquiera plantearlo como primera, segunda, tercera ni cuarta opción. Aun así, conociendo la profundidad del pecado humano, Jesús ofrece esperanza en aquellos casos en los que uno esta casado con alguien con una intratable dureza de corazón que ha roto los votos pronunciados en su momento con esta actitud. El divorcio puede ser, sin duda, un paso muy difícil y doloroso, y es lógico que lo sea, pero la persona agraviada no tiene por qué sentir vergüenza por ello. Sorprendentemente, Dios mismo afirma haber sufrido un divorcio *(Jeremías 3:8)*.[6] Y por ello sabe bien cómo es.

# El poder de una promesa

El divorcio es una experiencia tremendamente dolorosa. Y lo sigue siendo aun hoy. Por eso, los votos del matrimonio pueden reforzar la voluntad. Los votos nos ayudan a no rendirnos ante las dificultades, dándole al amor la oportunidad de reconducirse y lograr nueva estabilidad, de manera que los sentimientos que acompañan al amor, de suyo frágiles y volátiles, sobre todo en los inicios de la vida en común, puedan madurar y prosperar. Los votos y las promesas aportan un sustrato de seguridad necesario para poder abrir nuestro corazón a una realidad externa con total sinceridad y sin temor a que nuestra pareja nos abandone por ello.

El poeta W. H. Auden lo expresó con muy acertadas palabras en uno de sus últimos escritos, *A Certain World: A Commonplace Book*, en el que dice: "Al igual que todo aquello que no es el resultado involuntario de una emoción pasajera, sino genuina creación del tiempo unido a la voluntad, todo matrimonio, feliz o desdichado, es infinitamente más interesante que cualquier romance, por muy apasionado que este pueda ser".[7]

¿En qué consiste, pues, esa gran diferencia entre un romance y un matrimonio, según Auden? Sencillamente, en que hay por medio una firma estampada en un papel, o el plato que se estrella contra el suelo, o la copa que se arroja por la espalda, o los pasos que sortean al animal descuartizado, o la escoba que se salta, o cualquier otro posible ritual, ancestral o de reciente cuño, que sea la norma y costumbre en tu entorno cultural y social, y que sirve de fondo a un voto público y solemne que compromete y vincula. El amor y la Ley discurren por la misma senda. Esa es la razón de que, según señala la Biblia, el matrimonio sea, en esencia, un pacto y una alianza.

Ahora bien, ¿por qué es tan crucial un compromiso formal de amor para siempre en la consolidación de una pasión profunda y duradera?

Lewis Smedes, cristiano y profesor de ética  escribió un artículo que yo leí siendo pastor joven y marido recién casado. Sus palabras me ayudaron enormemente como consejero y como marido. El artículo llevaba por título "Controlling the Umpredictable—The Power of Promising".[8] De entrada, situaba la base de nuestra identidad en el poder que le es intrínseco a una promesa:

> *Hay personas que se preguntan quiénes son, esperando que sean los sentimientos los que den la respuesta. Pero los sentimientos son llamas esquivas, que oscilan al menor soplo. Hay quien, en cambio, se hace esa misma pregunta, esperando que los éxitos y los logros tengan la clave. Pero, sean cuales sean nuestros logros, persistirá un núcleo insondable en nuestra persona. Y hay también quien, ante ese interrogante, espera una visión ideal de sí mismo que resuelva el dilema. Pero las visiones tan sólo nos dicen lo que quisiéramos ser, no lo que en realidad somos.*

¿Quiénes somos en realidad? Smedes responde que somos en gran medida aquello en lo que nos convertimos al hacer promesas sabias que mantenemos. Como muestra patente de ello, Smedes trae a colación al gran dramaturgo Robert Bolt, autor de *A Man for All Seasons*, que narra la vida de Sir Thomas More, cuya hija, Meg, le suplicó que quebrantara el juramento hecho para así poder salvar su vida.

More: *¿Quieres que acate el Acta de Sucesión?*

Margaret: *"Dios tiene en mayor consideración los pensamientos del corazón que las palabras de la boca." O eso es al menos lo que vos siempre me dijisteis.*

More: *Así es.*

Margaret: *Entonces, decid las palabras del juramento y en vuestro corazón pensad de otro modo.*

More: *¿Qué es pues un juramento sino palabras que dirigimos a Dios?*

Margaret: *Muy astuto.*

More: *¿Insinúas que no es cierto?*

Margaret:*Sí, sí que lo es.*

More: *Entonces no es muy apropiado que califiques el argumento de "astuto", Meg. Cuando un hombre hace un juramento, hija mía, pone en sus manos su vida. Como si de agua se tratara. Y si las abre, se escapará entre sus dedos —y ya no habrá esperanza de recuperación.*

Si las promesas son, pues, la clave de una genuina identidad, lo mismo ocurre con los votos del matrimonio. ¿Por qué es así? Por la sencilla razón de que son nuestras promesas las que aportan una identidad estable, y sin ello es imposible tener relaciones duraderas y firmes. Hannah Arendt escribió en ese sentido, "Sin promesas personales que nos vinculen, nunca seríamos capaces de mantener nuestra propia identidad; estaríamos condenados a vagar sin rumbo ni esperanza en la penumbra incierta de los dictados del corazón y atrapados en las contradicciones y equívocos que caracterizan al ser humano".[9] Smedes dice de sí mismo:

> *Cuando me casé con mi mujer, no tenía ni la más mínima idea de dónde nos estábamos metiendo. ¿Cómo iba yo a saber lo mucho que ella cambiaría en el curso de 25 años? ¿Cómo saber cuánto iba a cambiar yo? Mi mujer ha convivido al menos con cinco hombres diferentes desde que nos casamos, y todos ellos era yo.*

El nexo de unión con mi yo del inicio ha sido siempre la personalidad que asumí voluntariamente desde ese primer momento: "Soy aquel que estará siempre a tu lado". Cuando nos desentendemos de esa *promesa*, cuando perdemos esa *identidad*, va sernos muy difícil recuperarlo de nuevo.

## La libertad en la promesa

Lo que Auden, Smedes y Arendt aducen queda claramente ilustrado en el doloroso relato de Wendy Plump sobre la desintegración de su matrimonio al tener ella una aventura sentimental.[10] "En el curso de esa relación extramarital", escribe, "el sexo es algo que se da por sentado. Cuando se tiene una aventura se sabe de antemano que el sexo va a ser apasionado —porque el apremio, la novedad y su naturaleza ilícita parecen garantizarlo." Un ejemplo perfecto de la actitud respecto al sexo que analizamos en su momento. La excitación de lo prohibido y la gratificación de un ego que se sabe deseado se confunden con el amor verdadero porque, superficialmente, el encuentro sexual es electrizante.

Pero esa relación oculta salió a la luz, y, como ella cuenta, también una relación ilícita de su marido. Finalmente, el matrimonio se deshizo. En el curso el relato, Plump hace referencia al matrimonio de sus padres. "Ellos tenían una relación de cincuenta años de matrimonio. Un verdadero monumento al éxito. Unas cuantas semanas de pasión ilícita no podían en modo alguno comparársele." Su conclusión final era en forma de pregunta: "Con setenta y cinco años de edad, ¿qué preferirías tener: años de fidelidad, aunque con ocasionales dificultades, o algo que se parezca a una ciudad devastada por la guerra, como lo que vemos de Irak?". El matrimonio de sus padres, resultante de "tiempo y voluntad", había acabado siendo mucho más interesante que un romance pasajero, por muy apasionado que éste pueda ser.

Algunos de lo comentarios al respecto, aparecidos en Red, hacían patente su desdén por lo que consideraban una derrotista capitulación ante la idea del matrimonio como alianza en exclusiva. "Una relación pasa a tener el poder destructivo de una bomba," decía uno de los comentario, "si crees que el matrimonio es una unión de por vida... En mi opinión, necesitamos... acometer ya el largo proceso de desmantelamiento de la obsesión con la monogamia." Otros comentarios insistían en que la permanencia en el matrimonio tradicional coartaba la libertad y mataba el deseo.

Pero Smedes, sostiene en ese sentido, que la promesa es el *medio* que conduce a una verdadera libertad. Al prometer algo, limitamos las opciones del presente para poder disfrutar de otras posteriores más plenas y maravillosas. Se pone por ello límites a la libertad inicial para poder tener libertad en el futuro de estar junto a la persona con la que queremos convivir, y que confía en nosotros. Cuando se hace una promesa, ambas partes piensan en una firme permanencia. "Se ha creado un espacio de confianza personal en medio del caos de lo impredecible", señala Smedes, a lo que aún añade:

> *Cuando hago una promesa, doy testimonio de que mi futuro con esa persona no depende de la unión biológica de cromosomas X e Y heredados de mis padres. Cuando hago una promesa, dejo constancia de que no estaba programado para un recorrido inalterable por condicionamientos psíquicos de defectuosa herencia genética. Cuando hago una promesa, declaro que mi futuro respecto a mi relación con otras personas, que dependen de mí, no está predeterminado por las ideas imperantes en mis años de juventud.*

La suerte no está echada, mi vida no está predeterminada, no soy una masa moldeable según fuerzas contingentes y condicionamientos negativos. Sé, al igual que cualquier otro, que no puedo partir de cero en el replanteamiento de mi vida; y sé también que gran parte de lo que soy va a ser tanto don como maldición en relación a ese pasado. Pero cuando decido hacerle una promesa a alguien, me sitúo por encima de todo posible condicionamiento previo. No hay animal de compañía que vaya a prometerme estar siempre a mi lado, no va a haber ordenador que prometa ayudarme siempre fielmente... Sólo las personas pueden hacer promesas. Y cuando las hacen, son verdaderamente libres.

## Las promesas y la pasión

¿Cómo es que, en última instancia, el tiempo y la voluntad resultantes de una promesa son algo superior? A Wendy Plump le quedó claro que sus padres tenían en su relación de medio siglo algo completamente diferente del deseo sexual exacerbado de las pasiones ilícitas, pero que era, aun así, mucho más rico y profundo. ¿En qué consistía exactamente?

Cuando nos enamoramos por primera vez, pensamos que amamos verdaderamente a esa persona. Pero no es ni mucho menos así. De entrada, no conocemos bien a esa persona. Y conocer bien a alguien lleva años. Lo que en realidad amamos en ese primer momento es la *idea* que nos hemos formado respecto a esa persona. Y eso es algo que siempre va a ser unidimensional y limitado. En el libro *El Señor de los anillos*, Eowyn se enamora de Aragorn, pero él no puede responder recíprocamente. A Eomer, hermano de Eowyn, le dice expresamente, "Ella te ama en verdad a ti más de lo que me ama a mí; porque te conoce y te ama. Pero en mí, sólo puede amar lo que su pensamiento imagina: una esperanza de gloria, gloriosos y heroicos hechos, tierras lejanas…".[11] Aragorn había entendido bien que las aventuras románticas pasajeras son atractivas por lo que tienen de fantasía más que de verdadero amor entre dos personas.

De hecho, no sólo no conocemos a la otra persona, sino que ella tampoco nos conoce a nosotros. Sucede, además, que solemos proyectar lo mejor de nuestro carácter. Y esa no es toda la verdad. Hay cosas de las que nos avergonzamos, o cosas que tememos, pero que no dejamos traslucir. Rasgos que no van a manifestarse hasta el momento de la convivencia. Las primeras impresiones son lo "excepcional", algo que provoca admiración y que, en parte, alimenta la pasión y la excitación de sabernos enamorados. Pero la cuestión es que la otra persona todavía no nos conoce bien y por eso mismo no está capacitada realmente para amarnos. Al menos, no como debe y puede ser. Lo que creemos un profundo enamoramiento es, en gran proporción, la satisfacción de un ego gratificado, que nada tiene que ver con la satisfacción más profunda y auténtica de ser conocido *y* amado.

Cuando, en el curso de los años, tu pareja te ve en tus mejores y en tus peores momentos, conoce tus puntos fuertes y sabe tus debilidades y, aun así, sigue a tu lado con total y firme compromiso, puede hablarse entonces de una experiencia sin igual. El trato con el ser amado que aún no se conoce del todo es agradable, pero superficial. El ser conocido y no ser amado es nuestro mayor temor. Ser plenamente conocido y ser verdaderamente amado es, por increíble que pueda parecer, muy parecido a ser amado por Dios. Es lo que necesitamos por encima de todo en esta vida; lo que nos libera de toda falsa pretensión, lo que nos enseña a ser humildes y a renunciar a nuestra falsa autosuficiencia, y lo que nos prepara para hacer frente a las dificultades.

Esa clase de amor no está exenta de pasión, pero no es la misma clase de pasión que se vive en la ignorancia del principio. Cuando Kathy me tomó por primera vez de la mano, fue como una descarga eléctrica. Treinta y siete años después, ya no tenemos la misma sensación. Pero, al reflexionar retrospectivamente, me doy cuenta de que mi reacción no obedecía tanto a la magnitud de mi amor por ella como a lo feliz que me sentía por haberme ella escogido a mí. Al principio, todo eso se nos sube a la cabeza y, pese a existir un genuino amor, están también presentes otros muchos factores. No hay, desde luego posible punto de comparación entre aquellas primeras sensaciones y lo que supone ir de la mano con Kathy ahora, después de todo lo que hemos pasado juntos y que nos conocemos bien. Hemos pasado en común muchas experiencias, y también hemos tenido que arrepentirnos de algunas cosas y reconciliarnos en más de una ocasión. La pasión sigue estando ahí, pero de una forma diferente a la que puede darse entre un arroyo de aguas tempestuosas y la serenidad de un gran río caudaloso y profundo. La pasión puede conducirnos a una promesa de matrimonio, pero es el paso de los años lo que convierte esa promesa en algo infinitamente más profundo y real.

## Colaborar para que el amor romántico sea una realidad

A la luz de todo lo visto, ahora estamos en situación de responder a la cuestión de cómo reconciliar el amor romántico con el matrimonio entendido como un compromiso permanente. Pero, ¿no es lo romántico amar con total libertad y sin condicionamientos? ¿No es además inevitable que llegue a su fin el deseo sentido por alguien, siendo necesario buscar a otra persona que reavive la llama del amor? Y, ¿no es, además, cierto que el matrimonio de por vida es antagónico al amor romántico?

Pues, no. En ninguna manera puede decirse que sea así. Lo cierto es lo contrario. El compromiso del matrimonio fomenta el amor romántico. El filósofo Søren Kierkegaard fue uno de los más lúcidos y resolutivos defensores de esta verdad.[12]

Kierkegaard señala tres posibles actitudes ante la vida: la *estética*, la *ética* y la *religiosa*. Según él, todos nacemos con intuición estética, siendo lo ético y lo religioso la elección voluntaria. ¿Qué caracteriza al esteta? Sin duda, que no se plantea si algo es bueno o malo, sino tan sólo si es *interesante*.[13] Todo lo juzga en función de la capacidad intrínseca de fascinar, entusiasmar, excitar y entretener.

El aspecto estético es importante en una vida plena y feliz, pero, cuando lo estético es lo predominante en la vida, hace su aparición un problema importante. El esteta asegura ser un individuo libre, pero, para él, la vida tiene que ser excitante y bella, algo que nos atraiga y deslumbre, lo que en la práctica significa liberarse de los grilletes de las expectativas sociales y de los lazos comunitarios. Pero Kierkegaard afirma que esa es una concepción errónea de libertad. La persona que vive en función de la estética no es dueña de sí misma, dependiendo por completo de lo accesorio y fortuito. Temperamento, gustos, sentimientos e impulsos son la tónica dominante.

La persona obsesivamente pendiente de lo estético está a merced de lo meramente accidental. Si la pareja ya no resulta atractiva, se busca quien la sustituya. Si la enfermedad hace su aparición, la vida deja de tener sentido. Kierkegaard acierta en su juicio.

La única manera de ser verdaderamente libres es estableciendo un vínculo entre la obligación y los sentimientos. Tan sólo entregándonos a un amor en acción, de forma constante y sin desviarnos, incluso cuando las circunstancias y los sentimientos nos muevan a lo contrario, podremos decir que somos verdaderamente libres y no meras marionetas dominados por fuerzas externas a nosotros. Por otra parte, tan sólo manteniéndonos firmes en nuestro amor a la pareja, aun cuando ya no se sienta la pasión del inicio, podrá decirse que somos personas amantes. El esteta no ama en realidad a nadie. Ama el sentimiento, la excitación, la gratificación de su yo, las experiencias que la otra persona le proporciona. La prueba de ello está en que, cuando todo eso desaparece, el esteta deja de interesarse por la otra persona.

Hasta ahí, lo que Kierkegaard destaca sobre las limitaciones de la pasión romántica. Pero todavía queda algo a lo que referirse antes de desestimarla como carente de importancia, y además hay que tener en cuenta sentimientos y obligaciones. En su opinión, "lejos de frustrar el amor romántico, el matrimonio lo potencia. Para él, el compromiso ético en la pareja es lo que hace que el amor romántico sea estable y perdure, algo que por sí mismo no puede conseguir."[14] De hecho, es el compromiso entendido como pacto lo que permite que dos personas lleguen a amarse de verdad. Tan sólo con el paso del tiempo llegamos a conocer bien a la otra persona y a amarla por lo que es y no por lo que nos proporciona. Y ha también de pasar un tiempo para poder conocer bien las necesidades de nuestra pareja y así poder satisfacerlas. Las experiencias prolongadas en el tiempo cobran forma y significado en nuestro disfrute de la vida en común con esa otra persona, haciendo posible la continuidad del amor romántico y la pasión sexual en el marco del matrimonio.

## Acción y emoción

¿Cómo va a ser posible lo anterior en el día a día de la vida en común? Prácticamente todo el mundo piensa que la normativa bíblica de "amar al prójimo" es sabia, justa y buena. Pero ha de tenerse en cuenta que es un mandamiento y todos sabemos que las emociones no pueden reglamentarse. Pero la Biblia no nos insta a que nos *agrade* nuestro prójimo, ni a que le tengamos un afecto particular. El llamamiento es a *amarle*. Y para ello va a ser necesario poner en marcha una serie de mecanismos.

Los sentimientos de afecto son, como es lógico, parte natural del amor y de hecho pueden ayudarnos a vivir su realidad de la mejor forma posible. Nada va a hacernos más felices que aunar afectos y acción en el servicio a alguien a quien queremos. Pero, si no diferenciamos entre sentimientos y acciones, harán su aparición barreras que nos impidan amar verdaderamente a las personas.

Una de las razones por las que tenemos que hacer esa distinción es precisamente por la inconstancia de nuestros sentimientos. Los factores físicos, psicológicos y sociales van a estar siempre operando en el fondo. Aparecerán y desaparecerán con irritante facilidad. Pero aun siendo cierto que las emociones pueden escapar en cierta medida a nuestro control, las acciones no tienen por qué serlo. La mayor parte de las cosas que nos gustan, o que nos disgustan, no son virtud ni pecado, como bien podemos comprobar en cuanto a opiniones sobre posibles gustos. Lo que realmente importa es lo que hagamos con ello. Si, tal como la sociedad actual propone, definimos el amor *como* el "gustar", y si pensamos que los únicos actos de amor "auténtico" son aquellos que van acompañados de fuertes emociones, acabaremos inevitablemente sintiéndonos una nulidad como pareja, como amigos y, como familia.

Es un gran error pensar que hay que sentir amor para poder darlo. Si, por ejemplo, tengo un hijo y renuncio a mi día libre para llevarle a ver un partido de baloncesto, para gran alegría suya, y además es un día en el que no me siento muy inclinado a ser un buen padre, estaré aun así demostrándole más amor que si mi corazón rebosara de afecto hacia su persona pero no le llevara al partido. Cuando nos gozamos de forma particular en la compañía de alguien, el atender a sus necesidades y conseguir su gratitud y afecto es algo que gratifica el propio ego de forma muy especial. En situaciones así, es posible que estemos actuando más por deseo de obtener a cambio amor y satisfacción que por genuino interés en proporcionarle un bien a la otra persona. Como acertadamente observó Kierkegaard, tal vez nos estemos amando a nosotros antes que a la otra persona. Y cuando sólo actuamos motivados por fuertes sentimientos amorosos, lo más probable es que erremos el blanco. Los padres pueden malcriar a un hijo por un amor mal entendido. Los esposos pueden fomentar actitudes perjudiciales con apariencia de verdadero amor. La razón de que eso sea así es que por encima de todo tememos que la persona amada descubra nuestras faltas. Nos preocupa que se enoje y diga cosas desagradables de nosotros, porque eso es algo que no podemos soportar. Lo que viene a confirmar que no amamos realmente a esa persona, ni son prioritarios sus intereses. Lo que amamos es el afecto y la estima que obtenemos de esa persona. Eso equivale a querer decir que se puede amar, amar en verdad y con sabiduría, aun estando ausentes los sentimientos propios del amor.

Por lo que si nuestra definición de "amor" enfatiza los sentimientos afectivos por encima de los actos no egoístas, estaremos limitando nuestra capacidad de mantener una relación de amor madura y fuerte. En el otro extremo, si lo que enfatizamos es la acción del amor por encima del sentimiento, fomentaremos y afianzaremos ese sentimiento. Ese es uno de los secretos de un matrimonio vivido plenamente.

# Los actos de amor fomentan los sentimientos de amor

En una de sus charlas en la BBC durante la II Guerra Mundial, C. S. Lewis se extendió hablando acerca de las virtudes cristianas básicas, perdón y caridad (o amor) incluidas. Para el público británico, el mundo se hallaba entonces inevitablemente dividido entre aliados y enemigos. En semejante situación, señaló Lewis, muchos de sus compatriotas opinaban que la doctrina cristiana del perdón y el amor a la humanidad sin distinción no sólo era del todo imposible, sino, además, algo repulsivo. "Esa forma de hablar me enferma", le replicaban muchos de sus compatriotas. A lo que Lewis respondía que, pese a los sentimientos de indiferencia o incluso de desprecio, podemos cambiar nuestros corazones a largo plazo por medio de nuestras acciones:

> *Aun siendo necesario fomentar las preferencias naturales y espontáneas, sería un gran error pensar que para ser caritativos hay que intentar ser afectivos... La norma que rige para todos sin excepción es extremadamente simple. No perdamos el tiempo planteándonos si "amamos" a nuestro prójimo; actuemos de inmediato como si en verdad fuera así. Cuando lo hagamos, descubriremos un gran secreto: cuando nos comportamos como si amaramos a alguien, sucede que acabamos amando de verdad a esa persona. Si afrentamos a alguien que nos desagrada, nos desagradará aún más. Si la tratamos bien, el rechazo decrecerá... Cada vez que hacemos un bien a alguien, aunque sea tan sólo por elemental solidaridad humana, teniendo en cuenta que es un ser hecho a imagen y semejanza de Dios (al igual que*

*lo somos nosotros), deseando su felicidad en igual medida que la nuestra, habremos aprendido a amar a esa persona un poco más, o a que nos desagrade un poco menos... El hombre natural trata a algunas personas con amabilidad si es movido por una "simpatía": El cristiano, en cambio, al esforzarse por tratar a todo el mundo con amabilidad, descubre que cada vez le gustan más las personas —incluidas aquellas que nunca habría imaginado que pudieran llegar a caerle bien.*[15]

Lewis refuerza su línea de argumentación con una ilustración de gran impacto emocional, sobre todo dadas las circunstancias en las que se encontraba en aquel momento el país:

*Esta ley espiritual tiene unos resultados nefastos cuando el principio que se aplica es el opuesto. Los alemanes que, de entrada, discriminaron a los judíos porque les odiaban, posteriormente les odiaron aún más por haberles hecho objeto de maltrato. A mayor crueldad, mayor el odio; y a mayor odio, mayores muestras todavía de crueldad. El ciclo se perpetúa a sí mismo.*[16]

Al principio de mi ministerio, descubrí esa realidad de forma insospechada. Un pastor tiene que mostrarse amable con personas con las que, en otras circunstancias, no tendría trato alguno. Cierto que los médicos y los consejeros han de mostrarse afables y cordiales con las personas a las que tratan, pero siempre dentro de los estrictos confines de la consulta y de una jornada laboral. Los pastores, en cambio, conviven muchas horas extra con su congregación. Visita a las personas, come con ellas y comparte su vida y sus problemas.

Como pastor recién incorporado al ministerio, me sorprendió lo mucho que cambiaba mi forma de vida. Al igual que cualquier otra persona, hasta ese momento yo había dejado que mis preferencias y mis afectos determinaran con quién me relacionaba. Al trasladarme a Hopewell, en el Estado de Virginia, para hacerme cargo de una iglesia, conocí a muchas personas en la congregación que, de haber tenido una ocupación distinta, no habría tratado. No es que no me cayeran bien, es que no tenía afinidades comunes. No había esa "chispa" que salta cuando conoces a alguien con quien quieres relacionarte.

Aun así, como pastor suyo, si alguien necesitaba hablar conmigo a las 3 de la madrugada, allí estaba yo. Si alguien era ingresado en un hospital, allí estaba yo también. Si un hijo se fugaba del hogar paterno, me subía al coche e iba en su busca. Les visitaba en su casa, asistía a las ceremonias de graduación de sus hijos e iba con ellos de excursión cuando llegaba el buen tiempo. Ellos me abrían su corazón y yo me abría a ellos. En eso consiste ser pastor, sobre todo en una comunidad pequeña. Se esperaba de mí que mostrara amor a personas a las que no me sentía unido emocionalmente.

Aquella experiencia me cambió por completo. Y fue algo que se nos hizo evidente a Kathy y a mí un día como otro cualquiera, transcurridos dos años desde nuestra llegada. Era a mediados de semana, nos encontramos con que teníamos el día libre y nos dispusimos a considerar cómo aprovecharlo. Yo pensé en una pareja en particular y propuse que les hiciéramos una visita, o que vinieran ellos a casa. Kathy se me quedó mirando atónita y me dijo, "Pero, ¿por qué tenemos que hacer eso?". Lo cierto es que esa pareja apenas si tenía amigos, atravesaban por una situación complicada y no caían por ello muy bien al resto de la congregación. De hecho, no se llevaban bien ni siquiera entre ellos. Kathy entendía que era necesario prestarles ayuda y atención, pero se trataba de nuestro día libre, y el estar con esa pareja iba a suponer trabajo, esto es, "tarea de pastor".

De entrada, me sorprendió que se sorprendiera, y después me eché a reír al darme cuenta de lo que había pasado. Durante meses, había estado dedicando a esa pareja tiempo y esfuerzos para que salieran adelante. Dicho brevemente, había activado todos los resortes del amor: escuchando, sirviendo, comprendiendo, confrontando, perdonando, reafirmando, compartiendo. Y el resultado final era que ahora me caían bien.

¿Cómo había sido eso posible? ¿Era por ser yo muy santo y espiritual? No, desde luego que no. Era, sencillamente, porque había puesto en práctica, de forma muy particular, el principio enunciado por Lewis. Les había mostrado afecto desde el principio, cuando todavía no me resultaban particularmente simpáticos, y el resultado había sido que, de forma paulatina pero firme, las emociones se habían sumado a mi comportamiento. Si no nos rendimos y persistimos en amar al no amable de forma consecuente, acabará siendo persona verdaderamente amada.

En la sociedad actual, los sentimientos son la base previa a todo comportamiento amoroso. Y esa puede ser, sin duda, una verdad muy grande. Pero incluso aún es más cierto todavía que toda acción realizada por amor puede acabar generando sentimientos genuinamente amorosos. El amor entre dos personas no debe ser identificado con emociones *o* con un deber a cumplir. El amor en el matrimonio es simbiótico y una compleja combinación de ambas cualidades. Una vez dicho esto, es importante observar que siempre va a ser lo segundo lo que tenga mayoritariamente el control. Es el deber de la acción en amor lo que podemos prometer mantener día a día.

## Decidir amar

¿Qué importancia tiene este principio dentro del matrimonio? Sencillamente, que es crucial. En Efesios 5:28, Pablo dice, *"Los maridos deben amar a sus mujeres"*. Ya les había instado anteriormente a amarlas en el versículo 25, pero, ahora, el verbo que emplea indica de forma específica que es una obligación. No puede caber duda alguna acerca de lo que Pablo está diciendo ahí formulado como una orden. Los maridos tienen la *obligación* de amar a sus esposas. Las emociones no pueden imponerse, pero las acciones sí. Y es acción lo que Pablo está ordenando. No le interesa saber cómo puede que nos sintamos en un día en particular en un momento dado. El amar a la esposa es algo imperativo.

¿Significa eso que no importa con quién te cases, que no hace falta estar enamorado para casarse o que las emociones no importan dentro del matrimonio? Nada de eso. Yo no estoy proponiendo aquí que te cases deliberadamente con una persona que no te guste,[17] pero sí puedo garantizar que, sea quien sea con quien te cases, habrá un momento en el que *pierdas* el entusiasmo. Los sentimientos exaltados de afecto y de gozo no pueden mantenerse de forma constante. Nada más normal y frecuente que perder al principio la cabeza por la persona que amamos, y ello por estar nuestras emociones sujetas tanto a lo fisiológico y psicológico como a la crianza. Pero lo sentimientos vienen y van, y si nos empeñamos en seguir los dictados de la sociedad en materia de afectos, se puede llegar a la conclusión de que esa no es la persona con la que deberíamos casarnos. Nuestra cultura exalta la pasión romántica y, cuando las cosas se tuercen, lo primero que decimos es: "Si esta fuera la persona idónea con la que casarme, mis sentimientos no serían tan fluctuantes." En un capítulo titulado "Christian Marriage", dentro de su libro *Mere Christianity*, C. S. Lewis dice así:

> *Las personas sacan de los libros la idea de que, si te has casado con la persona adecuada, el estar enamorado para va a durar para siempre. En consecuencia, cuando descubren que no es así, piensan que eso demuestra que han cometido un error y que, por tanto, tienen derecho a un cambio, pero sin darse cuenta de que, tras efectuar ese cambio, la fuerte atracción que sientan en ese nuevo inicio volverá a desvanecerse, tal como había ocurrido antes…*[18]

En cualquier posible relación, habrá momentos de angustiosa incertidumbre en los que los sentimientos parecerán estar por completo ausentes, Y cuando eso suceda, será necesario recordar que, en esencia, el matrimonio es un pacto, una alianza y una promesa de amor con proyección futura. ¿Qué hacer, pues, a la vista de todo esto? Sencillamente, llevar a cabo actos de amor, pesar del presente estado de ánimo. Puede, sin duda, que no sintamos afecto, ternura, simpatía o deseos de agradar, pero, aun así, y pese a ello, las acciones tendrán que estar presididas por el afecto, la ternura, la simpatía y el deseo de agradar y ser de ayuda. Si persistimos en esa conducta, el paso del tiempo no sólo te ayudará a superar esos baches, sino que serán menos frecuentes y menos profundos, incrementándose en cambio la constancia en los sentimientos positivos. Eso es lo que verdaderamente pasa cuando se toma la firme decisión de amar.

Esto es, creo yo, una pequeña parte de lo que Cristo quería decir al proclamar que no va a haber auténtica vida mientras no se muera primero. No da resultado alguno tratar de mantener a toda costa los sentimientos exaltados: eso es lo peor que puede ocurrírsenos hacer. Deja primeramente que la exaltación desaparezca, asume el período de latencia mientras llega de nuevo la felicidad, y descubrirás que el mundo está lleno de nuevos y maravillosos sentimientos…[19]

¿Cómo es posible esa transformación? Creo que sucede más o menos así: Cuando nos sentimos atraídos por una persona, pensamos: "¡Quiero que sea siempre así! No quiero que la pasión desaparezca". Pero, como hemos venido insistiendo, esa emoción no va a poder mantenerse eternamente, y, por tanto, no progresaremos en el aprendizaje de amar en verdad a la persona con la que nos casemos. Recurriendo a la metáfora de Lewis, hay que dejar que ese primer sentimiento inmaduro "perezca" para que posteriormente vuelva a resurgir. Hay que mantenerse fieles al compromiso inicial y actuar, y servir *especialmente* en amor, aun cuando puede que ya no se sienta esa atracción y ese gozo. Y cuanto más se persevere en esa línea, de forma paulatina pero segura, descubrirás que la atracción egocéntrica se irá transformando en un amor caracterizado por un sensato y agradecido aprecio de la otra persona. El amor que entonces se experimentará será más sabio, más rico, más profundo, menos voluble.

Lamentablemente, son muchas las personas que no dejan que esto llegue a producirse, y ello por haber aceptado la noción de la sociedad acerca del matrimonio entendido como algo pasajero y renovable. Visión que deja a las personas expuestas a ser presa fácil de las aventuras ocasionales, porque nada parece más natural que conocer a otras personas que puede que encontremos más atractivas, y que se muestren capaces de introducir una vez más en nuestra vida la emoción de la novedad.

Otra idea que procede de las novelas y de las obras de teatro es que "enamorarse" es algo irresistible; algo que sucede de forma tan inevitable como el sarampión. Por creerlo así, hay matrimonios que se rinden al conocer a otra persona que les atrae más... Pero ¿no está en nuestras manos decidir si esa atracción se convierte en "enamoramiento"? Evidentemente, si tenemos la cabeza llena de nociones románticas, y puede que el cuerpo lleno de alcohol, transformaremos toda posible sensación amorosa en algo que creemos amor: como agua forzada a discurrir por los surcos formados en tierra, o como visión azul, si las lentes que llevamos son de ese color. Pero la culpa será entonces totalmente nuestra.[20]

Así, cuando alguien dice "No necesito un trozo de papel para demostrar mi amor," se le puede argumentar: "Sí que lo necesitas. Si tu amor fuera como el que se describe en la Biblia entre dos personas que comparten su vida, no pondrías ninguna pega a comprometerte de forma exclusiva, permanente y legal".

## El trato

En tiempos antiguos, la novia tenía un precio. Un candidato a marido se presentaba ante el padre de la muchacha y le ofrecía una suma de dinero, que oscilaba dependiendo de factores tales como la belleza de la chica y el volumen de su dote. En la actualidad, pensamos en esa antigua costumbre y decimos: "¡Qué terrible! ¿Cómo podían actuar así?" Es sin duda muy cierto que en Occidente ya no se actúa así. Ahora somos democráticos en nuestras relaciones --¡y son los propios interesados los que se comportan de ese modo! Hombres y mujeres nos observamos y decimos: "Esa chica está disponible", o "Ese chico es un buen partido," o "¿Cómo pudo enamorarse de ese 'saldo'?". Comentarios espontáneos, pero tremendamente reveladores. Tendemos a valorar a los candidatos sentimentales según ventajas y desventajas. Y, al final, la sensación que tenemos es que elegimos a determinada persona por los beneficios. Nos resulta prácticamente imposible no pensar en términos de cuánto aporta cada contrayente. Y si estamos obteniendo de esa relación tanto (o quizás más) como hayamos puesto, estaremos muy contentos.

Pero a medida que el tiempo pasa, empezamos a notar los defectos y fallos de nuestro cónyuge y descubrimos que no estamos obteniendo del matrimonio el beneficio esperado de la inversión inicial. Acometemos entonces la tarea indicada en una transacción comercial. Si los réditos no son buenos, dejamos de invertir. Si mi esposa no es la esposa que yo esperaba, sencillamente dejaré de esforzarme por ser el esposo que debiera. Solución que parece totalmente justa. "Ella ya no se comporta como solía. ¿Por qué yo he de hacerlo? Si no estoy obteniendo lo que debería, no tengo por qué seguir invirtiendo en ello." Y nos convencemos de que estamos haciendo lo justo y equitativo. Pero el fondo es de mezquina revancha.

Así es como justificamos mentalmente nuestras retiradas. Pero, comprensiblemente, nuestra pareja no lo ve así. Si mi esposa me nota emocionalmente distante, inactivo en mis atenciones hacia ella o la familia, se sentirá con derecho a desligarse de su compromiso inicial conmigo. Cuanto menor es el amor que se siente, menor es la atención que se presta. La espiral descendente se hace imparable.

Piensa por un momento en lo diferente que es la relación de un padre con su hijo. Al ser padres, descubrimos que el modelo bíblico de amor es el que en verdad ha de aplicarse. El hijo recién nacido es una criatura que precisa todo posible cuidado y atención. Nos necesita cada minuto, las veinticuatro horas del día, siete días a la semana. Haces enormes sacrificios en tu vida y, aun así, esa criatura no te ofrece nada a cambio hasta pasado un tiempo. Y si bien es cierto que llegará el día en que podrá darte afecto y respeto, nada de ello será comparable a lo hecho por ti a favor suyo. Sucede con frecuencia que los hijos se enfrentan al crecer a sus propias dificultades, pudiendo comportarse con rebeldía o mostrarse inseguros, siendo por ello necesario una vez más invertir sin recibir nada a cambio. Pero con cada nueva inversión necesaria, tanto si el saldo es positivo como si no, seguimos invirtiendo.

Transcurridos dieciocho años en esa relación, seguiremos amando a nuestros hijos tanto si son atractivos como si no. ¿Por qué razón? Por habernos comportado tal como se nos instruye en la Biblia. Habrá que continuar realizando actos de amor independientemente de cómo nos sintamos y aun no mereciéndolo ellos.

No ha de sorprendernos entonces que, al marcharse los hijos de casa, muchos matrimonios se vengan abajo. La razón es que, si bien habían tenido con sus hijos una relación de amorosa alianza, prodigando amor y cuidados en un vínculo muy especial, la relación de pareja se había convertido en contrato de consumo, escatimando las acciones amorosas si los sentimientos no afloraban espontáneos. Así, transcurridas dos décadas, el matrimonio dejaba de tener sentido, mientras que el afecto a los hijos se mantenía inquebrantable.

## El sí que se mantuvo

Son muchas las personas que, al oír esto, dicen: "Lo siento, pero es que yo no puedo fingir amar. Eso sería algo artificial". Desde luego, entiendo esa reacción, pero el apóstol Pablo no está instándonos a actuar de forma impersonal, sino que nos instruye para que meditemos en lo que hacemos. *"Maridos, amad a vuestras mujeres, así como Cristo amó a la iglesia, y se entregó a sí mismo por ella."*

Eso supone que debemos decirnos a nosotros mismos algo en esta línea: "Cuando Jesús nos contempló desde la cruz, no pensó: 'Me estoy sacrificando por ti porque eres una persona admirable'. Él estaba allí agonizando mientras nosotros le negábamos con nuestra traición. Pero, con el más sublime acto de amor que el mundo haya contemplado jamás, *permaneció* en la cruz. *'Padre, perdónales, porque no saben lo que hacen.'* Él no nos amó por nuestras buenas cualidades, sino porque quería que llegásemos a tenerlas. Y esa es la razón por la que yo debo esforzarme por amar a mi esposa". Háblale a tu corazón en esos términos y cumple entonces con las promesas que hiciste el día de tu boda.

# La misión del matrimonio

*Maridos, amad a vuestras mujeres, así como Cristo amó a la iglesia, y se entregó a sí mismo por ella, para santificarla, habiéndola purificado en el lavamiento del agua por la palabra, a fin de presentársela a sí mismo, una iglesia gloriosa, que no tuviese mancha ni arruga ni cosa semejante, sino que fuese santa y sin mancha.*

*(Efesios 5:25-27)*

Hemos dedicado un espacio a analizar la esencia del matrimonio y ahora es necesario preguntarnos "¿Qué *sentido* tiene?" ¿Cuál es en realidad su propósito? La respuesta que la Biblia da a esa cuestión comienza señalando que el principio del matrimonio es la amistad.

## La soledad en el Paraíso

En Génesis 1-2, según Dios creaba el mundo, iba contemplando lo que hacía, declarándolo *"bueno"*. Esa valoración se repite en siete ocasiones ya en el primer capítulo, enfatizándose la grandeza, la gloria y la excelencia del mundo material de la creación.[1] No deja por ello de ser sorprendente que, tras haber creado Dios al primer hombre, dijera *"No es bueno que el hombre esté solo" (Génesis 2:18)*, entendiéndose por ello que todavía falta algo. Pero además de ser sorprendente en contraste con lo leído hasta aquí, suscita la siguiente cuestión: ¿Cómo puede ser que Adán no estuviera en una "buena condición" si se hallaba en un mundo perfecto y, sin duda, tenía ya una relación perfecta con Dios?

La respuesta la encontramos en las palabras que Dios pronuncia en Génesis 1:26: "Hagamos al hombre a nuestra imagen". Surge entonces de inmediato la pregunta, "¿Quién queda incluido en ese *nuestra*? ¿De quién habla Dios? Una posible respuesta es que está dirigiéndose a los ángeles de la corte celestial, pero en ningún lugar de la Biblia se dice que los ángeles participaran en la creación del ser humano. Los teólogos cristianos se han esforzado a lo largo de los siglos por encontrar una alusión a una verdad tan sólo revelada con la venida de Jesús al mundo, esto es, que Dios es trino, que Dios ha existido desde la eternidad en tres personas —Padre, Hijo y Espíritu Santo—y que se conocen y que se relacionan entre sí. En consecuencia, y entre otras cosas más, el que los seres humanos seamos creados a imagen de Dios significa, por extensión, que estamos diseñados para relacionarnos.[2]

Así que, ahí está Adán, creado por Dios y puesto en el jardín del Edén, pero su soledad *"no es algo bueno"*. El relato de Génesis da a entender que la muy notable capacidad humana para poder relacionarse, diseñada por Dios para beneficio nuestro, no cumplía con todas sus funciones en una relación exclusivamente "vertical" con Dios, sino que tenía que ser cumplimentada con una relación "horizontal" con otros seres humanos. Esa es la razón de que, incluso en el Paraíso, la soledad sea algo terrible. No debería, por tanto, sorprendernos descubrir que el dinero, las comodidades, y los placeres que puede ofrecer este mundo —todo ello esfuerzo nuestro por recrear un paraíso a nuestro gusto— no pueda satisfacernos de la manera que puede hacerlo el amor. Lo cual viene a confirmar nuestra intuición de la familia y de las relaciones como una gran bendición, y fuente aún de mayor satisfacción que cualquier otra posible cosa que el dinero pueda proporcionarnos.

Para remediar esa soledad, Dios creó lo que en el relato de Génesis se nombra como *´ezer*, término que significa *"ayuda idónea"*, esto es, una compañera.[3] Al ver el hombre a la mujer, su reacción es pura poesía: *"¡Al fin! ¡Esto sí que es en verdad hueso de mis huesos y carne de mi carne!"*. Hay quien ha querido interpretar esas palabras como "El conocerte ha llenado el vacío que había en mi vida". Así, comprobamos ya desde el mismo inicio que Dios le dio al hombre una compañera para que fuera su esposa. El personaje femenino de El Cantar de los Cantares de Salomón es como un eco de la voz de Adán cuando dice *"Este es mi amado y mi amigo" (5:16)*.

## El carácter de amistad

¿Qué es la amistad? La Biblia y, muy en particular, el libro de Proverbios dedican un espacio notable a definirlo y describirlo. Una de las principales cualidades que apreciamos en un amigo es la constancia. El verdadero amigo *"ama en todo tiempo"* y muy especialmente en la *"adversidad" (Proverbios 17:17)*. Su imitador lo tenemos en los amigos "según la ocasión", que está a nuestro lado mientras las cosas marchan bien, pero que desaparece cuando cesa nuestra prosperidad, nuestra posición o nuestra influencia *(Proverbios 14:20; 19:4, 6, 7)*. Los amigos de verdad pueden ser más fieles incluso que un hermano *(Proverbios 18:24)* y están siempre a nuestro lado cuando es necesario. Otra característica esencial de la amistad es la transparencia y la honestidad. Los amigos de verdad se apoyan con mutuo afecto *(Proverbios 27:9; cf. 1 Samuel 23:16-18)*, pero también son capaces de criticar constructivamente cuando es necesario: *"Fieles son las heridas del que ama" (Proverbios 27:5-6).* En similitud con el cirujano, los verdaderos amigos pueden causarte dolor para curarte. Las discrepancias de opinión entre amigos fomentan un saludable intercambio de puntos de vista. *"Hierro con hierro se aguza; y así el hombre aguza al amigo" (Proverbios 27:17).*

Constancia y transparencia, pues, como las dos principales cualidades en una genuina amistad. Los amigos de verdad siempre van a incluirnos y nunca van a fallarnos. En su descripción de la amistad como relación en la que son fundamentales esas dos cualidades, decía así una conocida autora:

> *El inexpresable consuelo de sentirnos seguros en compañía de una persona en particular, —no teniendo, por tanto, que sopesar y medir pensamientos y palabras, por poder con entera confianza hacerlos manifiestos, declarándolos espontáneamente tal como son, lo más acertado y lo menos oportuno a la vez, en la seguridad de que la otra persona los analizará, desechando lo que no sea oportuno y conservando lo que de valor tengan, y con ello un componente de bondad que disperse el resto.*[4]

Hay, aun así, una tercera cualidad presente en una verdadera amistad que no es fácil de condensar en un término unívoco. La palabra adecuada, literalmente, sería "simpatía" entendida según su significado en origen, esto es, sentir al unísono con alguien. Lo que quiere decir que la amistad es más algo que se descubre que algo que se crea a voluntad. La amistad surge entre personas que encuentran que tienen intereses afines y deseos e ilusiones similares.

Ralph Waldo Emerson[5] y C. S. Lewis escribieron respectivos ensayos sobre el modo en que una visión común puede unir a personas de muy diferente temperamento. Lewis insistía en que la esencia de la amistad se condensa en la exclamación "¿Cómo? ¿Tú también?". Así, mientras que el amor erótico puede representarse como dos personas que se miran entre sí, la amistad es como dos personas situadas una junto a la otra contemplando el mismo objeto y sintiéndose igualmente estimuladas. Lewis habla, en ese sentido, de un "hilo común invisible" presente en las películas, los libros, el arte, la música, las diversiones, las ideas y las situaciones que nos conmueven más profundamente. Cuando conocemos a una persona que comparte esas mismas experiencias y sensaciones, hay un potencial inherente para una amistad real, si se la alimenta con transparencia y constancia. La paradoja está en que la amistad no puede girar exclusivamente en torno a sí misma. Tiene por fuerza que tener un punto externo que le permita superar los límites más restringidos de la amistad en sí. Algo con lo que comprometerse y por lo que entusiasmarse más allá de la relación.

La amistad surge... cuando dos o más personas... descubren que tienen en común un interés y una visión...[Como] bien dijo Emerson, *¿Me quieres?* significa *¿Ves esta misma verdad?* —o, al menos, *¿Te interesa esa verdad?* La persona que coincide con nosotros en que esa cuestión, no tenida en consideración por otros, es realmente importante, y hasta crucial, puede en verdad ser nuestra Amiga... Esa es la razón de que las personas que, lamentablemente, tan sólo "buscan amigos" nunca van a tener ninguno. La condición indispensable para tener amigos es aspirar a disponer algo en común que compartir aparte de la simple amistad. Allí donde la respuesta verdadera a la pregunta "*¿Ves esta misma verdad?*" sea "*No me interesa la verdad. Yo lo que quiero es [que seas mi] amigo*", no va a producirse una genuina amistad. En la amistad, tiene que haber *algo que compartir*, aunque sólo sea el deporte o las mascotas. Aquellos que no tengan nada que compartir, que no tengan meta a la que aspirar, difícilmente van a encontrar a nadie que les acompañe.[6]

## La amistad cristiana

Al acercarnos al Nuevo Testamento, descubrimos que todavía hay una capa más que añadir al edificio de la amistad. Así, la amistad es tan sólo posible cuando existe una visión y una pasión en común. Y tenemos que pensar ahí en lo que eso supone para los creyentes. Para aquellos que creen en Cristo, a pesar de posibles diferencias en cuanto a clase, temperamento, cultura, raza, sensibilidad e historia personal, existe un sustrato común que está por encima de cualquier otro posible factor. Y ya no es tanto un "hilo conductor" como un indestructible "cable de acero". Los cristianos han experimentado en su conversión la gracia de Dios manifiesta en el evangelio de Jesús. Todos los creyentes gozamos de una nueva identidad, siendo por tanto nuestro nuevo llamamiento en Dios lo fundamental en nuestras vidas. Anhelamos por ello el futuro que se perfila en lo que la Biblia denomina "nueva creación". El apóstol Pablo habla, en ese sentido, de "*la buena obra*" que Dios lleva a cabo en los creyentes, que tendrá su punto culminante al final de los tiempos *(Filipenses 1:6)*. Todos sin excepción seremos entonces nuestro auténtico yo, como fue en el primer momento de la creación, liberados de nuestras faltas y debilidades, y de todas nuestras imperfecciones. Pablo habla, por tanto, de una *"gloria futura,"* por estar ya liberados de *"la aflicción presente... para una libertad gloriosa" (Romanos 8:18-21).* Mientras tanto, *"esperamos anhelantes"* la plena redención final *(Romanos 8:23).*

¿Qué significa todo eso a efectos prácticos? Pues, en principio, que una pareja cristiana que tenga en común su fe en Cristo puede disfrutar de una genuina y profunda amistad, ayudándose mutuamente en el camino hacia una nueva creación, llevando a cabo, mientras tanto, un ministerio terrenal. ¿Cómo puede hacerse efectivo esto en nuestras vidas?

En primer lugar, con una genuina *transparencia espiritual.* La amistad cristiana permite no sólo una mutua confesión de pecados *(Santiago 5:16)*, sino que puede señalar en amor las respectivas faltas para su corrección *(Romanos 15:14).* En el ámbito de la amistad cristiana, se puede dar una constructiva "licencia de caza" de errores y malos entendidos *(Gálatas 6:1).* Los amigos en la fe pueden estimularse mutuamente allí donde se produzca un estancamiento espiritual *(Hebreos 10:24).* Y eso es algo que muy bien puede darse en nuestro diario caminar *(Hebreos 3:13).* Los amigos cristianos reconocen la existencia de errores y de fallos, pidiendo u ofreciendo por ello perdón y restauración *(Efesios 4:32)*, dando por tanto los pasos necesarios para la reconciliación donde y cuando sea necesario *(Mateo 5:23ss.; 18:15ss.).*

En segundo lugar, estaría la *constancia.* Los amigos cristianos *soportan los unos las cargas de los otros (Gálatas 6:2)*, siendo fieles tanto en lo bueno como en las dificultades *(1 Tesalonicenses 5:11, 14-15)*, compartiendo sus bienes materiales y sus vidas cuando surja la necesidad *(Hebreos 13:16; Filipenses 4:14; 2 Corintios 9:13)*. Los amigos tienen que animarse y confirmarse mutuamente *(Romanos 12:36,10; Proverbios 27:2)*, destacando para ello dones, capacidades y puntos fuertes. El estudio y la adoración compartida servirá para edificación conjunta *(Colosenses 3:16; Efesios 5:19)*.

El cuadro de la amistad espiritual que la Biblia presenta es verdaderamente notable. Así, la amistad cristiana no es tan sólo disfrutar en compañía de buenos ratos y diversiones. Se trata de la unión que se fragua en ese caminar juntos hacia un mismo destino, prestándose mutua ayuda y afrontando al unísono los retos y las dificultades de la existencia. El mundo del cine nos ha dado últimamente toda una serie de películas centradas en el tema de la amistad, de mayor o menor mérito artístico, destacando, entre otras, *El Señor de los Anillos*. En cada una de las historias representadas, aparece un grupo dispar de personas que se juntan por una causa común que los cohesiona, dejando por ello a un lado diferencias de raza, clase y posición, y hasta posibles rencillas, por tener en común una misma meta y una misma misión, y formando por ello un equipo. Así, podrán ayudarse, animarse, retarse y exhortarse mutuamente, haciendo de los respectivos puntos débiles motivo de cambio y progreso, resultando reforzada por ello su amistad.

¿Cómo puede la amistad de carácter sobrenatural, que puede darse entre dos creyentes, relacionarse con la clase de amistad descrita por Emerson y Lewis, con base simplemente en aficiones e intereses comunes? La respuesta es que pueden coexistir y superponerse. Un creyente puede ser un gran amigo de alguien que no crea, pero con el que comparte determinada afición o interés. Si, por ejemplo, les gusta un mismo autor, pueden compartir impresiones y juicios, disfrutando de ese amor a la literatura. Si la amistad es, pongamos por caso, entre dos madres jóvenes, podrán hablar de sus respectivos hijos y todo lo que gira alrededor suyo, estrechando lazos pese a no compartir su fe cristiana. Tal como ya hemos tenido ocasión de mostrar, dos creyentes pueden disfrutar de la amistad espiritual a la que se nos insta en el Nuevo Testamento como "interesarse los unos por los otros", aun cuando puede que difieran en cuanto a gustos generales y temperamento y sean, desde una perspectiva meramente humana, incompatibles. Es muy posible que las relaciones personales más ricas y satisfactorias acaben siendo las integradas por factores tanto naturales como sobrenaturales o espirituales. El matrimonio puede añadir ahí el componente del amor romántico, y es así como el matrimonio puede convertirse en la más rica de toda posible relación humana.

La amistad aporta una profunda unidad que va desarrollándose a medida que se comparte la verdad en amor y respeto, según va avanzándose hacia una meta común. La amistad espiritual es la mayor que puede darse por ser su perspectiva tan elevada y distante, avanzando confiadamente con la vista puesta en *"la venida de Jesucristo"* y en aquello en lo que nos convertiremos cuando le veamos por fin sin el rostro cubierto. El apóstol Juan dice en ese sentido,

> *Amados, ahora somos hijos de Dios, y aún no se ha manifestado lo que hemos de ser; pero sabemos que cuando él se manifieste, seremos semejantes a él, porque le veremos tal como él es. Y todo aquel que tiene esta esperanza en él, se purifica a sí mismo, así como él es puro.*
>
> *(1 Juan 3:2-3)*

# Tu cónyuge como tu mejor amigo

Al presentarle Dios a Adán a su mujer, no le estaba dando alguien a quien tan sólo amar, sino el ser de su misma especie que él anhelaba. Proverbios 2:17 habla del cónyuge como ´allup, término de difícil traducción que puede entenderse como "confidente particular" o "mejor amigo". En unos tiempos en los que las mujeres eran consideradas propiedad del marido y en los que los matrimonios eran poco más que transacciones comerciales con vistas a incrementar la dotación familiar, tanto en lo económico como en el número de miembros integrantes, fue algo realmente chocante y extraordinario que la Biblia hablara de la mujer como esposa en esos términos en particular. En la sociedad actual, con su énfasis en el romance y en el sexo, sigue siendo igual de radical desear que nos una a nuestra pareja una relación de amistad, aunque por una razón diferente. En las sociedades tribales, la cuestión romántica no tenía la misma importancia que el estatus social, mientras que, en las individualistas sociedades occidentales, el romance y el sexo importan por encima de cualquier otra posible consideración. La Biblia, en cambio, sin ignorar la responsabilidad con la comunidad, o la importancia del romance, pone un gran énfasis en el matrimonio como compañerismo.

Lo comprobamos en el texto ya citado de Efesios 5. Ahí, el apóstol Pablo está hablando a un público de trasfondo pagano, imbuidos de la noción del matrimonio como transacción social. En aquellos tiempos, uno debía procurar casarse de la forma más ventajosa posible para beneficio del estatus social de la familia. La función de la esposa era proporcionar un nexo de unión con otra familia aceptable y tener hijos que lo perpetuaran. Eso era lo que se esperaba el matrimonio como institución.

El apóstol, en cambio, da a sus lectores una visión del matrimonio que tuvo que haberles dejado atónitos. La razón de ser del matrimonio cristiano nada tenía que ver con el estatus social y la estabilidad, como en las culturas antiguas, ni tampoco se aspiraba a una felicidad derivada de románticas emociones, como ocurre hoy día. Pablo insta a los maridos a poner en práctica el amor sacrificial de Jesús. Pero Pablo no se detiene ahí, sino que pasa a detallar el objetivo de ese amor sacrificial, que no es otro que la *"santificación" (versículo 26)* para poder *"presentarla" en radiante belleza y esplendor (versículo 27 a), y totalmente "santa y sin mancha" (versículo 27 c)*. ¡Se espera, pues, de nosotros que seamos una nueva creación! Para ello tienen que desaparecer toda mancha y defecto, todo pecado, y todo lo que impida que seamos *"santos", "gloriosos", y "sin mancha".*[7]

En otro texto distinto, Pablo les comunica a los creyentes de Filipos que *"Aquel que empezó la buena obra en vosotros, la perfeccionará hasta el día de Jesucristo" (1:6)*. Eso indica un proceso, que tuvo su inicio el día en que creímos en Jesús, y que conocemos comúnmente como "santificación". Pablo está diciendo ahí que no hemos de pensar que ese proceso llegue a su plenitud antes del fin de los tiempos, porque de ninguna manera va a poder alcanzarse semejante perfección aquí y ahora. Pero también nos avisa de que bajo ningún pretexto perdamos la esperanza de esa certeza futura. Jesucristo *completará* su obra. De forma paulatina pero segura, y mediante la acción del Espíritu, asumiremos nuestro "nuevo yo, creado según Dios" *(Efesios 4:24)*. Durante esta vida, y en la medida en que confiemos en Dios y aprendamos a conocerle, estaremos *"siendo transformados de gloria en gloria a semejanza de Cristo" (2 Corintios 3:18)*. Incluso (y muy particularmente) los sufrimientos que padezcamos nos harán más sabios, más fuertes, más profundos y mejores.

> *De manera que nosotros que de aquí en adelante a nadie conocemos según la carne; y aun si a Cristo conocimos según la carne, ya no lo conocemos así. De modo que si alguno está en Cristo, nueva criatura es; las cosas viejas pasaron; he aquí todas son hechas nuevas. Y todo esto proviene de Dios, quien nos reconcilió consigo mismo por Cristo, y nos dio el ministerio de la reconciliación.*
>
> *(2 Corintios 4:16-18)*

¿Cómo Pablo puede decir a todos los creyentes que la obra de nueva creación comenzada en nosotros *vendrá* a plenitud? Pues por la sencilla razón de que Jesús sigue presente y activo entre nosotros, cuidando de su obra. Jesús es nuestro amigo definitivo y "más cercano que un hermano". Jesús nunca va a fallarnos. Él está completamente entregado a transformarnos en seres gloriosos y excepcionales a semejanza suya. En Juan 15:9-15, se nos informa de que esto es posible por ser él nuestro Amigo Divino, pero, en Efesios 5, eso es algo que tiene lugar por ser Él el Esposo Divino de su Iglesia, que somos nosotros. En virtud de su obra redentora, Jesús es a la vez nuestro Amigo y nuestro Prometido, y ese es el modelo que ha de imperar en el matrimonio cristiano. Marido y mujer tienen que ser a un tiempo amantes y amigos, en imitación a Cristo. Jesús tuvo la visión de nuestra futura gloria *(Colosenses 1:27; 1 Juan 3:2)* y todo cuanto obra en nuestras vidas nos lleva hacia esa meta final. Efesios 5:28 relaciona directamente el propósito del matrimonio con la meta última de la Unión definitiva. *"De esa misma manera, maridos amad a vuestras esposas…"* ¿Cómo podría entonces ser de otra forma? Si dos personas que antes no se conocían habrán de estimularse mutuamente en amor para toda buena obra *(Hebreos 10:24)*, fomentando y potenciando los respectivos dones en mutua responsabilidad para desistir del pecado *(Hebreos 3:13)*, ¿cómo no habrán de hacerlo aún más como marido y mujer? [8]

Este principio, que los cónyuges también han de poder ser amigos, cambia por completo la perspectiva cuando se trata de la cuestión de compatibilidad de cara a una futura relación marital. Si pensamos en el matrimonio principalmente desde la perspectiva del amor erótico, la compatibilidad quedará reducida a atracción y química sexual. Si se piensa en el matrimonio como una plataforma para alcanzar el estatus social deseado, entonces la compatibilidad supone formar parte de la clase social deseada y quizás poder compartir gustos y aficiones, y unas aspiraciones de vida. El problema con todos esos factores es que no son duraderos. La atracción disminuye o desaparece, por mucho que nos esforcemos por evitarlo. El estatus económico y social puede dar un vuelco de la noche a la mañana. Cuando se piensa haber encontrado la compatibilidad en base a todos esos factores, suele acabarse haciendo el doloroso descubrimiento de que se ha cimentado la relación sobre terreno inseguro. La mujer bonita deja de cuidar su aspecto; el hombre pierde el trabajo y la posición social que lo acompañaba, y la compatibilidad se viene abajo.

Pero lo peor de todo es que la atracción sexual y la posición social no aportan ningún tipo de visión común externa. En realidad, ¿para que creemos que sirve el matrimonio? ¿A dónde va a conducirnos? Si hay de por medio intereses profesionales y económicos comunes, la unión tendrá su razón de ser de camino hacia una meta. Pero lo cierto es que no suele mantenerse por un tiempo prolongado. Ese tipo de objetivos no fomenta la unión, porque, una vez que se alcanzan, normalmente por separado, ¿qué sentido tiene seguir juntos? Si nos casamos por satisfacción sexual, o por interés económico, el sentido a largo plazo desaparece. Y la falta de sentido y de perspectivas compartidas no fomenta el caminar en compañía.

## Un horizonte amplio

¿Para qué puede decirse entonces que es el matrimonio? Sencillamente, para mutua ayuda en el descubrimiento y desarrollo de nuestra esencia presente y futura, y ello como criaturas hechas nuevas en Cristo camino de la perfección final. El horizonte común de marido y esposa se fija en el Trono divino, en la naturaleza sin mancha y santa que tendremos en Cristo. No puedo imaginar horizonte más grandioso que ese, y por ello poner la amistad cristiana en el corazón mismo de la relación marital puede llevarnos a un nivel infinitamente superior a cualquier otro que podamos pensar.

¿Has tenido alguna vez la experiencia de estar en la montaña en medio de lluvia y niebla? Si miramos alrededor, lo único que distinguimos es contornos borrosos y la tierra que pisamos. Ahora bien, cuando la lluvia cesa y las nubes se despejan, puede que tengamos que contener el aliento ante la belleza que se despliega ante nuestros ojos, porque, en lo más alto de esa mole, se yergue orgulloso un pico impresionante. Un par de horas más, y la niebla nos arrebatará nuevamente la visión. Igualmente sucede con la vida del creyente. Está por una parte, el antiguo yo y, por la otra, el nuevo ser regenerado *(Efesios 4:24).* El antiguo yo está lleno de achaques y problemas, la necesidad, por ejemplo, de demostrar su valía, los malos hábitos difíciles de erradicar y los pecados que no cesan en su asedio, atrincherados tras los defectos de carácter. En el nuevo yo, persiste todavía el antiguo, pero ahora ya liberado de pecados antiguos y de sus lacras. Ese nuevo yo está siempre activo y en constante progreso, pero sucede que la neblina del antiguo puede llegar a ocultarlo por completo. Pero va a haber siempre un momento en el que los nubarrones desaparecen, para hacerse entonces manifiestos la sabiduría, la valentía y el amor que son ahora parte integrante de la nueva criatura. Visión que puede ser en un principio fugaz, pero que estará ya siempre activa y en progreso.

Dentro de la concepción cristiana del matrimonio, hay algo muy en especial que decir respecto al enamoramiento. Enamorarse consiste en mirar a otra persona y vislumbrar como en un destello a la persona que Dios está moldeando, y decir: "Veo el resultado final, y no puedo menos que entusiasmarme! Quiero formar parte de ello. Quiero caminar junto a Dios y junto a ti hasta llegar a su Trono. Y, cuando por fin estemos allí, contemplaré el maravilloso resultado final y diré, 'Siempre supe que tú podrías ser así. Lo percibí en el mundo terrenal, y ahora es ya toda una gloriosa realidad'". Cada cónyuge contemplará respectivamente esa obra divina de perfección final por acción y obra de la Palabra del evangelio. Y cada cónyuge podrá ser además vehículo de esa obra de transformación, contemplando por anticipado el día en que estarán conjuntamente ante Dios, inmaculados en belleza y en gloria.

Mi esposa, Kathy, dice a menudo que la mayoría de las personas, al estar buscando pareja, esperan encontrar una estatua perfecta, cuando en realidad deberían estar buscando el bloque de mármol del que saldrá esa obra. Bloque que existe no para crear a voluntad la persona que deseamos, sino porque vemos la clase de persona que Jesús va a crear y que está creando ya. Cuando a Miguel Ángel se le preguntó cómo había esculpido su magnífico David, parece que contestó: "Miré dentro de ese gran bloque de mármol y fui quitando todo lo que no le correspondía", Al buscar pareja para casarnos, cada uno de nosotros debemos mirar el interior de la persona para tratar de ver cómo Dios está obrando en su vida y darnos cuenta entonces de si vamos a ser parte de ese proceso de creación de un nuevo ser.

Si se lo permitimos… Él convertirá hasta los más débiles e indignos en criaturas divinas, radiantes, sublimes e inmortales, pletóricas de gozo y de energía, y de sabiduría y de amor, en una medida tal que no podemos siquiera imaginar; cual espejos sin mácula, brillantes en su reflejo a Dios de su propia obra perfecta (a escala menor). El proceso puede que sea dilatado y, en parte, doloroso. Pero de eso se trata en definitiva. Nada más y nada menos.[9]

Por tanto, no hay que idealizar ingenuamente una realidad que puede ser brutal. El matrimonio visto así conlleva una mutua y sincera confesión: "Veo tus fallos, tus puntos débiles y lo mucho que tendrás que cambiar. Pero por encima de todo ello, veo también a la persona que Dios quiere que llegues a ser". Esta es una actitud que dista mucho de la búsqueda de una compatibilidad idealizada. Como ya hemos tenido ocasión de ver, los estudios al respecto han hecho patente que con el término "compatibilidad" se entiende encontrar a alguien que nos acepte tal como somos. Lo real es ¡justo todo lo contrario! La búsqueda de una persona ideal es empresa fútil. Y difiere asimismo radicalmente de la postura cínica o fría de buscar pareja idónea que cumpla a la perfección con nuestras demandas de estatus social, seguridad económica y perfecta sincronía sexual.

Si no le ves a tu pareja ningún defecto, ni ningún punto débil, algo que deba cambiar, entonces estarás muy alejado de la auténtica realidad. Pero, por otra parte, si no te entusiasma pensar en la persona que tu pareja ya es, y la que podrá en el futuro ser, tal vez todavía no has sintonizado con su realidad espiritual. La meta a alcanzar es ver lo extraordinario de la obra de Dios operando en su vida. Por el momento, sólo apreciamos destellos de lo que será. Y nosotros debemos estar dispuestos a ser parte de ese proceso de transformación.

Cuando dos creyentes que entienden esto en toda su dimensión están por fin ante el siervo de Dios que oficiará su ceremonia de boda, se dan cuenta, como pareja, de que lo que va a tener lugar ahí es algo que irá mucho más allá de las elegantes ropas que visten. Lo que prometerán ahí como cristianos no es simplemente ante el oficiante, sino ante Dios mismo. La vida conjunta que emprenderán ha de ser sin mancha ni defecto, con la esperanza de poder llegar a oír un día: "Bien hecho, siervos fieles. A lo largo de los años os habéis ayudado mutuamente en consideración a mí. Habéis hecho sacrificios. Habéis orado para respectivo crecimiento y madurez. Os habéis reprendido mutuamente cuando fue necesario. Os habéis amado y os habéis preocupado de vivir en todo en mi presencia. Ved ahora el resultado: personas dignas y radiantes ante su Señor".

El romance, el sexo, la diversión y las risas, forman parte integrante de un muy amplio proceso de santificación y glorificación. El aspecto más humano de la relación de pareja es sin duda muy importante, pero no basta para mantener vivo y activo un matrimonio de plenitud. Lo que va a hacerlo posible a lo largo de los años, y pese a las dificultades, será ese compromiso ante Dios con miras a algo mucho más elevado y lleno de auténtico significado. El compromiso como pareja supone dedicarse en cuerpo y alma a ayudar a nuestro cónyuge a alcanzar esa meta. Una aspiración inferior, una meta menos ambiciosa, significaría estar jugando a pasar el tiempo.

Entendido así, podemos constatar que el matrimonio, como una amistad muy especial entre dos personas comprometidas, es una verdadera alianza y genuino amor. Desde la cruz, Jesús no nos vio como seres dignos de todo afecto y admiración. No estuvo allí presente ninguna "simpatía" particular. Pero hizo de nuestra necesidad su prioridad y se sacrificó por nosotros. La Biblia insta a los cónyuges no sólo a seguir el ejemplo de Cristo, sino asimismo a hacer suya su meta final. Jesús no murió porque nosotros lo mereciéramos, sino para hacernos dignos de ello. En palabras de Pablo, Jesús murió para "santificarnos". Paradójicamente, eso significa que Pablo insta a los cónyuges a ayudar a su pareja a que ame a Jesús por encima de todo.[10] Paradoja que no es contradictoria. La razón de fondo es muy sencilla, porque únicamente si amo a Jesús más que a mi esposa seré capaz de anteponer sus necesidades a las mías. Y únicamente estando mi depósito emocional lleno del amor de Dios podré ser paciente, fiel, sensible y sincero con mi esposa cuando las cosas no nos vayan bien, tanto a nivel general como más en particular, como pareja. Cuanto mayor sea el gozo que me proporciona mi relación con Jesús, más fácil me será compartir ese gozo con mi esposa y con mi familia.

## Un mensaje para nuestra cultura

La enseñanza de Pablo acerca del matrimonio era, sin duda, radical en el entorno cultural de la época, pero puede que siga siendo igual de radical en la sociedad actual.

Sucede con frecuencia que tienes amistades del otro sexo con las que compartes ideas y compromisos. Te fías de su juicio, sientes que puedes abrirle tu corazón y compartir lo más íntimo de tu persona sin miedo a la incomprensión. Te sientes comprendido y notas que tu opinión cuenta, y también que los consejos que te da son sabios y oportunos. Pero eso no significa que exista un embeleso romántico. Las razones de esa falta de atracción física o sentimental pueden ser múltiples. Pero, sean cuáles sean, la química no está ahí presente. Imagina entonces que conoces a alguien que te fascina irresistiblemente. Esa persona tiene los atributos físicos y sociales que estabas buscando y, además, muestra también un interés por ti. Empezáis entonces a salir juntos y descubrís que os encontréis muy bien juntos, y que, según va pasando el tiempo, la relación progresa y se hace más romántica. Pero, si eres honesto contigo mismo, esa persona de la que dices estar enamorándote no es, ni de lejos, tan buena amiga como los otros amigos que ya tienes, y puede que no sea así durante bastante tiempo todavía.[11]

En ese sentido, tienes que hacer frente a un problema, tu futura pareja tiene que ser tu mejor amiga, y estar ya en camino de serlo, porque, si no es así, vuestro matrimonio no va a ser firme y duradero, en una relación que hará de vosotros mejores personas.

No quiero decir con esto que debamos casarnos con alguien por quien no sintamos atracción. La Biblia nos indica que nuestra pareja en el matrimonio tiene que ser más que nuestra mejor amiga, pero no menos de eso. La mayoría de nosotros sabemos que hay algo de cierto en el estereotipo de que los hombres sobrevaloran la belleza en una potencial pareja, y que las mujeres dan excesiva importancia a la cuestión económica en su posible compañero. Pero si te casas por esas razones, y no por la compañía, no sólo correrás el riesgo de un fracaso sentimental –la riqueza puede desvanecerse y la atracción sexual seguro que lo hará—, sino que asimismo estarás exponiéndote a acabar en absoluta soledad. Porque lo que Adán necesitó en el jardín del Edén no era una pareja sexual, sino una compañera, hueso de sus huesos y carne de su carne.

Si las personas todavía sin compromiso admitieran ese principio, cambiaría de forma drástica la manera en que se busca a la persona idónea. Es característico de las personas solteras, al entrar en un lugar, mirar a su alrededor, y empezar a seleccionar no para compañerismo, sino según potencial atractivo sexual. Digamos, por ejemplo, que tres de diez son atractivas. El siguiente paso es acercarse a ellas y ver qué es lo que sucede. Si una al menos está dispuesta a concertar una cita, y se consolida una relación romántica, puede que la atracción física incluya el componente de la amistad y el compañerismo. El factor a tener en cuenta, sin embargo, es que puede que hubiera un cierto número de potencial amistad idónea en las personas desestimadas por encontrarlas poco atractivas físicamente.

Al buscar pareja, solemos pensar primero, y casi de forma exclusiva, en su idoneidad en el plano amoroso, y si, además, la relación de amistad y compañerismo es un factor extra, ¡qué afortunados nos sentimos! Pero, en realidad, deberíamos estar enfocando la situación justamente desde la perspectiva opuesta, buscando primeramente la amistad de alguien que te entienda incluso mejor de lo que solemos entendernos a nosotros mismos, y que te haga sentir que puedes ser mejor persona de lo que ahora mismo eres. Y dar entonces el paso siguiente que es explorar si esa buena amistad puede convertirse en romance y matrimonio.

Son muchas las personas que enfocan la cuestión del matrimonio desde una visión errónea, realizando un enlace vacío de sentido y carente de futuro.

## La prioridad del matrimonio

Hay un importante factor a tener en consideración en el matrimonio entendido como amistad. Si lo primero que vemos en nuestra pareja es sexo o seguridad económica, resultará que tendremos que buscar fuera algo que dé mayor sentido a nuestra existencia, algo que, en definitiva, satisfaga nuestra alma. De ser así, hijos, padres, carrera profesional, activismo político y social, aficiones y círculo de amigos —en exclusiva o en su conjunto— absorberán tu atención, siendo la auténtica fuente de gozo y sentido, y concentrando por ello todas tus energías y emociones en su realización. Pero eso puede convertirse en una trampa mortal. Tu matrimonio acabará por morir, más pronto o más tarde, si tu pareja deja de ser lo prioritario en tu vida. Por el contrario, si tu pareja no sólo es tu cónyuge, sino que al mismo tiempo tu mejor amiga, la vida de casado se convertirá en la relación más importante, más satisfactoria y más estable.

En Efesios 5, Pablo alude a Génesis 2:24 —esto es, que al casarnos "abandonamos a los padres para unirnos a nuestra pareja". En Occidente, no nos sorprendernos a leer ese pasaje, pero deberíamos hacerlo. Pensemos por un momento en el contexto en el que se produjo esa recomendación. Las culturas de la antigüedad enfatizaban enormemente la relación paterno-filial. El agradar a los padres, el obrar en conformidad con sus deseos, era algo de suma importancia. Incluso hoy día, en el seno de culturas más tradicionales, tanto padres como abuelos son respetados por su autoridad, esperándose de hijos y nietos una obediencia prácticamente absoluta. Hay un argumento de peso para que sea así. Al llegar a la edad adulta, deberíamos estar dispuestos a admitir que la relación personal que mayor influencia habrá ejercido hasta ese momento será precisamente la de los padres y el entorno familiar, y ello tanto para bien como para mal. Imposible, pues, olvidar que así es como hemos estado viviendo, y serán muy pocos los padres que no hayan hecho grandes sacrificios para beneficio de sus hijos.

Pero, a pesar de todos esos condicionantes culturales, y su sistema patriarcal, Dios es explícito en el cambio: "Yo no puse en el Jardín del Edén a un padre con su hijo, puse a un marido con su mujer. Al casarte con tu pareja, esa nueva relación tiene que anteponerse a cualquier otra, incluso por delante del vínculo paterno-filial. Tu cónyuge y tu vida de matrimonio tiene que ser la prioridad número uno en tu vida".

Tu matrimonio ha de ser para ti más importante que todo aquello otro que cuente en tu vida. Ningún ser humano tendrá mayor derecho a tu amor, tus cuidados, tu dedicación y tu fidelidad que tu pareja. Dios nos insta a dejar padre y madre, pese a lo importantes que han sido, y serán, en nuestras vidas, para poder formar así una nueva unión que habrá de ser la más primordial y fuerte de nuestra vida.

## Los pseudoesposos

Durante mi ministerio como pastor en un pueblo del Sur de los Estados Unidos, tuve ocasión de realizar mucha consejería matrimonial. Algunas parejas habían sufrido por problemas relacionados con el alcohol, las drogas, la pornografía o la infidelidad conyugal. Pero, en la mayoría de los casos, el problema tenía su raíz no en las cosas negativas, sino en todo aquello de positivo a lo que se había concedido demasiada importancia. Cuando lo positivo se apodera de nosotros de tal forma que cobra mayor importancia que nuestra pareja, el matrimonio puede zozobrar muy fácilmente.

Las variantes como eso puede suceder son infinitas. En algunas ocasiones, he oído lamentarse a las esposas afectadas: "La opinión de sus padres sigue siendo más importante que la mía. Complacerles a ellos era para él más importante que complacerme a mí". O podía ser el marido el que dijera: "Está entregada en cuerpo y alma a los niños. Sólo cuenta lo que ellos precisan: colegio, clases extraescolares, deportes, compañeros de juegos. Si yo le digo que necesito algo, su respuesta es siempre, 'Vale', pero lo cierto es que para ella lo que verdaderamente cuenta es lo que hacen y necesitan nuestros hijos. Disfruta mucho más como madre que como esposa", Y también era frecuente oír el uno del otro: "Su (de él, de ella) carrera es lo realmente importante. Es su auténtica meta y por ello mismo le dedica todo posible esfuerzo, todas las horas disponibles y toda su energía e interés". Si, en tu caso, tu pareja siente que no está por encima de todo lo demás, será un hecho cierto que efectivamente es así. Y, cuando eso ocurre, el matrimonio está a punto de zozobrar.

Muchos problemas de pareja se deben a que alguno de los dos no ha cortado todavía el "cordón umbilical" para unirse de forma real y efectiva a su pareja. Algo que queda demostrado si siguen imperando los deseos y opiniones de los padres por encima de los de la pareja. Pero también puede suceder que no se acaba de cortar debidamente la relación con los padres porque se les tiene inquina y rencor por alguna razón personal. Así, por ejemplo, puede decirse: "Yo no voy a llevar a mis hijos a la iglesia porque eso es lo que hicieron mis padres conmigo y yo lo odiaba". Pero eso significará que sigues bajo el control paterno que tanto rechazas. La decisión que has tomado no es en realidad para beneficio de tus hijos, sino como revancha por un agravio contra tu persona. También puede decirse: "No me gusta (X) porque me recuerda totalmente a mi padre." ¿Qué puede tener eso de malo? El que, según tu opinión, se parezca a tu padre no es criterio válido para descalificarle. El juicio que hagas de él deberá ser en cuanto a la persona en todas sus facetas y en base a cómo sea la relación que puedas tener con él como pareja. No hay razón objetiva alguna para permitir que una mala relación familiar personal domine en tu relación de pareja.

Las quejas en el matrimonio pueden darse por cualquier causa, y muy generalmente es por razones prácticas en la línea de cómo criar y educar a los hijos, o dónde ir de vacaciones en verano. En esos casos, es importante pararse a analizar si no estaremos nosotros ahora repitiendo pautas y esquemas que tanto repudiamos en nuestro caso. Sin duda, puede darse el caso de que las decisiones tomadas por nuestros padres fueran acertadas dadas las circunstancias, y que estuvieran llenas de sabiduría, pero eso no es razón para perpetuar nosotros ahora ese modelo y ese proceder, salvo, claro está, si lo consideramos apropiado y útil, y si nuestra pareja lo ve de la misma forma y está de acuerdo. Nunca deberíamos hacer algo porque nuestros padres así lo hacían. Cuando nos casamos, nos comprometemos a ser equipo en la toma de decisiones y a hacer las cosas según nos parezca oportuno de común acuerdo. Si imponemos con rigidez los patrones vividos en nuestras respectivas familias, en vez de esforzarnos por encontrar nuestro propio camino, resultará que todavía no nos hemos desprendido de los viejos hábitos.

El sometimiento a la voluntad paterna tras casarnos es un problema que puede hundir a la nueva pareja. Se me puede decir, si duda, que una atención excesiva a los hijos puede ser un problema todavía mayor. Muchas son las causas de que esa sea precisamente una de las mayores tentaciones en la sociedad actual. Para empezar, los hijos nos necesitan desesperadamente. Son parte de nosotros y dan forma y fondo a la unidad familiar. No, claro está, la familia en la que nosotros crecimos, pero motivo suficiente para plantearse muy seriamente esa responsabilidad. Por otra parte, además, si el matrimonio se enfría, será muy natural recurrir una vez más al amor paterno de nuestra vida previa al matrimonio, dándole prioridad por encima de la relación conyugal.

Pero si amamos más a nuestros hijos que a nuestra esposa, la familia entera se resentirá, sufriendo todos sus miembros integrantes. Y resalto adrede lo de *la familia entera*. Conozco a una mujer dedicada en cuerpo y alma a su hija, hasta el punto de tener por completo desatendido al marido y estar arriesgando su matrimonio. El marido estaba molesto por el tiempo y el esfuerzo de su mujer en sacar adelante la carrera musical de la hija. Estaba claro para todos los que les conocían que la mujer intentaba hacer realidad su propio sueño a través de la hija, saliendo perjudicado su matrimonio. Lo irónico del caso es que esa excesiva atención estaba perjudicando también a la hija, angustiada como estaba al ver cómo se desmoronaba el matrimonio de sus padres. El matrimonio sólido y bien afianzado ayuda a los hijos a crecer y a madurar pensando que el mundo es un lugar seguro y que el amor es una realidad posible. Por otra parte, además, esa muchacha no estaba teniendo un modelo adecuado en base a simple observación del buen funcionamiento de un matrimonio y cómo pueden relacionarse en la debida forma un hombre y una mujer. Al poner a su hija por delante del marido, esa madre la estaba perjudicando muy gravemente.

El momento clave se produjo cuando el consejero le dijo muy directamente: "La mejor manera de ser una gran madre es ser primero una buena esposa para su marido. Eso es lo que más necesita su hija de parte suya". Al empezar a darse cuenta de lo cierto del caso, comenzó también a darle a su matrimonio la atención preferente que necesitaba.

Los estudios realizados sobre abuso y maltrato infantil han demostrado que muchos de los que abusan de los niños no lo hacen porque les odien, sino por ser ellos su principal fuente de afecto. Y si sucede que los niños no responden en la forma que ellos esperaban, se desata su ira. Pero lo niños no son más que niños. Y los adultos no deberíamos esperar nunca de ellos el amor que debe provenir de nuestra pareja.

## El poder del matrimonio

El matrimonio se parece en su vivencia de tal manera a la salvación y a nuestra relación con Cristo, que el apóstol Pablo no puede manos que decir que no podremos entender el matrimonio sin conocer bien el evangelio. Así que, ¡eso es lo que vamos a hacer!

La salvación supone un nuevo comienzo. *Las cosas viejas pasaron, he aquí todas son hechas nuevas.* Y cuando por obediencia al evangelio actuamos en nuestro matrimonio de la misma manera que Cristo se relaciona con su iglesia como su Esposa, la consecuencia es darle a Cristo la supremacía en nuestra vida *(Colosenses 1:15ss.).* Dicho de otra forma, Jesús no espera de nosotros nada que no pueda esperarse de la esposa. "Ponme a mí en primer lugar", nos dice, "no tengas a otros dioses ante ti." Y lo mismo ocurre con el matrimonio. La relación de pareja no va a funcionar a menos que pongamos en primer lugar a la persona con la que nos casamos, sin dejar que ocupen ese lugar ni los hijos, ni nuestros padres, ni nuestra vida profesional, ni nuestras aficiones.

En Efesios 5:28, Pablo nos ofrece otro símil. Dice explícitamente que el marido tiene que amar a su esposa de la misma forma que ama a su cuerpo. Lo que el apóstol está diciendo ahí es que la salud es algo primordial en cualquier empresa que acometamos. ¿Qué va a pasar si decidimos que ganar mucho dinero es lo que va a hacernos realmente felices, poniendo por ello nuestro trabajo por delante de la salud? Trabajaremos un gran número de horas, sin dormir ni hacer el suficiente ejercicio, comiendo de mala manera y sometiéndonos a nosotros mismos a una gran presión. Evidentemente, es posible que se esté cumpliendo el objetivo de hacer dinero, pero el colapso cardíaco al que nos exponemos haría imposible disfrutar debidamente de todo lo conseguido. Dicho con otras palabras, si creemos que vamos a poder conseguir ser felices sin tener primero en cuenta la salud, acabaremos siendo infelices. La buena salud es más fundamental que una gran fortuna, como bien confesarían muchas personas acaudaladas con la salud quebrantada.

El apóstol Pablo asemeja el matrimonio a una buena salud. Pero, como ya hemos hecho notar, el matrimonio tiene que ser la relación personal más importante en nuestra vida. Cuando contraemos matrimonio, estaremos cumpliendo con una institución ordenada por Dios. Y si optamos por hacerlo a nuestra manera, estaremos corriendo un grave riesgo, precisamente por ser una iniciativa divina. Dios ha querido que el matrimonio sea la principal relación personal en nuestra vida. Si piensas que el matrimonio va a ser un punto más de apoyo en el curso de tu vida profesional, que por tanto va a ocupar un segundo o tercer lugar en tu vida y que tu pareja va a tener que acostumbrarse a que sea así, ten mucho cuidado por lo que pueda suceder. El matrimonio no está pensado para funcionar de esta manera. Una vez casados, la vida como pareja tiene que ser lo primero.

La razón de esa prioridad está en el poder consustancial al matrimonio. De hecho, el matrimonio tiene la fuerza necesaria para trazar el curso de nuestra vida. Si nuestro matrimonio es fuerte, aunque las circunstancias que nos rodeen sean adversas, saldremos airosos en las dificultades. El movernos por la vida irá acompañado de esa fuerza. Pero si nuestro matrimonio adolece de debilidad, el éxito que tengamos en cualquier otro apartado no nos hará felices. La vida en general estará afectada de esa debilidad. El matrimonio tiene un poder que le es propio —el que le capacita para ser de guía en la vida. Un poder que procede de Dios mismo. Y por tratarse de un poder y de una fuerza sin posible parangón, ha de concedérsele una importancia singular.

El principal mensaje de este capítulo es que la clave para darle al matrimonio esa prioridad es la amistad de índole espiritual que ha de ser prioritaria en el matrimonio. Son lamentablemente mayoría los matrimonios cristianos que se plantean el crecimiento en la fe y en el conocimiento de Dios en un segundo plano. Muchos cristianos se congratulan por haberse casado con un creyente, pero considerando esa fe poco más que un factor de compatibilidad, casi en idéntica categoría que los gustos y los intereses particulares. Pero eso no es auténtica amistad espiritual, que se caracteriza por una pronta disposición para conocer, amar, servir y recordar a Dios en una manera cada vez más profunda.

Uno de los miembros de mi congregación me oyó una vez estando yo predicando sobre Efesios 5, donde Pablo dice que el propósito del matrimonio es la "santificación", ante lo cual me comentó: "¡Yo creía que el propósito del matrimonio era ser feliz! Pero su predicación ha hecho que me parezca un duro trabajo". Y así es, porque el matrimonio conlleva un gran esfuerzo. En lo que sin embargo se equivocaba era en hacer el esfuerzo incompatible con la felicidad. Veamos por qué. En su epístola, Pablo está diciendo que uno de los principales propósitos del matrimonio es hacernos *"santos… sin mancha ni arruga ni cosa semejante…" (versículos 26-27).* ¿Qué quería decir con eso? Pues, sencillamente, que el carácter de Jesús se reproduce en nosotros como *"fruto del Espíritu", esto es, amor, gozo, benignidad, paciencia, gentileza, bondad, mansedumbre, integridad, humildad y control de uno mismo —como leemos en (Gálatas 5:22-25).* Al ser formados en nosotros el amor, la sabiduría y la grandeza de Cristo, cada uno tendremos individualmente nuestros dones y nuestro llamamiento, alcanzando por ello nuestro auténtico "yo", esto es, aquello para lo que en verdad fuimos creados. Cada página de la Biblia nos recuerda, de una u otra forma, que esa meta no vamos a alcanzarla por nuestras propias fuerzas. Hemos de hacer frente, por tanto, a nuestro propósito vital junto con nuestros hermanos en la fe, en genuina amistad del corazón. Y la mejor amistad humana posible en esa aventura vital va a ser la que tengamos con nuestra pareja en el vínculo del matrimonio.

¿Va a suponer eso mucho trabajo? Por supuesto que sí —pero es una tarea para la estamos dotados desde el inicio. ¿Significa eso que "el matrimonio nada tiene que ver con ser felices"? ¿Qué se trata nada más que de santificación? La respuesta es un sí y un no. Como hemos ido viendo, plantearlo en esos términos no hace justicia a su realidad. Si entendemos lo que verdaderamente es la santidad, vendremos a darnos cuenta que la auténtica felicidad tiene que ver con la santidad, y eso es algo que cuesta alcanzar. Pero no deja de ser igualmente cierto que la santidad pone en nosotros un nuevo deseo, relegando para ello a un segundo plano los deseos del hombre natural y poniéndolos en la debida perspectiva. Así que, si queremos ser felices en nuestro matrimonio, tendremos en cuenta que ha sido instituido para nuestra santificación.

En este sentido, C. S. Lewis escribió:

> *En Él tenemos genuina felicidad, no la que es mera imitación. Ser como Dios, asemejándonos a Él, y participar de su intrínseca bondad, en respuesta humana, o ser desdichados. Esas son las únicas alternativas. Si no aprendemos a nutrirnos del único alimento que el universo nos dispensa, pereceremos de inanición eternamente.*[12]

Llegados a este punto, podemos ya ser más específicos. ¿Cómo van a poder ayudarse mutuamente los cónyuges en su andadura con Dios? La respuesta vamos a verla en el capítulo que sigue.

# Amar a la persona desconocida

*Se entregó a sí mismo por ella, para santificarla, habiéndola purificado en el lavamiento del agua por la palabra.*
*(Efesios 5:25-26)*

Recordemos aquí la cuestión señalada en su momento por Stanley Hauerwas:

> *No es posible saber nunca con quién nos estamos casando, aunque pensemos que sí. E incluso, si de entrada nos hemos casado con la persona adecuada, esperad a que pase un tiempo y veréis un cambio. El matrimonio [por su propia naturaleza] acaba por convertirnos en personas distintas a lo que éramos en principio. El problema básico entonces es.... aprender a amar y a cuidar de esa persona desconocida con la que descubres de pronto que estás casado.*[1]

El realismo de Hauerwas tendrá el sello de lo auténtico para las personas que lleven un tiempo casadas. De lo que no cabe duda, desde luego, es de que el matrimonio nos transforma, al igual que lo hace tener hijos, los cambios en el trabajo y el paso del tiempo. El matrimonio, además, hace que se manifiesten rasgos de carácter y personalidad que ni nosotros mismos sabíamos que existieran. Pero ahora se han hecho patentes tanto para ti como también para tu cónyuge.

La mayoría de las parejas llegan al matrimonio por enamoramiento, estado eufórico por excelencia. Es muy posible que en esa primera etapa ambos estén obsesionados. El consejero matrimonial, y autor de varios libros, Gary Chapman señala que en la fase de enamoramiento, que según él dura hasta un máximo de dos años, está presente y activa la ilusión de que la pareja escogida es absolutamente perfecta en todo. En su descripción de la situación de una mujer que había acudido a su consulta, dice lo siguiente: "Su mejor amiga veía perfectamente los defectos [del novio de su amiga] y le molestaba en extremo el modo como le hablaba a su amiga en muchas ocasiones, pero ella no le hacía ningún caso. La madre de la chica, dándose cuenta de que ese muchacho parecía incapaz de mantenerse en un puesto de trabajo por mucho tiempo, se guarda para sí su opinión, pero haciendo preguntas discretas respecto a los 'planes de Ryan para el futuro'".

Chapman dice acerca de ese estado de ofuscación:

> *En casos así, no es que seamos totalmente ingenuos. Sabemos mentalmente que llegará un momento en el que las diferencias harán su aparición, pero, aun así, hay algo que sí puede hacerse… llegar a un acuerdo [inmediato], a manera de nuevo compromiso… En un principio, nos dejamos encandilar por lo atractivo de la otra persona. Ese amor que sentimos es lo más maravilloso que hayamos experimentado jamás. Vemos, sin duda, que hay parejas casadas que han perdido esa primera ilusión. Pero nos decimos a nosotros mismos que eso es algo que nunca va a pasarnos a nosotros. "Puede que se casaran sin estar realmente enamorados", nos decimos.*[2]

La fase del primer enamoramiento desaparece cuando se hacen evidentes los defectos de nuestra pareja. Las cosas que hasta ese momento carecían de importancia, nos parecen ahora faltas graves. Empezamos a pensar que en realidad no conocemos a esa persona en absoluto, lo cual nos plantea el reto de seguir amando a una persona a la que, de repente, no conocemos y que, desde luego, en nada recuerda a la persona con quien creíamos habernos casado.

Cuando esto ocurre, las personas reaccionan de varias maneras. Si el propósito inicial al contraer matrimonio había sido tener "compañía idónea" —una persona que no iba a cambiar más allá de lo reconocible y que iba a ser un apoyo en la consecución de nuestras metas en la vida—, entonces la realidad particular del matrimonio en la vivencia real será motivo de conflicto. Llegará un día en que la verdad se haga dolorosamente evidente y despertemos y seamos conscientes de que vamos a tener que invertir mucho tiempo y esfuerzo para que nuestro matrimonio funcione. E igual de preocupante será descubrir que nuestra pareja también nos ve como alguien desconocido, con la correspondiente lista de defectos. La primera reacción es decirse a uno mismo que la elección de pareja no fue acertada, por haberse hecho ahora patente una incompatibilidad de fondo.

Ahora bien, ¿no sería todo ello completamente distinto si el propósito inicial al casarnos fuera el de una amistad espiritual para mutuo crecimiento? ¿Qué tipo de convivencia tendríamos si lo que esperáramos del matrimonio fuera una ayuda mutua para superación de los pecados y los fallos, en gloriosa transformación a semejanza de Cristo? Sin duda alguna, estaríamos dispuestos a trabajar sin desmayo en la consecución de esa meta.

Ahora bien, ¿cuáles van a ser las herramientas que nos ayuden a llevar a cabo esa tarea? ¿Cómo amarnos en mutua entrega para que la vida en común sirva de refuerzo y no de impedimento? La respuesta fundamental e inapelable es que estamos llamados a hablar siempre la verdad en amor ayudados por la gracia de Dios.

> *Siguiendo la verdad en amor, crezcamos en todo en aquel que es la cabeza, esto es, Cristo.*
>
> *(Efesios 4:15)*

Instancia que puede parecer innecesaria de pura lógica, hasta que la analizamos en todos sus pormenores. Como institución divina, el matrimonio cuenta con una fuerza que le es propia y que nosotros hemos de aceptar y aplicar, a saber, el poder de la verdad, el poder del amor y el poder de la gracia. Según vayamos aplicando cada uno de esos poderes para beneficio y crecimiento de nuestra pareja, estaremos ayudándola a convertirse en alguien que no sólo refleja el carácter de Cristo, sino que además puede amarnos y ayudarnos a nosotros de la misma forma. Esos tres poderes particulares se activarán para beneficio nuestro en aquellos momentos en los que nos resulte muy difícil amar a la persona con la que nos hemos casado y que, de repente, nos parecerá desconocida.

## El poder de la verdad—Hacer frente a lo peor

Hay un pasaje en un escrito de Kierkegaard en el que compara a los seres humanos con los asistentes a un baile de disfraces. "¿Acaso no sabemos que cuando llega la medianoche tendremos que quitarnos la máscara?”[3] En su época, la costumbre era tenerla puesta durante la primera parte de las fiestas. Ese era el tiempo que se aprovechaba para bailar y para comer, y para charlar con los demás invitados, pero sin saber con quién se estaba tratando en realidad. Pero, al sonar las doce, todas las máscaras tenían que ser quitadas quedando al descubierto la verdadera identidad. En cierta manera, el cuento de Cenicienta es muy cierto, porque llega siempre el momento en el que habrá de dejarse a un lado el brillante oropel para que se haga patente la realidad sin ambages. En cierta manera, ese momento recuerda lo que ocurrirá el Día el Juicio Final. Pero puede decirse que también hay algo de ello ya en el matrimonio. En la vida en común, no son muchas las cosas que pueden ocultarse. Y llegará siempre un momento en que la realidad se imponga con toda su fuerza. ¿Cómo tiene lugar eso?

El matrimonio pone en íntimo contacto a dos personas más que ninguna otra posible relación humana. La relación entre padres e hijos es, sin duda, también muy próxima —la convivencia pone de relieve el carácter de las personas—, pero sin embargo hay una diferencia notable. El hijo, respecto a sus padres, está en un plano de dependencia e inferioridad, y por ello es muy fácil desestimar la opinión de hijo por parte de los padres, y viceversa. Además, se espera siempre de los hijos que vayan creciendo y se independicen.

La relación en el matrimonio es muy distinta. Y se confía, además, en que dure para siempre. Es, además, muy diferente a la que se da en la cohabitación. Dos personas pueden, evidentemente, vivir juntas sin estar casadas y conocerse por ello muy íntimamente. Pero ambas partes saben que no tienen los mismos derechos que si estuvieran casados. Sus vidas no llegan a fundirse por completo, ni en lo social, ni en lo económico, ni en lo legal. De ahí que puedan marcharse cada uno por su lado, sin grandes complicaciones, si, a la vista de determinadas circunstancias, no están dispuestos a cambiar.

El matrimonio es, en cambio, algo muy distinto, que demanda otra perspectiva. La vida de unión en pareja nos aboca al más íntimo contacto posible en una relación humana. Lo que supone que no sólo se tiene una relación de absoluta inmediatez, sino que tendremos que hacer frente a los defectos y pecados respectivos.

¿Qué defectos va a ver tu pareja en ti? Puede que seas una persona timorata y tendente a la ansiedad. O puede que tu problema sea la arrogancia, pretendiendo imponer en todo momento egoístamente tu opinión. Puedes ser una persona inflexible, exigente con los demás y con cambios de humor si no se hacen las cosas como tú dices. Puedes ser una persona dura y exigente, respetada pero no querida. Puede que tu defecto sea la falta de disciplina y de organización, alguien en quien es difícil confiar. Puede que seas una persona tan centrada en ti misma que ni siquiera te des cuenta de lo que les pasa a los que están a tu alrededor, insensible a sus problemas y circunstancias. Puede que seas perfeccionista, juzgando siempre el comportamiento ajeno con ojo crítico, duro contigo mismo. Puede que tu problema sea la impaciencia, un genio vivo que se irrita por todo y que nada olvida. Se puede también ser de carácter en extremo independiente, en absoluto dispuesto a cargar con responsabilidades ajenas, desconfiando de las decisiones conjuntas y denostando la ayuda ajena. Puede que tu caso sea el pretender caer bien a todo el mundo, disfrazando en cierto modo la realidad de las cosas, incapaz además de guardar un secreto y esforzándote al máximo por agradar a todo el mundo. Puedes ser persona ahorrativa, incurriendo en ocasiones en la tacañería, negándote incluso lo necesario y desde luego nada dispuesto a ser generoso con los demás.

Los que te rodean verán tus defectos, siendo los padres los primeros en notarlos. Y lo mismo ocurrirá con hermanos, amigos, compañeros de estudio y ámbito profesional. Pero si se atrevieran a hacértelos notar, te apresurarías a quitarle importancia, o incluso a negarlo, descalificándolo como crítica infundada y parcial, quizás con una vaga promesa de mejorar en el futuro. Sucede, sin embargo, que rara vez las confrontaciones se mantienen de forma constante y consecuente, eludiéndose por ello las críticas en base a descalificarlas y sin admitir en ningún momento la gravedad del problema. Pero lo cierto es que los defectos no afectan de la misma manera a los amigos que a la pareja.

Los fallos que puede que hayan supuesto un inconveniente menor para aquellos que nos conocen y nos tratan, serán, en cambio, defectos graves para la pareja en el matrimonio. Así, el rencor puede ser un mero problema en la relación con los amigos, siendo en cambio letal en la vida marital. Nadie va a sufrir tanto los defectos de carácter como nuestra pareja. Y nadie como nuestra pareja para conocer lo que verdaderamente supone un problema para la convivencia.

Al oficiar en ceremonias de boda, me gusta explicar esta cuestión recurriendo a la analogía del puente. Imaginemos un puente sobre un arroyo, que tiene fallos en su estructura que no son fáciles de notar a simple vista. Puede que sean fisuras internas, detectables tan sólo bajo minuciosa inspección. De repente, aparece en la carretera un enorme camión que avanza decidido a cruzar ese puente. ¿Qué va a ocurrir? La presión del peso hará que las fisuras internas se hagan más grandes, haciéndose evidente lo que antes estaba oculto. Los fallos en esa estructura son ahora innegables. Pero el camión no fue autor de los fallos, sino que simplemente hizo que se notaran.

Al casarnos, nuestra pareja viene a ser como un enorme vehículo que impacta en nuestro corazón. La vida de casado saca a relucir lo peor de nosotros. No es responsable de nuestros fallos (aunque puede que echemos la culpa a nuestra pareja de todo aquello que nos salga mal), pero los pone de relieve. Aun así, no podemos decir que eso sea algo malo. ¿Cómo vamos a poder cambiar para mejorar si de entrada pensamos que ya somos perfectos?

En 2002, me diagnosticaron un cáncer de tiroides, tras notar mi médico un pequeño bulto en mi cuello en una revisión rutinaria. Y a pesar de que la operación y el tratamiento posterior fue en extremo doloroso y angustiante, en ningún momento se me ocurrió pensar, "Ojala no lo hubieran detectado. Con lo pequeño que era, podía haber pasado toda mi vida sin enterarme y ¡me habría ahorrado todo este sufrimiento!". Y no lo hice por la sencilla razón de que las consecuencias de "no haber pasado por todo eso" habrían sido, al final, un problema mayor que descubrirlo cuando todavía no era tan grave y se podía tratar de inmediato.

La primera etapa que hay que afrontar en el matrimonio es la de convertirlo en una relación que potencie el mutuo crecimiento. El matrimonio tiene, por su propia naturaleza, el "poder de revelar la verdad", al manifestarse en la convivencia la persona que realmente somos. Hay quien no soporta que su pareja emita juicios sobre su persona, rechazándolos como críticas de gran calado. Es muy fácil pensar entonces, que nos hemos equivocado en nuestro matrimonio, pero lo que hay que tener en cuenta es que en realidad no es nuestra pareja la que hace evidente lo que de pecaminoso haya en nuestro corazón, sino que es el propio matrimonio el que lo pone de relieve. La vida de casados conlleva tanto una confrontación mutua como una personal con uno mismo. El matrimonio hace que nos veamos como realmente somos, obligándonos, querámoslo o no, a afrontar la realidad de nuestra persona.

Esto es algo que puede sonar descorazonador, pero lo cierto es que es el único camino que conduce a la liberación. Los consejeros matrimoniales señalan, en este sentido, que los fallos ocultos son los que mayor daño nos causan. Si negamos algún rasgo de carácter, es muy probable que acabe dominándonos. Pero el matrimonio pone al descubierto lo que estaba oculto, iluminándolo con nueva luz. Así es como podrá haber esperanza, iniciándose el necesario proceso de cambio. Cometeremos un error si oponemos resistencia a esa fuerza. Tenemos que permitir que nuestra pareja señale nuestros defectos. Pablo dice que Jesús *"nos lava" y "nos limpia"* de toda mancha y defecto. Deja que tu esposa tenga el privilegio de colaborar en ese proceso.

Rob nunca había tenido muchos amigos. Una de las razones era porque, desde pequeño, le había sido muy difícil ponerse en el lugar de los demás. Carente casi por completo de empatía, se sorprendía cuando las personas reaccionan negativamente ante sus comentarios o su comportamiento. Al empezar la Secundaria, el consejero escolar les dijo a los padres que Rob era un "sociópata de grado menor", esto es, alguien que causa daño emocional por ser incapaz de imaginar cómo se sienten los demás por su conducta. Ese rasgo de carácter le había creado problemas toda su vida, pero sin que él terminara de darse cuenta de la causa de que fuera así. Muy pocas de sus relaciones se convertían en amistad duradera, y en los primeros puestos de trabajo que desempeñó, actuó de una forma que enfurecía por igual a superiores y compañeros, siendo despedido por esa causa.

Fue entonces cuando conoció a Jessica, y ya en su segunda cita puede decirse que habían iniciado el proceso de enamoramiento. Ella pensaba que Rob era un gran conversador, y lo cierto es que sí lo era; mientras que a él le gustaba que ella fuera una persona de carácter asertivo que no dejaba fácilmente que el comportamiento de la gente le afectara. En más de una ocasión, el sentido del humor de Rob rozó el peligroso terreno de la descalificación y el insulto. Ese era un problema que arrastraba desde siempre, pero, a diferencia de muchas otras personas, Jessica se limitaba a reprenderle y a ponerle en su sitio. Esa forma de reaccionar le encantaba a Rob. ¡Por fin, alguien que no se ofendía a la más mínima!

Rob y Jessica se casaron y, según fueron pasando los meses, la falta de sensibilidad de Rob y su falta de comedimiento en los comentarios se hicieron todavía más acusados. Cuando estamos enamorados, tendemos a comportarnos de la mejor manera posible, pero, una vez en casa, conviviendo con alguien en estrecha intimidad, el instinto natural hace su aparición. Dejamos de ponernos freno, y muy pronto Jessica se dio cuenta del verdadero alcance de la manera de ser de Rob. Vio también cómo trataba a las personas en general, y que no todo el mundo tenía el aguante que ella tenía. Se le hizo además evidente que eso iba a ser un problema de por vida. El desencanto efectuó entonces su aparición, y, justo al cumplirse un año de la boda, Jessica empezó a plantearse lo estupendo que sería ser libre de nuevo.

Al darse cuenta Rob de lo desdichada que era en realidad su mujer, se le dispararon todas las alarmas, decidiendo que tenía que pedirle ayuda al pastor de su iglesia. Ese primer paso fue el inicio de un camino muy largo. Tras muchos meses de consejería pastoral, se produjo el primer cambio positivo. Cierta tarde, se les hizo evidente a los dos que Jessica había llegado a la vida de Rob con ese propósito particular. Ella era una mujer fuerte, que no se hundía fácilmente. Y por eso era exactamente la persona que podía hacerle frente a Rob y decirle: "Eso que has dicho me ha dolido. Y te voy a decir cómo afectan tus palabras a las personas. No estoy dispuesta ni a callarme ni a quedarme en segundo plano. Pero tampoco voy a atacarte. Voy a tratar de ser contigo como Jesús es con nosotros, que nos acepta en amor, pero no permite que el pecado nos destruya".

A Rob nunca nadie le había amado así. Las personas o le habían rechazado, ignorándole, o le habían hecho frente atacando a su vez. Pero ahora había alguien en su vida que le descubría con sincera honestidad el efecto devastador que tenía su forma de ser. Y el factor que mayor peso tuvo en todo ese proceso de cambio fue que se lo decía quien le amaba de verdad. Cuanto mayor era la certeza de ese amor tan noble por parte de Jessica, mayor era el deseo de Rob de no herirla. Así, de forma paulatina pero efectiva, Rob empezó a escuchar cuando se le hablaba, aprendiendo de sus errores y cambiando para bien.

Jessica constató asimismo que ella también tenía cosas que cambiar. "Yo había tenido siempre un carácter muy independiente y me resultaba muy difícil tener que depender de nadie. Si alguien me fallaba, yo me desentendía de esa relación. No tenía paciencia para los fallos ajenos." Al ver la magnitud del problema de Rob, su primer impulso había sido poner tierra por medio, como era su costumbre. Pero los votos pronunciados el día de su boda no le permitían hacerlo. Por primera vez en su vida, no podía dar de lado a una persona con problemas.

Pasados tres años, los padres de Rob apenas si podían reconocer a su hijo. Rob se preocupaba ahora por los demás y de una forma que a él mismo le habría parecido imposible años atrás. Los padres de Jessica también notaron un cambio en su hija, viéndola ahora más dispuesta a tolerar las debilidades de los demás y a ser amable y paciente con las personas. El "poder de la verdad" operativo en el matrimonio había sido efectivo una vez más.

## "Alguien mejor" es nuestra pareja

Conscientes, pues, de que el "poder de la verdad" inherente al matrimonio es un don añadido, se hace asimismo evidente que es un don que exige mucho de la persona. Al darnos cuenta de los defectos de nuestra pareja, o si somos nosotros los que hemos sido siempre objeto de crítica, los propios sentimientos y la autoestima sufren un grave revés. En un sentido, somos como el mineral en bruto que se extrae de la mina. Al casarnos, apreciamos primeramente la parte buena del material. Pero, según va pasando el tiempo, vemos también las impurezas presentes. Todos, sin posible excepción, tenemos un componente negativo en nuestra personalidad y en nuestras actitudes que necesita irremediablemente ser "purgado" a la luz de la gloria de Dios, como ganga que para nada bueno sirve. Ahora bien, esas lacras no son permanentes, aunque puede que sigan siendo mentalmente para nosotros una pesada carga y un problema importante.

Ahora bien, si dos personas aprenden juntas a distinguir entre la parte buena y la parte mala del material a su disposición, podrán ser mutuamente de gran ayuda. Así, en vez de decir “Es que mi pareja es así, no va a cambiar y yo no puedo soportarlo”, deberíamos recordar que esa parte que aborrecemos no es rasgo permanente inalterable. En Romanos 7:14-25, el apóstol Pablo habla de esa realidad dinámica en su propia persona: *“Lo que aborrezco, eso es lo que hago” (7:15) y “no es que lo haga yo, sino el pecado que mora en mí” (7:20).* Eso no significa que el apóstol Pablo no asuma plena responsabilidad por sus actos, pero sí sabe que todo acto pecaminoso no procede de su ser “interior,” que es donde se *“deleita” en la ley de Dios” (7:22).* El matrimonio cristiano está llamado a hacer la misma distinción.

Nos sería entonces de gran ayuda poder decir: “No me gusta nada cuando te portas así, pero no eres tú en realidad. No es tu verdadera forma de ser”. Y sería todavía de más ayuda el decidir conjuntamente qué material es desechable y cuál es el que realmente vale. En definitiva, debería poderse decir: “Ese es tu auténtico yo, y así soy yo en realidad, Dios quiere que seamos de determinada manera, y para conseguirlo hay cosas que tenemos que cambiar. Y los dos tenemos que trabajar juntos para conseguirlo”.

No voy a decir que no sea duro tener que admitir la realidad de un material inservible. Cuando los defectos de nuestra pareja son obvios, hay quien renuncia a su matrimonio y hay quien se refugia en sí mismo, limitando drásticamente sus expectativas de felicidad, conformándose con seguir adelante con lo mínimo. Pero hay quien, por el contrario, se embarca en un período de peleas, echándose culpa mutuamente de los problemas de su matrimonio y de la ausencia de felicidad. Todas esas distintas formas de enfocar un problema tienen una cosa en común, pues, al tener que admitir por fuerza los fallos y defectos respectivos, se termina por decir: "Hay que buscar algo mejor".

Pero la principal cualidad del modelo cristiano alternativo que aquí presentamos es que la idea de "algo mejor" se plantea en base a una futura convivencia mejorada con nuestra pareja presente. La pareja que ya tenemos es ese algo mejor. Dios ha puesto en nosotros el deseo de una convivencia perfecta en el matrimonio y esa perfección hay que conseguirla con la persona con quien nos casamos. ¿Qué razón hay para desechar a la pareja que ya tenemos y unirnos a otra persona, esperando lograr algo mejor? Algunas personas que han pasado por varios matrimonios uno tras otro, descubren que se repite inexorable el ciclo de enamoramiento, ilusión, aparición de los fallos de fondo y nuevo desencanto. La única forma posible de descubrir los valores de una persona y su auténtico fondo es perseverando en la convivencia.

En muchas ocasiones se me ha preguntado: "¿Cómo saber cuando una buena amistad puede ser la base de un buen matrimonio?". Kathy y yo respondemos siempre de la siguiente manera: "Cuándo empezáis a daros cuenta de los respectivos fallos y defectos, ¿el impulso es salir corriendo o poneros a trabajar juntos para solucionarlo? Si la opción elegida es la segunda, hay muchas probabilidades de que la relación acabe en un buen matrimonio. ¿Eres de esas personas que se obsesionan con los defectos ajenos, o por el contrario puedes ver que son una oportunidad para un cambio?". Si tu actitud es la de buscar remediar a las cosas, no dudes en ponerte manos a la obra. El poder de la verdad en el matrimonio debería ser nuestra mejor baza.[4]

## Una rabieta santa

Antes de poder pasar del poder de la verdad al poder del amor, permítame mi paciente lector que le anime a no eludir la necesidad de proceder siempre con la verdad por delante en su relación de pareja. Kathy habla de sus "rabietas santas", refiriéndose con ello no a una pérdida de control emocional, sino a un deseo irrefrenable de ser oídos.

Cuando, como familia, nos trasladamos a la ciudad de Nueva York para poner en marcha la iglesia presbiteriana El Redentor, sabíamos que la tarea iba a ocupar la práctica totalidad de nuestro tiempo, sobre todo dada mi tendencia a excederme trabajando. Por lo que había aprendido de otros responsables de iglesias de primera planta, mi vida iba a carecer de equilibrio por un espacio mínimo de tres años. Lo que suponía más horas de dedicación de las que mi salud iba razonablemente a soportar sin caer enfermo o sin poner en peligro mi vida de familia. Por eso le pregunté a Kathy si estaba dispuesta a concederme ese tiempo extra, prometiéndole no propasar ese plazo. "¿De acuerdo? ¿Vale?" "Vale", me respondió.

Pero ese período de tres años se cumplió, y se sobrepasó, y Kathy me pidió que redujese mis horas de trabajo, tal como le había prometido. "Sólo un par de meses más y corto", le contesté. "Tengo una serie de compromisos con los que quisiera cumplir. Sólo un par de meses más." Y no dejé de repetirlo a todas horas. Pero los meses seguían pasando y yo no cambiaba.

Un día, llegué a casa tras terminar de trabajar. La temperatura era muy buena y me fijé en que el ventanal de la terraza estaba abierto. Según me quitaba la chaqueta, oí el ruido de algo que se rompía procedente de fuera. No habían transcurrido un par de segundos, cuando el ruido se repitió. Saliendo a la terraza me quedé totalmente sorprendido al ver a Kathy sentada en el suelo. Tenía un martillo en la mano y junto a ella había una pila de cacharros de nuestra vajilla de boda. Alrededor suyo pude ver los trozos rotos de dos platos pequeños.

"¿Qué estás haciendo?", le pregunté.

Alzando la mirada hacia mí, me dijo: "Has dejado de hacer caso de lo que te digo. Y no te das cuenta de que, si sigues trabajando a ese ritmo, vas a acabar con esta familia. Yo no sé ya cómo seguir adelante sin tu ayuda. Y tú no parece siquiera que te des cuenta de lo que está pasando. Y todo por tu culpa". Y, acto seguido, hizo añicos un tercer plato.

Yo me senté temblando. Pensé que había perdido el control. "Te escucho, te escucho", me apresuré a decir. Y según fuimos hablando, entendí que no estaba actuando de forma descontrolada, sino que, muy al contrario, lo tenía todo bien pensado y estaba en plena posesión de sus facultades. Habló todo el rato calmada, pero con inmensa fuerza. Sus argumentos seguían siendo los mismos de meses atrás y fue entonces cuando me di cuenta de que había estado engañándome a mí mismo y de que nunca iba a encontrar el momento oportuno para dejar un ritmo de trabajo que era adictivo para mí, y que no me iba a ser fácil renunciar a lo que había conseguido. Pero era obvio que algo tenía que hacer. Kathy se dio cuenta de que por fin estaba escuchando lo que me decía, y acabamos abrazándonos.

Finalmente, le dije: "Al salir a la terraza, y ver lo que estabas haciendo, pensé que habías perdido el control de ti misma. ¿Cómo has podido recuperarte tan rápido?".

Con una amplia sonrisa, me contestó: "No era ninguna crisis emocional. ¿Ves lo platos rotos?". Sí, asentí. "Pues es que no tengo tazas que hagan juego, porque se han ido rompiendo con el tiempo. Tenía por eso tres platillos descabalados. Pero me alegro mucho de que hayas aparecido antes de seguir rompiendo platos que ¡sí quiero conservar!"

Necesariamente, tenemos que concedernos mutuamente el derecho de reclamar la debida atención. *"Exhortaos los unos a los otros cada día... para que ninguno se endurezca por el engaño del pecado" (Hebreos 3:13).*[5]

## El poder del amor—Renovar el corazón

El matrimonio tiene en sí el poder de la verdad, la fuerza necesaria para manifestar lo que realmente somos, defectos incluidos. Cuán maravilloso es entonces que tenga también el "poder del amor" —un poder sin igual que nos reafirma y que cura las heridas más profundas de la vida.

Al matrimonio llegamos con una cierta imagen de nosotros mismos y una valoración propia, dependiendo todo ello, en cierta medida, de los distintos juicios que hayan ido emitiendo sobre nosotros otras personas. Padres, hermanos, amigos, profesores y entrenadores, habrán ido dejando su huella en ti al calificarte como bueno o malo, válido o inútil, prometedor o sin futuro.

Por nuestra parte, habremos ido superando las pruebas con mayor o menor fortuna, apreciando algunas y desestimando y tratando de olvidar otras. Pero el proceso en sí habrá sido duro. Los comentarios negativos tienden a perdurar más tiempo en la memoria que las frases positivas. Por ello es posible que arrastremos antiguas heridas que son difíciles de curar. De ahí que la imagen que tenemos de nosotros estará formada por distintas capas, contradiciéndose a veces entre sí. Lo que pensemos de nosotros mismos apenas estará hilvanado por un tema unificador. Si traspasáramos esa imagen a lo físico, creo que recordaría bastante a Frankenstein.

Pero quizás lo que más negativamente haya influido en nuestro ánimo haya sido nuestra propia valoración. Son muchas las personas que no dejan de infravalorarse por considerarse estúpidos, fracasados y perdedores.

Hace entonces su aparición en tu vida alguien que tiene la fuerza y el poder necesarios para dar un vuelco completo a toda posible valoración anterior por parte de otros.[6] El matrimonio pone en manos de tu pareja un enorme potencial de cambio en esa valoración personal. Una persona que puede ayudarte a redimir todo cuanto haya de negativo, real o ficticio, en tu vida previa. El amor y la afirmación de nuestra pareja tiene el poder necesario parar curar las más profundas heridas. ¿Por qué es así? Si el mundo entero está diciendo que eres feo, pero tu pareja dice que eres maravilloso para ella, acabarás sintiéndolo tú también. Parafraseando las Escrituras, puede que nuestro corazón nos condene, pero la opinión afirmativa de nuestra pareja va a estar por encima de nuestros sentimientos.

En mi propia experiencia, debo confesar que nunca me sentí muy "machote" hasta que me casé. Yo era un entusiasta de la informática y de lo intelectual, cuando lo popular era hacer justamente lo contrario. Tocaba la trompeta en la banda del pueblo y pertenecí a los Boy Scouts durante todo el tiempo que estuve en el instituto. Cosas buenas todas ellas, pero no particularmente atrayentes para la mayoría y, desde luego, lo menos parecido a lo "machote". De hecho, no faltaba nunca quien se riera de mí y me sentí del todo excluido en el instituto por no hacer las cosas que gustaban a la mayoría. Pero a Kathy yo le parecí el caballero de la armadura resplandeciente. Según sus propias palabras, la gente podía verme como una especie de Clark Kent, pero ella sabía perfectamente que por debajo de mi ropa yo llevaba las mallas azules. Kathy ha sido siempre la primera en señalar y celebrar cualquier logro mío basado en la constancia y el coraje. En el transcurso de los años, sus comentarios han ido haciendo mella positiva en mí. Para mi esposa, yo soy Superman, y el saberlo hace que me sienta más hombre y más valioso por ser precisamente ella la que así lo cree.

Pero esa misma vertiente del matrimonio que entraña poder para la verdad, tiene el poder necesario también para el amor. Y eso es así porque en el matrimonio se funden dos vidas de la forma más íntima posible, por lo que la valoración de nuestra pareja va a tener una especial credibilidad. Si alguien a quien apenas conozco se me acerca para decirme "Eres una de las personas más amables que conozco", sin duda me sentiré halagado. Pero, ¿hasta qué punto me lo creeré? No demasiado, ¿Por qué razón? Pues porque una parte de mí dirá, "Vale, estupendo. Pero esa persona no me conoce tal como soy en realidad". Pero si es mi esposa, tras años de convivencia, la que me dice "Eres la persona más amable que conozco," su valoración calará hondo en mi ánimo. ¿Por qué es así? Pues por la sencilla razón de que ella me conoce de verdad. Y si, con el paso de los años, tú admiras a tu pareja y respetas como muy válida su opinión, su alabanza será más valorada y reconfortante. Como bien le dice Faramir a Sam Gamgee en *El Señor de los anillos: Las dos torres:* "La alabanza de aquel que merece ser alabado es superior a cualquier otra". El contar con la estima de aquellos a los que estimamos es algo grandioso.

Este principio sirve para explicar por qué, en última instancia, el saber que el Señor del universo nos ama es el más sólido fundamento que podamos tener. La creciente percepción del amor de Dios a través de la persona de Cristo es la mayor dicha a la que podamos aspirar. Pero tampoco podemos olvidar a Adán en el Jardín del Edén. Así, aunque él disfrutaba una relación perfecta con Dios, la naturaleza humana racional tenía asimismo la vertiente del amor humano. El amor que te profese tu esposa y el amor que nos tiene Cristo obran conjuntamente en nuestras vidas para nuestro crecimiento.

El poder del amor para sanar y restablecernos en el ámbito del matrimonio es una muestra a pequeña escala de ese poder que obra Jesús en nosotros. En Cristo, Dios nos ve ya justificados y santificados, y de hermoso parecer (2 Corintios 5:21). El mundo señalará nuestros fallos, que nosotros bien somos conscientes de que existen, pero también sabemos que el amor de Dios cubre toda posible falta y deficiencia, y que persiste a pesar de ello. Jesús tiene el poder necesario para superar todo cuanto nos puedan decir y hacer los demás. En el matrimonio cristiano, esa realidad se hace viva y activa. Habrá, por ello, momentos y situaciones en las que nuestra pareja hará directamente patente ese amor de Jesús. El apoyo y la confirmación que recibimos de nuestra esposa, o marido, es una muestra a escala humana del amor inconmensurable de Jesús, siendo por ello estímulo para creer y para aceptar el amor que dimana de Él y que en Él recibimos.

Así, en mayor medida y profundidad que cualquier posible relación humana, el matrimonio cristiano tiene un poder particular para sanar heridas, reafirmándonos en nuestra valía y belleza intrínseca a ojos de Dios, y para reivindicación también ante el mundo.

## Ámame – No, que ya me amas

¿Cómo vamos a transmitir en nuestro matrimonio este amor restaurador, de forma que sea evidente y efectivo? Cuestión, sin duda, crucial y necesitada de una capacidad particular. Empecemos con una sencilla ilustración que siente los principios básicos a tener en cuenta.

En la familia de Kathy, su padre ayudaba como norma a su esposa en las tareas de la casa. Estaba por ello al tanto de lo que es la vida diaria en familia, cuidado y alimentación de los niños incluido. En mi familia, en cambio, a mi padre no se le pedía ayuda para las cosas de la casa y no intervenía para nada en cuestiones de alimentación y ropas para nosotros. Según mis hermanos y yo fuimos casándonos, empezamos nuestra propia unidad familiar con casi nula conciencia de esa posible diferencia en la rutina doméstica. Y así fue en mi caso, a pesar de un incidente previo que debería habernos puesto sobre aviso.

En cierta ocasión, fui a visitar a Kathy a su casa, comimos en familia en la cocina (porque ya habíamos superado la etapa del formalismo del salón y la vajilla fina) y, al terminar, yo me limité a ponerme en pie para dirigirme al cuarto de estar. Mi futura suegra se quedó estupefacta. En casa de Kathy, *todo* el mundo ayuda a recoger y fregar, y como mínimo, se esperaba que cada uno llevara su plato y su cubierto al lavavajillas, así como con cualquier otro utensilio que estuviera junto a uno, ya fuera para la despensa o para el frigorífico. Al ver que a mí ni siquiera se me había pasado por la cabeza hacerlo, le dijo algo a Kathy en voz baja respecto a mi actitud de esperar que los demás me sirvieran. Pero es que en mi familia mi madre se habría sentido ofendida si alguno de nosotros —y menos aún un invitado— le hubiera ayudado a recoger y fregar. Ese era trabajo suyo —servir a los demás para descargarles de esa tarea.

Esa diferencia en la manera de ver las cosas no se manifestó hasta el nacimiento de nuestro primer hijo. Recuerdo con toda claridad un día en el que tenía yo en brazos a nuestro pequeño David mientras Kathy hacía algo en la cocina. De repente, me llegó un olor peculiar y le dije a Kathy desde el cuarto de estar: "Hay que cambiarle el pañal al niño".

A lo que ella contestó, "Bueno, ya sabes lo que decimos en familia, ¿verdad?"

"¿Qué?"

"El que lo encuentra ¡se lo queda!", me aclaró riendo. Lo que venía a querer decir, "No me mires a mí, que estoy ocupada. Tú tienes el niño en brazos, ponle tú el pañal limpio".

Pero mi reacción fue irritarme, porque me sentí como... —bueno no sé exactamente cómo me sentí, pero, desde luego, no bien. A mí me parecía que la actitud de Kathy no era de respeto a mi persona, porque ese no era mi trabajo. Y, al hacérselo saber a Kathy, fue ella la que se ofendió. Vaya, si se trata simplemente cambiar un pañal y tú no estás ocupado ahora haciendo otra cosa. Pero, aun así, no llegamos aquel día a ningún acuerdo. El cuidado de los niños en general, y el cambio de pañales malolientes en particular, fue motivo de discordia durante bastante tiempo, hasta que por fin ambos empezamos a comprender qué era lo que en realidad nos llevaba a reaccionar de manera tan distinta.

La madre de Kathy había sufrido un ataque al corazón con cuarenta años y su padre había asumido por ello muchas de las tareas de la casa. Algo insólito en la mayoría de los hogares, sobre todo para la generación que se había hecho adulta con el padre trabajando fuera y la madre ocupada en casa con las tareas domésticas. La madre de Kathy le había agradecido a su esposo enormemente que se brindara a ayudar tan gentilmente, admirándole además por lo que demostraba de amor activo y de humildad de carácter. Kathy había oído decir a su madre: "Así es cómo mi marido me demuestra su amor: me ayuda con las tareas de la casa y echándome una mano con los niños". En mi familia, en cambio, nunca se le pidió a mi padre que ayudara en ese sentido. Creo que jamás llegó a ver un pañal sucio. Trabajaba una jornada muy larga, y casi siempre estaba extremadamente cansado. Mi madre agradecía que ganara lo necesario para mantener a la familia y sentía que era responsabilidad suya compensarle por ello no pidiéndole ayuda en las cosas de la casa. Yo había oído decir a mi madre: "Así es cómo yo le demuestro mi amor a vuestro padre.

Él provee para nosotros, y por eso, cuando llega a casa del trabajo, yo no le pido que haga nada. Soy yo la que se ocupa de todo eso".

Esa diferencia familiar no era tan sólo relativa a la división de tareas. Se trataba, muy al el contrario, de códigos distintos de demostrar aprecio y amor. El padre de Kathy era hombre de pocas palabras; lo suyo no era la comunicación verbal. Pero demostraba a su esposa su amor en la forma concreta que ella necesitaba, apreciándolo en todo su valor y sintiéndose verdaderamente querida. Con mi padre, era el caso opuesto. Mi madre podía haberse quejado de tener que apechugar ella con todo por estar él tantas horas fuera, pero lo hacía con gusto y convencida de que era lo debido. Por su parte, mi padre agradecía lo que ella realizaba, sintiéndose por ello como "el rey en su palacio".

Kathy y yo habíamos vivido modelos familiares muy distintos, y lo cierto es que los habíamos asimilado inconscientemente como lo más natural. Y esa era la razón de que ahora estuviésemos en desacuerdo respecto al modelo a seguir. En definitiva, ¿quién iba a encargarse de cambiar los pañales? La verdad es que ninguno de los dos sabíamos muy bien qué hacer al respecto. Además, si la cuestión era realmente sencilla, ¿cómo es que generaba tanta tensión emocional?

El problema radicaba en que, cuando Kathy me pidió que cambiara el pañal, lo que yo en realidad había entendido es que no me quería lo suficiente y que pensaba que mi trabajo no era agotador. Y al insistir yo en que eso era tarea suya, Kathy había pensado que yo no le daba importancia a su trabajo, porque no era más que cosas propias de la mujer. En definitiva, lo que Kathy pensaba, aunque de forma un tanto inconsciente, era algo así: "Si me amaras como mi padre amaba a mi madre, cambiarías el pañal sin rechistar". Mientras que lo que yo sentía era, más o menos: "Si tú me quisieras como mi madre amaba a mi padre, no me pedirías que hiciera eso." En definitiva, las respectivas palabras se reducían a un "No te quiero", porque ninguno de los dos estábamos recibiendo amor en la forma que habíamos esperado.

¿Cómo se resolvió el problema? Nos dimos cuenta de lo que estaba pasando, y fui yo el que cambió de actitud, entre otras cosas, porque no quería ser un padre distante con mis hijos. Pero ninguno de los dos olvidamos la lección aprendida. Estaba claro que no bastaba con decir simplemente "Te quiero". Ni tampoco servía demostrar amor en la forma que uno cree válida. Así, pongamos por caso, si queremos darle a alguien 100 euros, son varias las formas de realizarlo. Se puede hacer en metálico, mediante un cheque, en oro o en especie. Y también hay distintas divisas según el país. Por eso, lo más apropiado es preguntar: "¿Cómo quieres ese dinero?". Y lo mismo ocurre en la relación de pareja, aprendiendo a demostrar amor en la manera más apropiada. Esa es, de hecho, la única forma como puede hacerse efectivo el poder del amor para renovar y para edificar.[7]

## Las divisas del amor

Lo que aquí vamos a llamar divisas del amor suele conocerse habitualmente como "los distintos lenguajes del amor". Y es, de hecho, una ilustración muy adecuada. Si decimos "Te quiero" a alguien que no entiende castellano, el mensaje no se transmitirá. Nosotros tratamos de enviarlo, pero al receptor no le llega. Tendremos, por tanto, que tratar de transmitir nuestro sentimiento de una forma comprensible para la otra persona. Me atrevo por ello a usar otra ilustración más. La señal que emite una radio tiene que servirse de determinada frecuencia, pero la emisión no llegará al receptor que nos interesa si no ha sintonizado la misma frecuencia. Lo mismo ocurre en la relación de pareja. El marido puede enviar una señal de amor a su esposa al comportarse de forma romántica y sensual, pero puede que en ese momento su mujer no esté en sintonía. El marido no tiene paciencia para escuchar las cosas que a ella le preocupan. La mujer necesita en verdad que la escuche y la comprenda. Pero él no tiene la paciencia necesaria y responde con un consejo improvisado y dicho a toda prisa. Por lo que ella reacciona diciendo: "¡Tú no me quieres!". A lo que el marido responde, "¡Pero, si te quiero muchísimo!". ¿Dónde está el fallo? Sencillamente, que está intentando comunicarse por un canal con el que ella no sintoniza. Eso explica por qué no llegan a su destino muchos de los mensajes de amor que se envían en el matrimonio.

Hay muchas formas posibles de manifestar amor. Podemos comprar un regalo y acompañarlo de un "Te quiero," o hacer cumplido, o ser románticos y pasar al terreno de lo físico, o también complacer a la persona que queremos en algún deseo suyo, o dedicarle un tiempo especial. Pero eso no sería más que el inicio de la lista. A lo largo de los siglos, los pensadores han dedicado tiempo y esfuerzo a tratar de discernir las posibles formas de amor. Los griegos distinguían entre tres clases distintas de mostrar afecto: (*storge*), amistad (*philos*); amor erótico (*eros*), y amor servicial (*ágape*). Pero eso no sería todo, porque hay otras posibles formas de categorizar las expresiones de amor. De lo que no puede caber duda alguna es de que todas las formas de amor son necesarias, todas cumplen con un cometido particular, y por ello mismo no pueden ignorarse, si bien es igualmente cierto que cada uno de nosotros considera algunas en particular de mayor valor emocional. Aquello que mejor expresa lo que sentimos pasa a ser especial, potenciando al máximo lo que surge de nuestro corazón. Algunas formas de amor son más satisfactorias y estimulantes que otras cuando las recibimos.

En el matrimonio cristiano, los cónyuges están llamados a hacerlo así en imitación de lo que Dios hizo por nosotros. Cuando Moisés pidió ver la gloria de Dios, se le dijo que no podría soportarlo y moriría. Sin embargo, en el evangelio de Juan leemos que Dios se manifestó en la carne en la persona de Jesús "y vimos su gloria, gloria como del unigénito del Padre" (Juan 1:14). Eso es algo sencillamente extraordinario. Dios ha tenido a bien mostrar su gloria en una forma con la que pudiéramos identificarnos y establecer una relación —una forma humana. En la encarnación, Dios se acercó al ser humano en manifestación comprensible para el ser humano. Y esa es la razón de que nuestras propias expresiones de amor deban ser comprensibles y adaptadas a las necesidades de la persona amada. Incluyo a continuación algunos principios básicos para su puesta en práctica.

En primer lugar, tenemos que ser conscientes del "filtro" que aplicamos de forma sistemática a toda posible comunicación. Tendemos a "oír" únicamente determinadas manifestaciones amorosas. Por eso, puede darse el caso de tratar de agradar con cosas materiales, cuando lo que nuestra pareja espera de nosotros es algo verbal. Se tiende por ello a decir: "¡Es que no me quiere!", cuando la realidad es que se ha expresado el amor en una forma no identificable para el destinatario. Hay que quitar entonces el filtro y poder reconocer así el mensaje en todo su valor.

El teólogo R. C. Sproul compartió, en cierta ocasión, una anécdota personal relacionada con Vesta, su esposa, que ilustra muy bien este punto. "Lo que yo de verdad quería para mi cumpleaños era algo que yo no me compraría. Esperaba con ilusión que mi esposa me regalara los palos de golf que yo tanto deseaba. Vesta, persona en extremo práctica, sabía que necesitaba camisas blancas nuevas. Así que me compró seis estupendas camisas blancas. Por mi parte, traté de disimular mi desencanto." Pero lo cierto es que él tampoco acertó en el regalo de cumpleaños de Vesta, comprándole un costoso abrigo de piel, cuando lo que ella quería era una lavadora-secadora. Ambos habían tratado por igual de darle lo mejor a la persona amada, pero con un lenguaje no compartido.

Muchos de los conflictos de pareja tienen su origen en una falta de auténtica comunicación. Pero, si nos esforzamos por averiguar dónde está en concreto el fallo, siempre será posible rectificar y adoptar nuevas y más eficaces formas de expresarnos. Puede que tu caso sea parecido al de Kathy y mío, con un problema no resuelto de responsabilidades en la crianza de los hijos. Y tal vez sea entonces el esposo el que piense (como era en mi caso) "Si me amaras como mi madre amaba a mi padre, no me pedirías que cambiara pañales", y es posible que la esposa piense (como ocurrió con Kathy) "Si me amaras como mi padre a mi madre, lo harías de forma voluntaria". En lugar de irritarnos pensando en el aparente egoísmo de nuestra pareja, deberíamos ser más sensibles y darnos cuenta de que el auténtico problema es que no se siente querida.

Necesitamos aprender a expresarnos en un lenguaje comprensible para nuestra pareja, siendo capaces de renunciar para ello a los canales de nuestra preferencia.

Los lenguajes inadecuados pueden tener un efecto contrario al que pretendemos. Así, por ejemplo, si le hacemos un regalo material a alguien que no lo aprecia, tal vez piense que estamos tratando de "comprar" su aprecio.

Bajo ningún pretexto hay que abusar del lenguaje de amor primario, pero tampoco hay que escatimarlo de forma que se viva como un desafecto. Un hombre que aprecie sobremanera ser respetado por su esposa en público, no estará muy dispuesto a ver amor en su esposa si ella se burla de él delante de sus amigos. Y la mujer que necesite una afirmación verbal, sufrirá enormemente con los silencios prolongados.

## Pasar del enamoramiento al amor

Hemos tratado ya el tema de la frecuencia con que las primeras experiencias románticas tienden a perder fuerza, estableciéndose de nuevo contacto con la auténtica realidad. Cuando eso ocurre, ¿cómo hacer una adecuada transición para amar a nuestra pareja adecuada y comprometidamente en el transcurso del tiempo?

Gary Chapman ilustra bien esta cuestión en uno de sus libros, poniendo el ejemplo de una pareja con problemas en su matrimonio.[8]

Becky fue sola al despacho del consejero y, entre sollozos, le dijo que su esposo, Brent, se marchaba de casa. Por su parte, Brent acudió también a ver al consejero a petición de su esposa. Sus palabras fueron: "Ya no amo a mi esposa. No quiero hacerle daño y me gustaría que las cosas fueran diferentes, pero lo cierto es que ya no siento nada por ella". Al principio de su enamoramiento,

Brent y Becky habían sido una pareja extremadamente feliz y compenetrada. Pero, a los pocos meses de su boda, ambos habían empezado a notar los respectivos fallos y la euforia del inicio había ido perdiendo fuerza poco a poco. Brent había sido el primero en notar que su amor se desvanecía y lo cierto es que deseaba volver a ser libre, admitiendo que llevaba varios meses enamorado de otra persona y que quería el divorcio porque no imaginaba su vida sin esa nueva persona a su lado.

El consejero le pidió que intentara ver el asunto desde otro punto de vista. Le dijo que la mayoría de los matrimonios empiezan con un "pico" alto de enamoramiento, en el que la pareja se siente amada simplemente viéndose. Pero, con el paso del tiempo, esa sensación pierde fuerza, y entonces es cuando hay que hacer un esfuerzo deliberado para amar a la otra persona. Sus palabras concretas a Brent fueron:

> *[Cuando esa euforia desaparece], si tu esposa ha aprendido a expresar el lenguaje primario del amor, la necesidad de afecto estará cubierta. Pero, si por el contrario, nuestra pareja no domina ese lenguaje, nuestro depósito de los afectos irá vaciándose progresivamente, y dejaremos de sentirnos amados. Satisfacer adecuadamente la necesidad de afecto es siempre una opción abierta. Ahora bien, si hemos aprendido a comunicarnos con el lenguaje emocional que nuestra pareja comprende y lo usamos, además, con frecuencia... cuando desaparezca la euforia del amor exaltado del principio, apenas si se dará cuenta de ello, porque su necesidad básica de afecto quedará cubierta. Pero si ese lenguaje primario del amor ha estado ausente, o no se ha actualizado, cuando desaparezca la emoción del principio, seguirán sin satisfacerse*

> *los afectos. Tras años de subsistencia con el depósito de los afectos vacío, no será extraño que haga su aparición un repentino "enamoramiento", poniéndose nuevamente en marcha idéntico ciclo.*[9]

A Brent no le conmovieron esos argumentos. Y desde luego no creía que ese nuevo amor fuera igual al anterior. Lo que ahora sentía era "auténtico", e iba a durar para siempre. En consecuencia, y tras darle las gracias cortésmente, Brent se despidió del consejero, asegurándole que haría todo lo posible para ponérselo todo más fácil a Becky, pero decidido, pese a todo, a dejar a su esposa.

Transcurridos no muchos meses, el consejero recibió una llamada de Brent solicitando una consulta. Nada más entrar al despacho, era evidente que algo le pasaba, porque ya no era el hombre con control y seguro de sí mismo de la vez anterior. En palabras suyas, su nueva pareja parecía haberse vuelto en contra suya. No dejaba de criticarle por todo y en un tono mucho más hiriente que el que había usado Becky cuando le señalaba alguna falta. Era evidente que esa nueva relación iba a acabar en fracaso.

El consejero volvió a repetir lo advertido y enunciado en la primera visita —al principio, el enamoramiento anula la voluntad, pero después pasa a ser un acto deliberado. Visto así, puede parecer algo mecánico, admitió el propio consejero, pero si la pareja persevera, la experiencia conjunta de amar y sentirse amado allanará muchas dificultades. Brent se comprometió a poner en práctica esa vía y, pasado un año del incidente, reanudó su matrimonio con Becky.

Sin embargo, debemos deducir de este ejemplo que va a ser siempre posible resolver los conflictos de pareja mediante el aprendizaje, y uso adecuado, de los distintos lenguajes del amor. El corazón humano es infinitamente complejo *(Jeremías 17:9)*. Las dificultades del matrimonio pueden tener su base en conductas erróneas difíciles de erradicar, quizás por prejuicios de antes y por miedos que hay que superar mediante consejería y con la gracia de Dios. Todo ello no evita la obligada y dura tarea de conocer bien a la persona con la que convivimos, amándola *de la forma adecuada* como fundamento básico en un buen matrimonio. Ante una sociedad que ve el amor como sentimiento espontáneo, pero no como acción voluntaria, ese fundamento suele dejarse completamente al margen.

## El afecto

Siempre ayuda hacer una lista con las distintas clases de lenguaje amoroso.[10] Y el simple hecho de repasarla puede poner en marcha el necesario proceso de discernimiento. Así, una posible conclusión es "Si tú hicieses *eso* por mí todas las semanas, ¡nuestro matrimonio sería muy distinto!". Y ya tendríamos ahí el comienzo de un nuevo camino.

Voy a empezar aquí por el Afecto. El amor puede transmitirse con la mirada, con caricias, sentándose uno junto al otro y cogiéndose de la mano. Eso es algo, además, que no tiene que hacerse tan sólo como preparación al sexo, porque, de ser así, pierde su valor como medio para demostrar afecto. El amor puede expresarse de forma creativa buscando momentos y ocasiones en los que sea más fácil prestar total atención. Así, pueden planearse paseos, excursiones, meriendas campestres o tardes tranquilas en la intimidad del hogar. El esfuerzo de planear y poner por práctica es ya muestra válida de estima y aprecio. También cómo no, se puede, cuidar de forma particular la apariencia física, en deferencia a la sensibilidad de nuestra pareja. Las salidas para ir al cine o tener un rato de expansión y diversión ayudan enormemente a crear un ambiente distendido.

El amor también tiene que expresarse verbalmente, pero no únicamente diciendo "Te quiero". Hemos de aprender a emitir mensajes de amor de forma directa, personal, específica y natural. Para ello, se puede tener en cuenta los dones y cualidades de la pareja, y hacérselo saber junto con nuestra admiración y gratitud. Sin embargo, es importante evitar ahí la crítica encubierta. El amor no sólo tiene que ser verbal, las notas de afecto, las postales conmemorativas de aniversarios y las cartas en las ausencias pueden ser una forma muy efectiva y gratificante de demostrar nuestra fidelidad y devoción.

Finalmente, el amor puede expresarse mediante regalos que pueden ir de lo más personal a lo más insólito, pasando por lo hermoso y agradable, o lo sencillamente útil.

## La amistad

Como señalábamos líneas atrás, la amistad es un componente básico en el matrimonio, siendo, además, una forma de amor de expresión específica. El amor de amistad puede cultivarse sencillamente dedicándole tiempo y cuidados, lo que supone en la práctica hacer algo por la otra persona que le va a beneficiar y que nos permite, además, comunicarnos de forma particular en su realización. Llegados a este punto, la mayoría de las personas piensan en diversión compartida y en momentos de ocio. Y eso está muy bien. Así, se puede dedicar un tiempo a trabajar juntos en el jardín, como actividad que aúna intereses y gustos. Pero, por encima de todo, tu pareja tiene que estar convencida de que lo haces porque la amas, y porque complacerla y hacerla feliz es algo prioritario en tu vida

El amor en la amistad puede hacerse patente asimismo mostrando interés y orgullo en lo profesional. Si la pareja trabaja fuera de casa, supone interesarse y apoyar las respectivas profesiones. Si la esposa se queda en casa cuidando de los niños y de las tareas domésticas, es esencial que el marido haga patente su aprecio e incluso que colabore en hacer del hogar un espacio acogedor.

El amor que sentimos puede manifestarse también compartiendo ideas y mundo interior. Así, leer ambos un mismo libro y luego comentarlo, intercambiar puntos de vista o estar atentos a la evolución de pensamiento e ideas con el paso del tiempo, asistiendo juntos a charlas y conferencias —todo eso tiene cabida, y más aún que puede añadirse.

Por último, la amistad en el amor se expresa y crece escuchando y abriéndose a la pareja. La amistad es como un refugio en el que se puede compartir miedos, heridas, preocupaciones y debilidades. Escuchar adecuadamente requiere concentración. Hay quien es bueno escuchando, pero que tiene dificultades abriéndose, y viceversa. La confianza se fragua mediante lealtad y compromiso.

## El servicio

El mutuo servicio comienza en las tareas más prácticas y comunes. Si es la esposa la que ha asumido la crianza de los hijos en su mayor parte, o incluso en su totalidad, lógicamente el marido ha de estar dispuesto a colaborar en las otras tareas del hogar. Así, puede, pongamos por caso, cambiar los pañales al bebé y realizar las tareas de limpieza general de la casa, y ¡sin esperar a que se lo digan!

Pero lo primero de todo va a ser siempre mostrar cariño y comprensión a tu pareja, evidenciando palpablemente que vas a colaborar para que ella también pueda realizarse como persona independiente que es. Esa es la clase de amor que se manifiesta cuando ayudamos a nuestra pareja para que disponga de un tiempo propio para realizarse.

Una de las mayores manifestaciones de amor es la voluntad de cambio, haciendo, por tanto, todo lo posible para evitarle disgustos y preocupaciones. Por ello, tiene que estar presente la voluntad de corregir errores y de mantener constantes los cambios para bien. Eso es más difícil de lo que puede parecer, y prácticamente imposible de hacerlo real sin la gracia divina, siendo sin embargo una de las pruebas de amor más poderosas y efectivas dentro del matrimonio.

Por último, no hay vía mejor para el mutuo servicio y ayuda dentro del matrimonio cristiano que ayudarse recíprocamente a crecer en lo espiritual, como ya pudimos ver en el capítulo 4. Eso va a suponer animarnos para participar en la vida de iglesia dentro de la comunidad de la fe. Supone también leer y compartir libros de contenido cristiano, y estudiar juntos la Biblia. E implica, además, orar juntos. A lo largo de los siglos, los matrimonios cristianos han mantenido viva la tradición de la oración familiar.

Orar diariamente juntos, por distintos temas y por sí mismos, es un lenguaje en amor que muchas veces sirve para aunar los otros distintos lenguajes del afecto y la comprensión. En la oración compartida, se hacen patentes la ternura y el interés con total transparencia, con el privilegio añadido de ver poner a la persona que amas en la provisión de Dios. Si se mantiene viva y activa a diario, la relación de pareja será bendecida con un genuino amor mutuo y a Dios.

Esta no es una lista definitiva de posibles formas de comunicar amor. Un ejemplo alternativo lo tenemos en la necesidad de un tiempo personal en exclusiva, que puede ser por períodos breves, o más prolongados, dependiendo de las necesidades emocionales. No hay posible excusa para aislarse de la pareja, pero es un hecho cierto que las personas tenemos diferentes capacidades y necesidades en lo relativo al tiempo que queremos pasar en solitario por posibles intereses particulares. El tener presente esas diferencias, e incluso hacer una lista con los intereses particulares de cada uno, puede servir para identificar esas necesidades y sacarlas a la superficie para un posible acuerdo en el reparto del tiempo. Esa es una tarea simple, aunque puede plantear dificultades según personalidad. De ahí la gran importancia de conocer bien el lenguaje de afecto en el que se expresa nuestra pareja. Pero, una vez superada la parte más compleja de poner en claro las distintas necesidades, se puede pasar a programar, un tanto informalmente, claro está, maneras particulares de demostrarse tanto afecto como respeto. El paso siguiente será relativamente más fácil de llevarlo a efecto con constancia y regularidad.

## El gran problema

Ya hemos visto cómo el matrimonio, dada su naturaleza, dispone del poder de la verdad y del poder del amor. El poder de la verdad en el matrimonio nos muestra cómo somos, mientras que el poder del amor nos capacita para recomponer nuestra imagen de forma positiva, redimiendo el pasado y sanando las heridas más profundas. Pero, llegados a este punto, es necesaria una nota precautoria.

Es un hecho cierto que si todo el mundo insiste en que soy feo, pero mi esposa dice que soy hermoso, acabaré sintiéndome hermoso, porque la palabra de mi esposa es poderosa para mí. Pero eso significa que lo mismo sucederá en caso de crítica. Si mi esposa no deja de señalar lo feo que soy, aunque los demás digan que no es así, yo me veré feo. La opinión de la pareja puede convertirse en arma letal. Ya desde el inicio mismo de la vida en común dentro del matrimonio, va a manifestarse ese poder para infligir daño. Conoceremos los puntos débiles como ninguna otra persona. Los comentarios mordaces serán más lesivos que una herida de arma blanca.

En este mundo caído, puede suceder que el poder de la verdad choque con el poder del amor dentro del matrimonio. Si mi esposa me hace notar mis defectos es porque ella me puede ver desde una perspectiva que yo no dispongo. Esa es la razón de que su juicio, veredicto y bendición tengan una gran credibilidad y tanta fuerza. Mi esposa no sabe de mis pecados, claro está, de la misma manera que mi médico sabe de mis dolencias, o que mi consejero sabe de mi mal carácter o de mis miedos. Mi esposa conoce mis pecados porque son muchas las ocasiones en que la afectan a ella de forma directa. Si sabe que soy poco sensible, es porque ella lo sufre; y si conoce mi egoísmo, es porque ella es la víctima.

Por otra parte, está el Gran Problema del matrimonio. La persona que tiene en sus manos tu corazón, cuya aprobación más anhelas y necesitas, es justamente aquella a la que más daño causamos con nuestros pecados. Ante la afrenta del pecado, tenemos el recurso del poder que dimana de la verdad. En el ámbito de la convivencia, podemos propasarnos con los insultos y las descalificaciones. Las primeras veces que esto ocurre, descubrimos, para gran sorpresa nuestra, hasta qué punto pueden ser destructivas las críticas. De hecho, la desvalorización hacia nuestra pareja puede acabar provocando abandono por haberse traspasado el umbral de lo admisible y soportable. ¿Cómo es que puede llegar un punto en el que nuestra pareja se vea irremediablemente obligada a marcharse? Parte de la respuesta está sin duda en que, ante la ausencia del poder del amor y de la afirmación, sólo queda la crítica mordaz que pretendemos hacer pasar por verdad, pero que lo único que hace es destruir.

Cuando, por fin, nos damos cuenta de lo destructiva que puede ser la verdad desprovista de amor y comprensión, podemos caer en el error contrario y decidir que a partir de ahora sólo vamos a decir lo positivo y afirmativo. Evitamos por ello manifestar lo desencantados que puede que estemos por una u otra razón. Nos encerramos en nosotros mismos y no decimos palabra. Ocultamos lo que realmente sentimos y pensamos. Ejercitamos, por tanto, el poder del amor, pero dejando a un lado el poder de la verdad.

Pero eso supone, y muy lamentablemente, perder el potencial para un crecimiento espiritual. Si me doy cuenta de que mi esposa no está siendo sincera conmigo, entonces toda posible palabra suya de amor y de afirmación carecerá de credibilidad y de fuerza. Tan sólo sabiendo que mi esposa va a decirme verdaderamente lo que opina y siente con total sinceridad, sus comentarios podrán ayudarme a cambiar y madurar.

La auténtica cuestión es que el amor debe ir acompañado de la verdad, y al contrario. Pero esa es tarea muy dura de poner en práctica. Cuando nos sentimos atacados, recurrimos a la fuerza de la verdad, pero sin amor. El dolor y la ira generados en situaciones así, pueden abocarnos a cometer el fatal error de simplemente amar sin decir toda la verdad. Pero, a largo plazo, ese subterfugio no da el resultado apetecido de crear verdadero amor en ninguno de los dos.

En el matrimonio, ambas partes se necesitan en amor y en verdad. Precisamos sentirnos amados por nuestra pareja para que cuando llegue la crítica, podamos admitir nuestra parte de culpa sin rencor ni resquemor. Esa será la manera más efectiva de conocernos realmente y poder cambiar lo que sea necesario para verdadero crecimiento y madurez. Ese es el ideal y lo que en verdad debería suceder. Pero la experiencia se encarga de demostrarnos que no es ni mucho menos así. ¿Cuál es el problema? Para empezar, porque, cuando nos damos cuenta de los verdaderos defectos de nuestra pareja, reaccionamos con enfado. Y es muy difícil usar la verdad de forma amorosa y constructiva. ¿Qué camino debe seguirse entonces?

## El poder de la gracia—La reconciliación

La verdad que no va acompañada de amor echa a perder la unión. Y el amor sin sinceridad crea una mera ilusión de unión, cuando en realidad nos está abocando al estancamiento. La única solución entonces es la acción de la gracia. La experiencia de la gracia mediada por la persona de Jesús hace posible que dentro del matrimonio operen dos importantes recursos: el arrepentimiento y el perdón. Tan sólo si somos capaces de perdonar, y asimismo de arrepentirnos, podrán ir de la mano el amor y la verdad.

Arvin Engelson, compañero de estudios de Kathy y mío en el seminario, hace ya años, comparaba el matrimonio a un tambor giratorio lleno de piedras preciosas. Ponemos las gemas en el tambor y, al entrar en contacto, se mezclan y combinan de forma creativa. Las posibles aristas se liman, siendo el resultado algo armonioso. Pero, si a esa mezcla no se le añade un componente especial, las gemas chocarán entre sí quedando dañadas. El componente que aglutina y da cohesión es la gracia de Dios, asimismo operativa en el matrimonio. Sin el poder de la gracia, la verdad y el amor no pueden combinarse. La pareja tiene entonces dos únicas posibilidades: o rebotan y se apartan el uno del otro, o se agreden y se destruyen.

En Marcos 11:25, Jesús nos advierte que no es posible orar en verdad con espíritu de discordia, teniendo por ello que efectuarse primero la necesaria reconciliación. ¿Significa eso que nunca podemos confrontar a la persona que nos ha hecho un mal? Evidentemente, no. Son varios los pasajes en el Nuevo Testamento donde se indica taxativamente la necesidad de hacer frente al pecado: así, por ejemplo, Mateo 18, con palabras de Jesús, y Gálatas 6, con instrucción específica del apóstol Pablo. Pero, antes veamos bien el orden en que tiene lugar la reconciliación. En la Biblia, se nos dice que *primero* viene el *perdón* y ¡*después* la confrontación! La razón de que ese orden nos sorprenda es que nuestra tendencia es confrontar para *venganza* y no para *perdón*. Hacemos patente nuestra ira para resarcirnos de la ofensa, pero consiguiendo únicamente con ello que se perpetúe el malestar. De hecho, la persona a la que haces pagar por la ofensa sabe bien cuál es tu fondo y su reacción será entonces de enojo o de pesar, o de ambas cosas a la vez. Por tu parte, el hacer patente la verdad no ha sido para beneficio del ofensor, sino para propia satisfacción, y la cosecha de todo ello será de amargura, dolor y desesperanza.

Jesús ha puesto en nuestras manos la solución. Los cristianos, conscientes de que la auténtica vida está en la gracia de Dios, estamos llamados a, *en primer lugar*, perdonar tanto al ofensor como las ofensas, para, *después*, pasar a confrontar al ofensor. Si lo hacemos así, la confrontación cambiará por completo de signo. Dicho con otras palabras, sin *aunar* el poder del perdón y la intervención de la gracia, la verdad escueta tan sólo será ofensa. La persona confrontada reaccionará entonces con un nuevo ataque o retirándose herida, pero no restaurada. En el matrimonio, puede caerse muy fácilmente en el círculo sin fin de la verdad carente de amor, como ocasión de pelea; o del amor carente de profundidad, por no estar presente toda la verdad, siendo el único objetivo evitar el auténtico problema de fondo.

Un punto fuerte del matrimonio es poder decir la verdad sin ambages; pero una verdad que se dice sin ánimo de crítica, sin pretensión de superioridad, y sin menospreciar a la otra persona. Eso no quiere decir que no pueda manifestarse el enfado allí donde se produzca. De hecho, si nunca expresamos enfado, cuando tengamos que decir una verdad no va a ser creíble. Pero junto a todo ello tendrá que estar necesariamente presente y activo el perdón, y, si lo está, actuará como la sal en los alimentos, impidiendo que la ira se convierta en un rencor insalubre. El amor y la verdad pueden, y deben, convivir en armonía. Algo que es posible porque nosotros, como humanos, dentro de la institución divina del matrimonio, estaremos perdonando porque Cristo nos perdonó.

¿Qué hace falta para conocer el poder de la gracia? Si tienes problemas perdonando a alguien, será en parte por estar pensando en tu interior "¡*Yo* nunca haría algo *así*!". Si nos creemos superiores a la otra persona, va a sernos muy difícil perdonar. Si desdeñamos a los demás por sistema, la verdad ahogará al amor. Lo único aparente será la crítica y desde luego no de forma constructiva y reparadora. El único sentimiento aparente será el de dureza de corazón.

Ahora bien, para poder hablar la verdad en amor, hace falta no sólo humildad en los sentimientos, sino un genuino "caudal emocional", como fuente de gozo interior y de confianza en uno mismo. Si nos infravaloramos, o si nos despreciamos a nosotros mismos, vamos a hacer un mundo de tener contenta y en buena disposición a nuestra pareja, siéndonos imposible soportar el más mínimo enfado por parte suya. Lo que va a hacer también imposible la crítica, por muy razonable y justificada que esté. Pero sin confrontación, no hay perdón. El resentimiento hará entonces su aparición, pero nos esforzaremos por mantenerlo a raya. El deseo de afirmación a cualquier precio, convertirá en nula la posibilidad de confrontación. Aunque contradictorio, el amor será una traba para la verdad.

La conjunción del poder en amor y el poder en la verdad, de forma equilibrada y facilitadora de cambio, necesita una dosis de profunda humildad, en la que tendrán que estar asimismo presentes y operativos el gozo y la confianza. Ahora bien, ¿de dónde vamos a sacar todo eso? La respuesta es clara y contundente: tan sólo fuera del mundo material. Sin una ayuda externa, la naturaleza humana es incapaz de alcanzarlo por sus propios medios. Sin la experiencia real de la gracia de Dios, el ser humano puede tener grandes logros, que no le harán ser humilde, y menos aún con los que se porten indebidamente. Mientras que las personas que, siendo humildes, sientan que han fracasado en la vida, carecerán de gozo y de una necesaria confianza en sí mismas.

Pero el evangelio de las Buenas Nuevas nos transforma de manera que ya no nos juzgamos en base a nuestra actuación en la vida, porque sabemos muy bien que Jesús tuvo que morir por nosotros precisamente a causa de nuestra naturaleza pecadora y nuestra deficiencia. Estamos tan perdidos, que sólo la muerte del divino Hijo de Dios puede salvarnos. Pero su amor y su aprecio es tan grande que no dudó en morir por nosotros. El Señor del universo tuvo a bien actuar así hacerlo. El evangelio cumple por ello la doble función de hacernos ver que no somos más que polvo, exaltándonos aun así a las cotas más altas del cielo. Nos sabemos por ello pecadores, y así lo reconocemos; pero pecadores amados de forma infinita por Cristo.

¿Cómo se accede, pues, al poder redentor de la gracia? Se trata de un poder que nosotros no somos capaces de generar. Lo único que podemos hacer es reflejarlo cuando lo recibimos. Contemplar a Jesús muriendo en la cruz a favor de la humanidad, perdonando todas nuestras transgresiones, es conmovedor e insuperable ejemplo de perdón y de entrega, que va mucho más allá de lo que nosotros nunca podremos hacer. Pero si, con todo, vemos en verdad a Jesús muriendo por cada uno de nosotros a título individual, perdonando nuestras transgresiones y anulando nuestro pecado, el panorama cambia por completo. Cristo ve el auténtico fondo de nuestro corazón, pero en su amor nos eleva hasta el firmamento. El gozo y la libertad que dimanan de saber que el Hijo de Dios hizo tan gran obra para beneficio nuestro, nos da la fuerza y la capacidad necesarias para amar y perdonar nosotros, aquí y ahora, las faltas de nuestra pareja. La humildad emocional necesaria que se deriva del poder de la gracia hará que eso sea posible.

## El poder definitivo

El matrimonio cuenta en sí con el poder y la fuerza necesaria para mostrarnos la realidad de lo que somos. Y cuenta asimismo con el poder de redención de nuestras trasgresiones para restauración de la dignidad personal a través del amor. En el matrimonio, se actualiza el poder singular de la gracia de Dios activo en la obra de Cristo. En Efesios 5, el apóstol Pablo dice explícitamente que Jesús puso su vida a favor nuestro, pagando un alto precio para poder hacernos criaturas bellas y dignas de contemplar. Y justamente por esa obra de regeneración de nuestra persona nosotros ahora podemos obrar a favor de otros.

Nuestros pecados hirieron a Jesús infinitamente más de lo que puedan herirnos a nosotros las faltas de nuestro cónyuge. Sin duda, es posible que, en ocasiones, nos sintamos heridos más allá de lo soportable por lo que nos haga nuestra pareja. Pero tengamos presente que Jesús sufrió muerte de cruz por lo que nosotros hacemos, y aun así nos perdona.

Se dice que, en cierta ocasión, un fiel general de uno de los viejos zares de Rusia se moría a causa de las heridas recibidas.

Ya agonizante en su cama, el zar le prometió elevar de rango al hijo y cuidar de que nunca le faltara de nada. Tras la muerte del leal general, el zar se dispuso a cumplir con la palabra dada. Para ello, proporcionó al muchacho un buen alojamiento y los estudios necesarios para que se formara adecuadamente. Al cumplir la edad reglamentaria, le dio un cargo en el ejército. Pero ese joven tenía un grave problema con los juegos de azar. Al llegar el momento en el que no pudo hacer frente a las deudas contraídas, empezó a sustraer fondos del ejército. Una noche en la que se encontraba en su tienda examinando los libros de cuentas, comprobó que la sustracción iba a descubrirse, por ser de una magnitud imposible de ocultar. Desesperado, se dispuso a suicidarse empezando para ello a beber sin parar. Con el revólver a su lado, tomó todavía unos cuantos tragos más para cobrar valor y llevar a cabo su intención. Pero la cantidad bebida había sido tanta y tan fuerte, que se quedó sin conocimiento tumbado de bruces sobre la mesa.

Aquella noche, el zar estaba haciendo lo que era ya inveterada costumbre suya. Disfrazado de soldado raso, se paseaba por el campamento, tratando de calibrar la moral de su tropa y prestando atención a todo cuanto se dijera de interés. Al llegar a la tienda del joven apadrinado por él, le vio caído de bruces sobre el libro de contabilidad. Al leer lo escrito en sus páginas, constató la gravedad de lo ocurrido y el peligro de lo que podría ocurrir.

Al despertarse el joven unas horas más tarde, se encontró, para inmensa sorpresa suya, con que el problema que le acuciaba había desaparecido. Además, había junto a él una carta dirigida a su nombre, cuya misiva decía así: “Yo, el Zar de todas las Rusias, pagaré el total de la cantidad adeudada de mis fondos personales para recuperación del saldo pendiente”, firmada y sellada por el zar.

La falta del joven era evidente, así como las consecuencias que iba a tener. Pero, por su amor al joven, había cubierto toda su falta.

Lo mismo puede ocurrir en nuestra vida de matrimonio. Cuando la esposa o el marido cometan una falta, se podrá decir: "Veo tu pecado, pero yo puedo cubrirlo con mi amor, así como Jesús vio y cubrió mi pecado". Por haber venido Dios al mundo en la persona del Hijo, tomó plena conciencia personal de la pecaminosidad del corazón humano. Y tan real fue ese conocimiento, que Jesús pagó con su muerte la deuda contraída por nuestras transgresiones. Colgado en el madero, clavado a la cruz, pudo ver cómo le traicionábamos y negábamos, abandonándole en la hora de su muerte. Comprobó claramente nuestro pecado, pero aceptó cubrirlo al precio de su vida.

No conozco fuente de mayor poder para el perdón que lo que Jesús hizo a favor nuestro. Y no sé otra forma más necesaria y eficaz en el matrimonio que el perdón que surge del corazón, sin deseo de desquite, y dado libre y plenamente. Experimentar profundamente la gracia de Dios, esto es, sabernos pecadores redimidos por la salvación en Cristo, hará posible que el poder de la verdad en amor obren conjuntamente en el ámbito del matrimonio.

Al aplicar ese poder en el conocimiento de la gracia, estaremos ayudando a nuestra pareja a convertirse en el ser glorioso que Dios quiere.

Kathy y yo visualizamos este punto con una foto del día de nuestra boda que tenemos colgada en el dormitorio. La foto tiene ya treinta y siete años. Físicamente, disfrutábamos entonces mucho mejor aspecto. Yo todavía tenía pelo y éramos bastante más esbeltos. Cuando oficio en una boda y veo a la pareja resplandeciente y hermosa con sus galas nupciales, siento a veces la tentación de decir: "Hoy tenéis un aspecto magnífico, pero, atentos, a partir de hoy todo será cuesta abajo. Y nunca volveréis a ser como hoy."

Pero la verdad es que eso no es del todo cierto, sobre todo si os esforzáis como pareja por aplicar en vuestra vida el poder conjunto de la verdad en amor acompañada de la gracia. Y tampoco va a ser lo mismo si os comprometéis con la aventura espiritual de crecer conjuntamente en el Señor en el camino de una nueva y definitiva creación. Así, para los ojos de Dios, y según vayan pasando los años, contribuiréis a que cada uno de vosotros crezca verdaderamente en hermosura, a semejanza de un diamante que va revelando sus múltiples y espléndidas facetas.

> *Por tanto, no desmayemos; antes aunque este nuestro hombre exterior se va desgastando, el interior no obstante se renueva de día en día. Porque esta leve tribulación momentánea produce en nosotros un cada vez más excelente y eterno peso de gloria; no mirando nosotros las cosas que se ven, sino las que no se ven; pues las cosas que se ven son temporales, pero las que no se ven son eternas.*
> *(2 Corintios 4:16-18)*

En el área de lo espiritual, podemos anticipar el resultado final que Dios ya contempla, siendo ello un gran privilegio. Para el mundo, tendremos arrugas y achaques; como pareja, nos veremos, en cambio, como los seres gloriosos por los que Jesús murió. El mutuo cuidado nos limpiará, nos revestirá y nos adornará con la gracia divina. Y cuando llegue el día postrero, el universo entero podrá ver lo que nuestro Padre Dios ya contempla.

Mi propuesta es, por tanto, que, en el día de nuestro enlace matrimonial, deberíamos decirnos mutuamente como pareja, "Nuestro aspecto hoy es maravilloso, pero llegará un día en que estaremos ante Dios y la hermosura de estos ropajes serán como trapos desvaídos".

# La aceptación en el matrimonio

*Las casadas estén sujetas a sus propios maridos, como al Señor; porque el marido es cabeza de la mujer, así como Cristo es cabeza de la iglesia, la cual es su cuerpo, y él es su Salvador. Maridos, amad a vuestras mujeres, así como Cristo amó a la iglesia, y se entregó a sí mismo por ella.*

*(Efesios 5:22-23, 25)*

Si bien Tim y yo (Kathy) hemos trabajado conjuntamente en la elaboración de este libro, pensamos que tenía más sentido que este capítulo lo escribiera yo con mi propia voz, y en solitario, por haber tenido, como mujer, más amplia experiencia en la dificultad de hablar, y hacerme oír, respecto a la diferencia de papeles por género. Hecho nada sorprendente, dado que, bajo la influencia de la maldición de Génesis, la práctica totalidad de las distintas culturas del mundo han encontrado su manera particular de oprimir y marginar a las mujeres, y somos generalmente nosotras las primeras en darnos cuenta y elevar por ello voces de protesta.

Tanto si te identificas a ti misma como igualitarista, feminista, tradicionalista o complementarista, o dentro de cualquier otro posible encuadre y toma de posición, las diferencias existentes entre hombres y mujeres se dejarán sentir en el matrimonio. Y de nada va a servir hacer como que no existen. Lo que posterguemos acabará pasando factura, y con recargo. Todos llegamos al matrimonio con una idea preconcebida respecto a los distintos papeles, de cómo el marido deberá tratar a su mujer y de cómo la mujer portarse con su marido, y también de cómo tendrían que comportarse los hijos con sus padres. Ideas que seguramente procederán de lo vivido en la propia familia o de lo observado en otras parejas, e incluso de informaciones de muy diverso origen, como las lecturas sobre el tema o programas divulgativos en los grandes medios de comunicación.

No puede negarse que el tema de los papeles según género dentro del matrimonio es controvertido y objeto de acalorados debates. Yo he vivido personalmente esa controversia por espacio de cuarenta años. He visto cómo se utilizaban distintos versículos de la Biblia como armas arrojadizas, y he sido testigo de muchos casos de opresión y rebeldía. Pero también he constatado la sanidad y la recuperación que puede operarse en la relación de pareja cuando se ponen a funcionar los recursos del "liderazgo" y la "sumisión", entendidos en su verdadera dimensión, siendo Jesús el modelo a seguir.

Tim y yo no llegamos al matrimonio con ideas muy claras respecto al funcionamiento, en la práctica, de la relación entre hombre y mujer. De hecho, y a pesar de muchas e importantes conversaciones teóricas en las clases del seminario, yo no estaba en absoluto preparada cuando la primera mañana, en nuestra nueva iglesia, Tim cogió su cartera, me dio un beso de despedida y "se fue a trabajar". Y me recuerdo a mí misma de pie, en la cocina, preguntándome "¿Qué se supone que tengo que hacer en todo el día?". Hasta ese momento, los dos habíamos vivido en un entorno en el que la diferencia de sexo apenas si importaba, asistiendo ambos a las mismas clases, preparando los mismos exámenes y planteándonos rara vez cuál había sido la intención de Dios al crear distintos sexos. Pero, de repente, tenía que reflexionar, tanto práctica como asimismo bíblicamente, cuál era mi función como mujer y como esposa.

Aun admitiendo, con toda honestidad, que Tim y yo hemos tenido fallos y cometido errores por ignorancia, hemos acabado descubriendo que someternos en el Señor a las diferencias de género ha puesto de manifiesto unos dones y unas capacidades que nos han llevado tanto a conocernos mejor, y más profundamente, a nosotros mismos, como también a tomar parte activa en el ámbito privilegiado de los grandes planes de Dios para su mundo y sus criaturas. Y, creedme, el hacerlo así no supuso tener que estar más preocupada por mi aspecto externo, ni para Tim significó ocuparse en exclusiva del cuidado del coche. Nadie en sus cabales rechaza un regalo de parte de una persona amada sin por lo menos haberle echado un vistazo antes. Por eso, tenemos la esperanza de que, aun cuando puede que nuestros lectores no se sientan cómodos con la idea de funciones de género distintas dentro del matrimonio cristiano, sí que al menos estén dispuestos a dejar en suspenso toda noción y juicio previo, aunque sólo sea por el tiempo que les lleve leer este capítulo, deteniéndose a considerar cuál puede haber sido la intención de Dios al determinarlo así.[1]

## En el principio

Un buen debate sobre la dinámica de los distintos papeles dentro del matrimonio tiene necesariamente que empezar analizando lo querido por Dios en origen, y cómo hombres y mujeres han ido echando a perder esa intención, y cómo Jesús ha redimido con su vida y obra las diferencias de género. Únicamente dando esos pasos previos estaremos verdaderamente en condiciones de examinar los difíciles, y controvertidos, conceptos de autoridad, sumisión y liderazgo, junto con la noción de ayuda idónea.

La primera alusión que se hace en la Biblia a la diferencia de género la encontramos en la primera mención de la humanidad.[2] *"Creó Dios al hombre a su imagen, a imagen de Dios lo creó; varón y hembra los creó" (Génesis 1:27).* Lo que significa que nuestra condición respectiva de masculino y femenino no es algo accidental o fortuito en nuestra humanidad, sino que es parte de su misma esencia. Dios no creó al ser humano indiferenciado para, posteriormente, separarlo en hombre y mujer, sino que, desde el principio mismo, fueron hombre y mujer respectivamente. Cada célula de nuestro cuerpo lleva la impronta XX o XY. Lo que supone que yo no voy a poder entenderme en lo personal si trato de prescindir de una diferencia creada por Dios mismo, o si menosprecio los dones y capacidades dispuestos para la adecuada realización de mi condición. Si el pensamiento posmoderno acerca del género como una "invención social" fuera acertado, la consecuencia lógica sería seguir cada uno su propio camino según mejor le pareciera. Pero si la diferencia de sexo es parte intrínseca de nuestra naturaleza, estaremos arriesgándonos a perder una parte fundamental de nuestra esencia personal si no lo tenemos en cuenta.

Pero Génesis nos informa de que el hombre y la mujer fueron creados en total igualdad. Ambos fueron hechos a imagen y semejanza de Dios, bendecidos de la misma manera e igualmente asignados para ejercer *"dominio"* sobre la tierra y todo lo que hay en ella. Lo que significa que hombres y mujeres por igual, con plena participación no discriminada, han de cumplir con esa ordenanza en la construcción de la civilización y la cultura. Ambos sexos están llamados a crear ciencia y arte, y familias, y comunidades.[3]

Nada más crear al hombre y a la mujer, Dios les instó a *"multiplicarse"* y a *"poblar la tierra"*. La procreación forma parte de esa capacidad creativa en semejanza a la obra creadora de Dios. Ahora bien, es evidente que un don tan extraordinario sólo puede llevarse a cabo de forma conjunta. Ninguno de ambos sexos tiene en sí lo necesario para poderlo hacer. La unión complementaria es factor imprescindible, de lo que se desprende una dignidad y un valor idénticos.

Al ver Dios a Adán solo, varón sin hembra, su juicio es claro: *"eso no es bueno."*[4] Es la primera y única cosa que Dios destaca como necesitada de perfección en una creación en todo lo demás perfecta y buena. Adán es la fuente material de Eva y se le adjudica de inmediato la responsabilidad de ponerle nombre propio. Esas dos características presentes en el relato constituyen la base de los posteriores postulados en el Nuevo Testamento acerca de la *"supremacía"*.[5] Ahora bien, a pesar de esa autoridad masculina, la mujer no es presentada como algo inferior, sino que, muy al contrario, es considerada *"ayuda idónea" (Génesis 2:18).*

*"Ayuda idónea"* no traduce adecuadamente el término original hebreo *´ezer*. "Ayuda" connota mera asistencia en la realización de una tarea que podría hacerse sin ayuda. Pero *´ezer* se aplica casi siempre a Dios mismo en su actividad. En otras ocasiones, se refiere a la ayuda que proviene de la fuerza de un ejército, y sin ella es muy probable que se perdiera la batalla. "Ayudar" a alguien

supone entonces compensar lo que le falte de fuerza.[6] La mujer entraña esa ayuda tan particular y especial, *"ayuda idónea y fuerte"*.

El calificativo de idónea en relación a esa ayuda no comunica toda la fuerza del original. En una versión genuinamente literal, diría "como su opuesto".[7] En el relato de Génesis 2, en el que se le quita al hombre una parte de su anatomía para crear a la mujer, la idea que se transmite es la de complementariedad. La primera parte en origen no está completa hasta unirse a la otra.[8]

Varón y hembra son lo distinto pero complementario. Son por ello como dos piezas de un puzzle que encajan aun siendo diferentes, contribuyendo, sin embargo, a crear una totalidad perfecta. Cada sexo está capacitado para asumir distintas responsabilidades dentro de un Gran Diseño.

Génesis 3 nos informa acerca de la Caída, como episodio en el que tanto el hombre como la mujer pecaron contra Dios, siendo por ello expulsados del Paraíso. La unidad entre hombre y mujer sufrió un cambio crucial. Las recriminaciones y las quejas hicieron su aparición.[9] En vez de vivir la diferencia como algo complementario y positivo, se convirtió en motivo de opresión y explotación. La mujer se volvió dependiente del marido, siendo para él su deseo, mientras que la protección por parte del hombre fue de egoísta deseo sexual y de clara explotación.

## La interacción en la Trinidad

En la persona de Jesucristo y en su obra, empezamos a ver la restauración de la unidad del origen y del primer amor entre los sexos. Jesús eleva y señala esa igualdad entre hombre y mujer por ser ambos portadores de la imagen divina, pues así se refleja en el mandato de la creación,[10] redimiendo y dando nuevo significado a los distintos papeles, y ello tanto en lo concerniente al liderazgo como a la subordinación complementaria o *´ezer*.

En Filipenses 2:5-11,[11] tenemos uno de los primeros himnos de alabanza a Jesús, celebrando expresamente su igualdad en divinidad en relación a Dios. Ahora bien, Jesús renunció a la gloria que le correspondía para asumir la función de siervo. Pero no que por ello perdiera su divinidad, sino que se sometió voluntariamente, estando dispuesto a morir al servicio de su Señor. En ese pasaje, se nos muestra la cualidad esencial de la Primera y Segunda Persona de la Divinidad, y ello junto con la sumisión voluntaria del Hijo respecto al Padre para salvación de la humanidad. Permítaseme resaltar aquí la voluntaria aceptación por parte de Jesús de esa misión, en cuanto que ofrenda voluntaria al Padre. Yo descubrí en mi matrimonio que la sumisión era un don que yo ofrecía voluntariamente, no algo que estuviera obligada a hacer.

En mi lucha por comprender la *igualdad* de género, dentro de papeles distintos, ese fue el pasaje que quitó hierro al concepto de subordinación asignado al sexo femenino. Si es que verdaderamente puede decirse que una chica de los años 50 fue criada libre de "prejuicios de género", esos fuimos mis hermanos y yo. Mi madre era la única mujer de su entorno con estudios universitarios. Yo crecí sin tener que plantearme nunca la igualdad con otros chicos, y jamás se me ocurrió pensar que hubiera que dividir el mundo entre lo masculino y lo femenino, salvo a la hora de ir a los lavabos públicos. Eso supuso que el movimiento feminista fuera un choque tremendo para mí. ¿Es que era realmente cierto que había mujeres maltratadas, explotadas, marginadas y sometidas a un trato de inferioridad? El que hubiera que poner remedio, fue la primera noticia que tuve yo de la existencia de ese mal.

Aun así, cuando empecé a oír la postura cristiana al respecto, resumida en un "distintos pero iguales", me sonaba demasiado a "separados, pero iguales" como slogan de la segregación. Todo eso supuso que mi primer contacto con la idea de liderazgo y sumisión me resultara traumático tanto intelectual como moralmente. Afortunadamente, tuve varios maestros de escuela dominical que me hicieron reflexionar acerca de ese pasaje en Filipenses 2. Y así fue cómo de repente lo vi claro. Si someterse a la voluntad del Padre no constituía atropello a la dignidad ni a la divinidad de la Segunda Persona de la Trinidad (sino que llevaba a una gloria mayor), asumiendo para ello el papel de siervo, ¿cómo iba a suponer un agravio para mí aceptar un papel similar al de Jesús (salvando las distancias) en mi matrimonio?

Ese pasaje es uno de los primeros en los que se muestra la gloriosa conjunción de tareas en el seno de la Trinidad. El Hijo cede ante la prioridad del Padre, aceptando una subordinación. El Padre acepta esa dádiva, exaltando después al Hijo a los lugares más altos. Se complacen mutuamente, siendo asimismo mutua la exaltación. El amor y el honor se intercambian, se aceptan y se vuelven a actualizar. En 1 Corintios 11:3, el apóstol Pablo dice expresamente lo que está implícito en Filipenses 2, a saber, que la relación existente entre Padre e Hijo es el modelo a seguir en la relación entre marido y mujer.[12] El Hijo se somete a la supremacía del Padre de forma libre y voluntaria, con gozosa disposición, no por coerción o en posición de inferioridad. La supremacía del Padre se reconoce en recíproco deleite, con el debido respeto y con supremo amor. No hay diferencia en capacidad o dignidad. Nosotros tenemos distinto sexo como reflejo de la relación trinitaria. Hombre y mujer están llamados por igual a contemplarse y plasmar la "interacción" de la Trinidad, en amor, sometiéndose de forma voluntaria y valiente a una autoridad. El Hijo asume un papel subordinado, haciendo patente con ello no debilidad sino grandeza. Esa es una de las razones por las que Pablo puede afirmar que el matrimonio es un gran *"misterio"* que nos permite acercarnos al núcleo esencial del corazón de Dios operando en la salvación *(Efesios 5:32).* C. S. Lewis dijo en ese sentido: "En la imaginería usada para describir a Cristo y a la Iglesia, nos encontramos con lo femenino y lo masculino, y no como meros fenómenos naturales, sino como reflejo vivo y tremendo de una realidad que nos supera y que escapa a nuestra capacidad de comprensión".[13]

## ¿En qué consiste esa supremacía?

El entender por fin que la sumisión debido a mi sexo no era algo ni denigrante ni peligroso fue un gran paso para mí. Yo era mujer y a mi alrededor bullía la efervescencia de los primeros momentos del feminismo, aunque he de decir que nunca sentí personalmente la necesidad de acogerme a sus directrices ni a su protección. Elegir libremente "someterme" o ser "sumisa" no era una realidad en mi vida, ni tampoco era algo que se entendiera, se viviera o se fomentara en mi círculo.[14]

Pero todavía fue un paso mayor entender que los *hombres* tenían que someterse igualmente dentro de su sexo. De hecho, están llamados a ser "líderes y siervos".

En el mundo actual, estamos acostumbrados a ver las ventajas y los privilegios de los que ocupan un lugar elevado en la escala social —baste, como botón de muestra, todos los privilegios y atenciones que reciben en un vuelo los pasajeros de Primera. Las personas con sustanciosas cuentas bancarias son atendidas de forma más rápida y atenta que el resto de la clientela.

Pero, en la interacción que tiene lugar en el seno de la Trinidad, el mayor y más importante es el que está dispuesto a renunciar a sí mismo, a sacrificarse para beneficio de otros y a ser más constante y fiel en su servicio al Otro. Jesús redefinió o, mejor aún, definió en la forma adecuada la noción de supremacía y autoridad, vaciándolo de su toxicidad. Y así es y ha de ser para aquellos que queremos vivir bajo sus normas y no según lo que el mundo dicta.

En Juan 13:1-17, Jesús, la noche anterior a su muerte, lavó los pies de sus discípulos, enseñándoles con ello cómo ha de entenderse y vivirse la autoridad y la supremacía. En palabras suyas:

> "... *¿Sabéis lo que os he hecho? Vosotros me llamáis Maestro, y Señor; y decís bien, porque lo soy. Pues si yo, el Señor y Maestro, he lavado vuestros pies, vosotros también debéis lavaros los pies los unos a los otros. Porque ejemplo os he dado, para que como yo os he hecho, vosotros también hagáis. De cierto, de cierto os digo: El siervo no es mayor que su Señor, ni el enviado es mayor que el que le envió.*
>
> *(Juan 13:12-16)*

El maestro actuó como un siervo al lavar los pies a sus discípulos, demostrando con ello, en la forma más elocuente y extraordinaria que pueda pensarse, que la autoridad y el liderazgo conllevan servicio, y que es necesario morir primeramente para después poder servir. Jesús redefinió la noción de autoridad como derivada del servicio. Todo ejercicio de poder ha de ir acompañado de un espíritu de servicio, no debiendo servir nunca para propia y exclusiva satisfacción. Jesús no vino al mundo para ser servido, al contrario de lo que esperan las grandes figuras de autoridad, sino para servir él, hasta el extremo de entregar su vida voluntariamente para beneficio nuestro.

Los discípulos de Jesús confesaron con toda honestidad que no lo habían entendido así, discutiendo por ello la víspera de la muerte expiatoria de Jesús quién iba a tener el honor de sentarse a su derecha y quién a su izquierda, en el inminente gobierno que esperaban que instituyera aquí en la tierra. Pero Jesús deja bien claro su concepto de autoridad y liderazgo: En el mundo, los gobernantes y los altos cargos ejercen autoridad dominando a las personas. *Pero no así con vosotros*. Los que hayan de ejercer el liderazgo lo tendrán que hacer al servicio de los demás, imitando con ello al Maestro, que *"no vino para ser servido, sino para servir..."*.[15]

Tras la resurrección, y de forma posterior a la venida del Espíritu Santo, las palabras pronunciadas al respecto por Jesús adquirieron un nuevo sentido, expresando por fin su verdadero significado. Para cuando Pablo redactó Efesios, la relación de Jesús con la iglesia se había convertido en paradigma para el matrimonio. Como iglesia que somos, nos sometemos a Cristo en todo, y el paralelismo de la esposa sometiéndose "en todo" al marido deja de ser algo abrumador y opresivo, y ello justamente porque sabemos cómo a su vez tiene que comportarse el marido. ¿Qué modelo es ese? El mostrado por el propio Jesús, como siervo y líder a la vez, que utiliza su autoridad y su poder para hacer manifiesto un amor que llega hasta la muerte a favor de los que ama.

En Jesús, el autoritarismo no tiene razón de ser, siendo, en cambio, glorificada la humildad de la sumisión. Sumisión que no supone desvalorización, sino que conduce a la glorificación final, *"exaltándole Dios al más alto lugar, y dándole un nombre que es sobre todo nombre"*. ¿Significa eso, por analogía, que el marido cuida de su esposa, por cuanto ella se somete, para ser elevado en gloria él mismo? No tengo respuesta para eso. Pero sí sé que si el papel de la mujer en relación al marido es análogo a la sumisión que ha de tener la iglesia respecto a Cristo, no habrá nada que temer.

Hombre *y* mujeres por igual "asumen el papel de Jesús" en el matrimonio —en cuanto a una autoridad y una sumisión sacrificial. Al aceptar los respectivos papeles en función del sexo, aplicándolo en la práctica a la relación en el matrimonio, podremos mostrarle al mundo conceptos que, de otro modo, no serían fácilmente inteligibles.

## La aceptación de la pareja

Dado que Dios ha llamado específicamente a la mujer a ser *"ayuda idónea"* para su marido, sería muy extraño que no dotara tanto a hombres como a mujeres con capacidades apropiadas para la adecuada realización de sus respectivos papeles. Lo más obvio son las características físicas de la mujer para tener hijos y amamantarlos, a lo que hay también que añadir unos rasgos emocionales y psicológicos que complementan lo físico, y ello dentro de un amplio espectro.

Es justamente en ese sentido donde, un tanto sorprendentemente, alguna de las teorías propuestas por el feminismo coincide con la enseñanza bíblica respecto a las diferencias de sexo. Los hombres y las mujeres no son intercambiables, ni tampoco seres unisex, contando, por tanto, con distintas capacidades que les permiten resolver problemas, llegar a un acuerdo y ejercer un liderazgo de manera distinta. En un muy interesante estudio al respecto, aparecido en *New York Times* bajo el título "When Women Make Music", una mujer directora de orquesta, compositora y estilista musical, esbozaba las líneas maestras del modo en que las diferencias según sexo incidían en esas tres áreas en particular, señalando que ella dirigía la orquesta de manera distinta a sus colegas masculinos.[16] En concreto, sostenía que puede incluso que el estilo femenino sea "mejor" que el masculino, insistiendo, además, en que los músicos que ensayan con una mujer directora de orquesta "acaban interpretando mejor". No ha de sorprendernos que le llovieran las protestas al autor del artículo por sexismo de signo contrario. Pero lo cierto es que sí hay una diferencia notable en la manera como hombres y mujeres acometen una misma tarea, hecho comprobado mediante estudios empíricos a lo largo de las dos últimas décadas, ratificándose con ello la profunda diferencia de género en cuanto al modo de pensar, sentir, comportarse, trabajar y relacionarse.

Uno de los primeros estudios del feminismo que defendía una irreductible diferencia de sexo fue el de Carol Gilligan en su libro *In a Different Voice*, publicado en 1982. Harvard University Press, editora del libro, lo presentó en su momento como "un pequeño libro que ha puesto en marcha una gran revolución". Cierto que, con anterioridad, la ciencia social teórica ya enfatizaba lo superficial de las diferencias de sexo, pero Gilligan insistía en que la psicología femenina, sus motivaciones y su línea de razonamiento moral eran distintas a las de los varones.[17] Según ella, mientras que los hombres basan su madurez en la independencia, las mujeres la encuentran en el compromiso.[18]

Sea cuál sea el baremo que se aplique, general o específico, y ello dentro de un amplio espectro, es innegable que el hombre tiene el don de la independencia y de la proyección hacia el exterior. Su mirada es siempre hacia el horizonte. Y su instinto es iniciar proyectos y ponerlos en marcha. Con la aparición del pecado, esos rasgos se concretaron en un individualismo de tipo macho alfa, cuando esa capacidad se convierte en ídolo, o de dependencia, si se rechaza el llamamiento para asumir lo opuesto en actitud rebelde. En el primer caso, el pecado es la hipermasculinidad, mientras que, en el segundo, es el rechazo de la propia masculinidad.

Y sea cuál sea el baremo que apliquemos para lo femenino, está claro que la mujer tiene el don de la interdependencia y de la capacidad receptora. Su percepción opera internamente. Su tendencia es a nutrir. Con la aparición del pecado, esas características pueden dar lugar a una dependencia no deseable, si el apego se convierte en un ídolo, o en individualismo, si se hace caso omiso de ese llamamiento para abrazar con rebeldía lo opuesto. En el primer caso, el pecado es la hiperfeminidad, mientras que, en el segundo, es el rechazo de la propia feminidad.

La interacción en la Trinidad debería prepararnos para esperar diferencias de esa clase y asimismo otras más en distintas áreas, por estar precisamente hechos a imagen y semejanza de Dios.[19]

Lamentablemente, los que más se esfuerzan por negar las diferencias innatas entre hombres y mujeres (menor en número ahora que las investigaciones científicas y médicas han unido fuerzas con los estudios psicológicos y sociológicos) puede que acaben devaluando a la mujer en aquello que trataban de preservar. La conducta masculina de dominio, presunción e insensibilidad (inexcusablemente pecaminosa) suele asumirse ahora como el modelo a seguir si es que aspiramos a ser tomados en serio y a progresar. A las mujeres, se les pide por ello que dejen a un lado sus cualidades femeninas y que se "comporten" masculinamente para poder ocupar un puesto "junto a los hombres". Aspectos positivos tales como un liderazgo de distinto signo, una sensibilidad creativa diferente y una percepción de las cosas distinta, por nombrar tan sólo unos cuantos, que la mujer podría aportar al mundo de los negocios, a las relaciones personales e incluso al ministerio dentro de las iglesias, se pierden por falta de visión y de mentalidad abierta.

En los últimos treinta años, han sido muchos los filósofos y sociólogos que se han ocupado del "problema de la Otredad".[20] Así, lo natural parece ser definir la identidad particular en oposición a lo que es distinto. Práctica que se racionaliza como refuerzo automático de la propia valía y singularidad mediante exclusión y descalificación de los Otros en cuanto que distintos. Sin embargo, los cristianos podemos reconocer y admitir la tendencia innata en el ser humano a justificarse, esta actitud nos lleva a menudo a despreciar a aquellos que piensan, sienten y se comportan de forma diferente a la nuestra. El orgullo de raza, clase y valía personal tiene su origen en el distanciamiento del corazón humano respecto a Dios, viéndonos obligados por ello mismo a demostrar a toda costa nuestra valía y a buscar una identidad propia en base a una supuesta superioridad tanto de fondo como de forma.

Uno de los ámbitos en que más acusadamente se experimenta y actualiza la "exclusión del Otro" es el sexual. Amar a alguien del sexo contrario lo vivimos como tarea *dura y difícil.* Los equívocos, las explosiones de ira y las consiguientes lágrimas están a la orden del día. Los hombres tienden a infravalorar a las mujeres en las pausas del café en el trabajo, haciendo comentarios despreciativos de unas diferencias que ellos ven como defectos. Las mujeres reaccionan señalando mordazmente sus fantasías de masculinidad y su debilidad de fondo. ¿Conoce el lector a alguien que, respectivamente, no exclame de vez en cuando "¡Bueno! ¡Hombres!", "¡Bah! ¡Mujeres!", con un tono claramente descalificatorio? Pero hay que admitir el abismo de incomprensión que mantiene apartados a hombres y mujeres. Está claro que nos cuesta entendernos. Y, dado que la tendencia humana es a desprestigiar aquello que no entiende, se da por sentada la inferioridad y deficiencia del sexo opuesto. La cuestión es que esa incapacidad para reconocer lo que de valioso tiene el sexo contrario[21] hace que se pierda la capacidad y el conocimiento necesarios para relacionarnos y disfrutar con lo totalmente Otro.

Ahora bien, ahí es donde puede intervenir la postura cristiana respecto al matrimonio. Visto desde la perspectiva bíblica, el matrimonio salva el abismo de separación entre los sexos. En el matrimonio, la aceptación del sexo opuesto ha de ser plena. De hecho, no sólo aceptamos las diferencias por razón del sexo, sino que nos esforzamos, y hasta luchamos, por superar esa "otredad", siendo el resultado una potenciación de las distintas cualidades que pueden así florecer y culminar en un crecimiento para madurez y realización personal. Ya en Génesis, se nos advierte de la diferencia entre sexos para una oposición en potencia. Radicalmente diferentes, desde luego, pero también incompletos sin esa unión. He tenido amigos homosexuales, tanto hombres como mujeres, que me han dicho que uno de los factores que hace el amor homosexual atractivo es lo fácil que resulta relacionarse con alguien del mismo sexo. No lo pongo ni por un momento en duda. Una persona del mismo sexo no va probablemente a ser tan "distinta" como alguien del sexo contrario. Pero el plan de Dios para el matrimonio es aceptar e integrar las diferencias en plena unidad, y eso es algo que sólo puede darse entre un hombre y una mujer.[22] Incluso respecto a los átomos, el universo entero se mantiene unido en base a la atracción entre polos opuestos y fuerzas negativas. Aceptar e integrar lo Distinto *es* lo que realmente hace que el mundo siga girando.

## La Cruz y lo distinto

En el seno de un auténtico matrimonio, se producen choques realmente sísmicos por distinta mentalidad. Y no se trata simplemente de que los sexos sean y se comporten de forma diferente, sino que, respectivamente, nos cuesta mucho *entender* esas diferencias. Al enfrentarnos a ese dilema, en lo que parece un choque contra un muro insalvable, nuestra naturaleza de pecado tiende a reaccionar adjudicando un sentido moral a algo que no es más que un temperamento distinto. Los hombres viven la necesidad de las mujeres de "interdependencia" como pura *dependencia*, mientras que las mujeres viven la exagerada necesidad de independencia de los hombres como un ego en estado puro. Los maridos y las mujeres pueden distanciarse por ello, entre otras cosas porque caemos todos por igual en el error de descalificar esas diferencias por razón de sexo.

Pero en Jesús tenemos el modelo y el poder necesarios para actuar de forma muy distinta.

Miroslav Volf, en su escrito *Exclusion and Embrace*, nos hace ver que el Dios de la Biblia acepta plenamente lo Distinto, esto es, lo que vivimos como totalmente Otro, en definitiva, a todos nosotros sin distinción. En cita de otro teólogo, Volf dice:

> *En la cruz de Cristo, [el amor de Dios] está presente y activo para beneficio de los otros, esto es, para la humanidad pecadora, por cuanto somos enemigos recalcitrantes. La mutua rendición en el seno de la Trinidad se hace patente en la entrega que Cristo hace de su persona a favor de un mundo en oposición a Dios. Entrega que tiene como resultado que todos cuantos creen en Él disfruten de vida eterna por razón del amor divino.*[23]

Cristo aceptó plenamente lo que es "Distinto", en cuanto que representativo de una humanidad en pecado, sin por ello excluirnos y confinarnos a un juicio. Aceptación que llevó al extremo de morir en la cruz por nuestros pecados. El amor al Otro, sobre todo si nos es hostil, entraña sacrificio. Supone exponerse a un rechazo, a ataques y a traición.[24] La salida más fácil entonces es abandonar. Pero Jesús no lo hizo así. Muy al contrario, nos aceptó y nos amó, sin reservas, aun siendo nosotros lo totalmente distinto, acogiéndonos para una relación de plena unión con él.

Contar con la seguridad de esa gracia particular, que cubre toda falta y pecado, imparte a los creyentes una nueva identidad que no lleva implícita ni exclusión ni superioridad para hacerse efectiva. En Cristo, tenemos una seguridad profunda e inamovible. Sabemos quiénes somos en él y eso nos libera del impulso humano de despreciar lo que no es como nosotros. Seguridad, además, que nos capacita para acoger antes que excluir, y de forma muy particular en lo que respecta a nuestra pareja dentro del matrimonio, por muy incomprensibles e irritantes que sean nuestras respectivas diferencias.

En la concepción bíblica del matrimonio, esa seguridad de fondo forma parte de su extraordinaria capacidad para la aceptación y el cambio. Dos personas de diferente sexo se comprometen hasta el punto de sacrificarse para poder aceptarse y amarse como lo verdaderamente Distinto. Proyecto que nunca es fácil, y casi siempre complicado, pero que nos lleva por el camino del verdadero progreso en madurez como ninguna otra posible experiencia, generando finalmente una profunda solidaridad complementaria entre los dos sexos. Todo ello no tiene, desde luego, nada que ver con quién aporta el sueldo más grande o quién se sacrifica más por los hijos. El modelo de familia en el que el hombre salía de casa para ir al trabajo, y la mujer se quedaba en el hogar con los niños, es una concepción relativamente reciente. Durante siglos, el marido y la mujer (y, en la mayoría de los casos, también los hijos) trabajaban o en el campo o en el taller artesano. Los detalles externos de la división del trabajo entre los distintos miembros de la familia eran cambiantes, según variaban las costumbres de la sociedad; pero el cuidado responsable de un marido atento a las necesidades de su pareja y familia, haciendo un uso debido de la autoridad que le correspondía, junto con la sumisión voluntaria y deferente de su esposa recuperan de forma extraordinaria e insuperable el equilibrio y propósito de la creación original.

## La aceptación del Otro en el hogar

Por muy inspirador que todo eso pueda resultar sobre el papel, ¿cómo funciona todo ello en la práctica y cuáles son los verdaderos resultados?

En primer lugar, hay que partir de un terreno firme y seguro ya desde el principio, porque, si no, va a ser realmente difícil poner en práctica esa clase de autoridad y correspondiente sumisión. Y digo esto porque soy plenamente consciente de la advertencia, por parte de Dios, de que el pecado inducirá al hombre a tratar de dominar a la mujer *(Génesis 3:16)*.[25] Esa es, pues, la razón de que sea crucial que las mujeres que quieran aceptar los diferentes papeles, y cometidos, según género en el marco del matrimonio, encuentren un marido verdaderamente dispuesto a ser líder y *siervo* como ayuda responsable.

La mayoría estamos familiarizados con los anuncios de televisión que incluyen una nota precautoria indicando que la proeza en cuestión, sea esta cual sea, no se debe intentar repetir en casa.[26] Pero, en lo relativo a los distintos papeles según sexo, el caso es justamente lo contrario: "Ponga esto en práctica exclusivamente en el seno del hogar o en la comunidad de creyentes, la iglesia".[27] Hay que ser verdaderamente creyentes, y conscientes por ello mismo de nuestra cualidad de pecadores, para intentar aplicar en la actualización de nuestro cometido, y en el marco concreto del matrimonio, nuestra herencia de recursos tales como el arrepentimiento y el perdón, y ello como algo verdaderamente a nuestra disposición y con frecuencia necesario.

Yo nunca voy a permitirme ignorar, o tomar a la ligera, las terribles estadísticas de mujeres que han sufrido maltrato y abusos por parte de hombres que han pervertido el verdadero sentido del concepto bíblico de "liderazgo" y "sumisión" para hacer de ello instrumento de tortura. La iglesia no deberá ni ignorar ni quitar importancia al sufrimiento ahí experimentado. Pero sí que ruego encarecidamente que no confundamos norma y regla con práctica perversa particular, desestimando con ello algo que no es malo en sí y menos aún prescindible. Condenemos, pues, los abusos de la norma con todos los posibles medios a nuestra disposición, pero conservemos el verdadero fondo y espíritu de lo instituido por Dios, que, en este caso, supone aceptar los diferentes cometidos y capacidades por género, a la luz de lo enseñado y practicado por el propio Jesús.

El hogar, pues, puede ser un foco de luz del que irradien nuevas formas de conducta para la sociedad en general, siendo los distintos papeles según sexo el medio para alcanzar una más profunda comprensión de nosotros mismos y una más íntima y positiva unión con lo Otro.[28] En el contexto del matrimonio, entendido como un ministerio, se insta a las mujeres a "someterse" a los maridos, y a los maridos a ser "cabeza" responsable de sus esposas.

En segundo lugar, la pareja como tal tiene necesariamente que entender bien uno de los más sorprendentes aspectos de la enseñanza bíblica relativa al distinto cometido por género dentro del matrimonio. Ahora bien, aun estando sin duda muy claro el principio como tal, esto es, que el marido debe ser líder y siervo, correspondiéndole la autoridad final con plena responsabilidad, la Biblia no indica cómo se hace manifiesta en la práctica. ¿Deberán, por tanto, las mujeres no trabajar nunca fuera de casa? ¿Tienen que renunciar a ocupar un puesto dentro de la ciencia y de la cultura? ¿Nunca deben ayudar los maridos en las tareas de la casa? ¿Es obligación de la mujer cuidar de los niños, ocupándose de las finanzas el marido? Las personas de mentalidad tradicional tendrán la tentación de asentir a todas esas cuestiones, hasta que se les hace ver que no hay un solo pasaje en toda la Biblia que así lo indique. Las Escrituras no proporcionan una lista con todo lo que hombres y mujeres deben y no deben hacer. *No* hay al respecto ni una sola indicación.

¿Cómo es que esto es así? De entrada, hay que tener en cuenta que los libros de la Biblia fueron escritos hace ya siglos y en el entorno de culturas muy distintas. Si se hubieran puesto por escrito normas y reglas para distintos cometidos de hombres y mujeres en el entorno de sociedades mayoritariamente agrarias, su aplicación actual sería muy difícil, por no decir hasta inviable. Pero las Escrituras no lo hacen así en ninguno de sus distintos escritos.

¿Qué significa eso para nosotros hoy día? Sencillamente, que no hay justificación alguna para los esquemas culturales rígidos. Los cristianos no podemos argumentar con la Biblia en la mano a favor de estereotipos masculinos o femeninos. Y aun siendo cierto que los sociólogos han hecho propuestas coherentes respecto a las diferencias de sexo en cuanto a la expresión de emociones, el comportamiento en las relaciones, la toma de decisiones, las distintas personalidades y las culturas y tradiciones diferentes expresarán esas diferencias de maneras distintas. Un hombre que tal vez sea considerado un padre autoritario en América, puede parecer incluso pasivo en un país de cultura no occidental. Por ello, es necesario, y hasta imprescindible, encontrar maneras alternativas de honrar y expresar los distintos papeles por género, concediendo la Biblia amplia libertad en cuanto a su diversidad, si bien, claro está, manteniendo unos principios básicos irrenunciables.[29]

Cuando nos mudamos a Filadelfia, tras aceptar Tim un puesto como profesor en el Seminario Teológico Westminster, nos compramos una casa por primera (y única) vez. No mucho después, se hizo evidente que con el sueldo de Tim no podíamos cubrir gastos de hipoteca y, además, vivir, y por eso yo acepté un trabajo de media jornada como editora en Great Commission Publications. Tenía que salir de casa pronto por la mañana, todo el año, siendo, en cambio, el horario de Tim mucho más flexible y con una jornada de trabajo en verano que le permitía hacer de "Mamá", llevando los niños al colegio por la mañana y cuidando de ellos durante las vacaciones. Un observador imparcial, viendo nuestro matrimonio, podría haber pensado en un trueque de papeles. Pero no era así. Pese a las apariencias externas de intercambio de papeles, seguí siendo colaboradora incondicional de Tim, haciendo posible que él siguiera con su actividad docente.

Yo misma puedo pensar en dos posibles objeciones a todo lo dicho hasta aquí. La primera vendría de parte de la persona que quiere siempre algo más definido: "¡Necesito indicaciones más claras sobre cómo poner todo eso en práctica! ¿Qué es en concreto lo que debe hacer el marido y que no tiene que hacer la esposa? ¿Qué hace la esposa y qué no hace el marido? ¡Quiero cosas concretas!". La respuesta es, sencillamente, que la Biblia, de forma deliberada, no proporciona esa clase de respuestas, lo que, sin embargo, es de gran ayuda para las parejas con mentalidad más tradicional para no caer en la postura fácil de "Es que así es como se ha hecho siempre en *mi* familia". Pero lo que importa, en todo caso, es que todas las parejas son, o pueden ser, diferentes, viviendo en momentos y situaciones distintas. Las cuestiones básicas, esto es, el de ayuda idónea y el de líder, son absolutamente vinculantes, pero eso no significa que la pareja no pueda decidir conjuntamente cómo van a actualizarse en su vida en común. El proceso de tomar todas esas decisiones, necesarias e importantes como son, formará parte de todo un proceso mental que habrá de reconocer y honrar las diferencias de género.

Cómo no, es posible que haya mujeres que se frustren ante la mera idea de un liderazgo masculino: "Estoy de acuerdo en que hombres y mujeres son profundamente diferentes debido a su sexo, pero ¿significa eso necesariamente que es el *hombre* el que ha de imponer su criterio? Si hombres y mujeres son iguales en dignidad, pero diferentes en cuanto a su mentalidad de fondo, ¿cómo es que el hombre es la cabeza regente?". Creo, sinceramente, que la respuesta más honesta es que lo desconocemos. ¿Cómo es que Jesús, el Hijo de Dios, se sometió y sirvió de forma voluntaria? *(Filipenses 2:4 ss.)* ¿Por qué no asumió el Padre esa tarea? Ignoramos la razón. Pero lo que sí sabemos es que su obediencia y sumisión fueron muestra inequívoca de grandeza, no de debilidad.

Mi opinión personal es que hay una respuesta más práctica para la segunda objeción, e incluso puede que también para la primera. Es justamente el esfuerzo de someternos a los respectivos papeles, de líder en el servicio y ayuda idónea, lo que nos ayudará a tomar contacto con la auténtica realidad de esas diferencias, para así honrarlas y disfrutarlas como se merecen.

En el hogar, la Biblia nos instruye, tanto a hombres como a mujeres, para que hagamos patentes nuestros diferentes dones en el ámbito de las funciones propias de una familia --¡todos juntos formamos un equipo! A las esposas, se las exhorta *de forma más directa y con mayor frecuencia* a ser ayuda idónea y a dar ánimos al marido *(1 Pedro 3:1-2, 4)*, y *más directamente y con mayor frecuencia* a cuidar de sus hijos y de la marcha del hogar *(Tito 2:4-5)*. A los maridos se les exhorta *más directamente y con mayor frecuencia* a ser líderes, a proveer para su familia y a protegerla, pero sin dejar por ello de cumplir con su obligación respecto a la crianza y educación de los hijos *(1 Timoteo 3:4; 5:8)*.

Dones todos ellos que pueden oscilar en fuerza o debilidad dentro de un gradiente, pero que, si aceptamos nuestros respectivos papeles según sexo como un don de Dios, trataremos de mejorar nuestros puntos débiles en vez de negarlos. Tim y yo, por ejemplo, procedemos de hogares con esposas dominantes y maridos pusilánimes, por lo que nuestra tendencia natural al casarnos fue la de reproducir lo que habíamos vivido en nuestras respectivas familias. Nos llevó mucho tiempo, y un considerable esfuerzo, a la vista de que teníamos que nadar contra corriente, el renunciar a lo que, de forma innata, más nos atraía, y poder así yo ceder el liderazgo a Tim y él asumir ciertas responsabilidades que nunca antes se había planteado, a la vez que trataba de que no asumiera yo a la contra su papel, ni que él se escabullera de sus responsabilidades en cuanto a colaboración y apoyo.

Tim tuvo que trabajar por ello la cuestión del *liderazgo* entendido como *servicio,* considerándolo por fin como un don de parte de Dios para madurez y fortalecimiento. Pero lo cierto es que hay hombres que es posible que necesiten trabajar la cuestión del *servicio* dentro del liderazgo, aunque, de hacerlo así, la recompensa será vivirlo como una auténtica bendición. (Para más material relativo al papel que desempeñan los distintos sexos en la toma de decisiones dentro del matrimonio, véase el apéndice correspondiente al final del libro).

## La aceptación del Otro aumenta la sabiduría

La aceptación y sometimiento al modelo de matrimonio instituido por Dios hace que tomemos conciencia de una parte profunda de nosotros mismos, en cuanto que hombre o mujer, proporcionando a la convivencia en el matrimonio mayor amplitud de visión y un sólido equilibrio. Las cualidades de nuestra pareja van a ser una influencia positiva, generando la fuerza singular producida por la ternura y cumpliendo un servicio para mutuo beneficio. A Tim le gusta decir que, tras muchos años de matrimonio, todavía se encuentra a sí mismo en situaciones en las que está a punto de reaccionar, pero que, sabiendo de forma instintiva lo que yo diría o haría en semejante situación, se detiene por ello a pensar por unos instantes. "En ese breve tiempo, apenas unos segundos, me concedo a mí mismo la oportunidad de preguntarme, '¿Sería la posible reacción de Kathy en este caso más sabia y apropiada que la mía?'. Y me doy cuenta entonces de que mi repertorio de palabras y acciones se ha ampliado de forma considerable gracias a ella. Mi esposa me ha enseñado a ver la vida tal como ella la ve, y por eso yo tengo ahora una variedad de respuestas más amplia y mayores probabilidades de actuar de la forma más conveniente."

En resumen, el matrimonio es experiencia positiva tanto para los que tienen muy claro cómo actuar acordes con su sexo, como para los que ven puntos de conflicto o dificultad. Pero, sea cómo sea, lo que no se puede negar es que nos ayuda a ampliar horizontes y a ser más profundos.

En algunos apartados, Tim adolece de falta de asertividad (evidente en su deseo de no ofender a nadie). Pero en otros, en cambio, es ¡frustrantemente masculino! En ocasiones, no puedo menos que decirle "Estás furioso, ¿verdad?". A lo que él replica "En absoluto. Estoy perfectamente normal". Para, pasados dos o tres días, confesarme: "Tenías razón. No sólo estaba furioso, sino que además estaba dolido". Y entonces es cuando yo no puedo menos que pensar: "¿Cómo puede un ser *adulto* estar tan fuera de sintonía con sus sentimientos?". La tendencia de Tim es a mirar hacia el exterior y no se le da nada bien la introspección. Con el paso de los años, he tenido que ayudarle a cambiar esa actitud básica. Con respeto y con tacto, aunque sin cejar en el empeño. Pero otras veces, en cambio, me he descubierto a mí misma pensando: "Vas a tener que ser tú la que tome la iniciativa en este asunto en concreto, porque a ti se te da mucho mejor actuar sin dejar que te influyan los sentimientos".

Llegados a este punto, puede que alguien objete: "Es que esos no son más que estereotipos sexuales" —el varón, insensible, y la mujer, emotiva. Pero, por mucho que nos empeñemos, la verdad es que no lo son. Así somos, de hecho, Tim y yo. Los estereotipos suponen una masculinidad y una femineidad en desequilibrio y sin redimir. Pero el marido y la mujer se complementan. Y la unidad en la pareja nada tiene que ver con ideas preconcebidas. El apóstol Pablo habla de un "gran misterio" y es muy cierto que de forma un tanto inexplicable, y profundamente, nuestra pareja, esto es, el Otro, ejerce una labor de sanidad, siendo así recíprocamente.

Es importante y, además, absolutamente necesario tener presente que esa otra persona es completamente diferente. Por ello, pensará de forma distinta, actuará de otro modo y desarrollará una labor totalmente diferente. Y habrá, sin duda, ocasiones en las que la convivencia no sólo sea frustrante, sino asimismo intimidante. Pero, en un nivel más profundo, nos ayudará conocernos a nosotros mismos. Nuestra pareja es, en verdad, nuestra otra mitad. Dios obra en nuestras vidas para una plenitud muy particular en la unidad del matrimonio. Antes de la Caída, Adán y Eva no se avergonzaban por estar desnudos, no expresando por ello deseo de ocultarse. La relación de perfecta sintonía en unidad experimentada por ellos no ha vuelto a darse en la tierra. El pecado desbarató esa unidad. Ahora bien, si entendemos el matrimonio como una plenitud, la sumisión tiene su razón de ser.

## ¿Qué ocurre en un matrimonio en el que una de las dos partes no asume su rol?

Estar de acuerdo en que los distintos papeles según sexo es algo crucial en el matrimonio exige el consenso de ambos. Pero, ¿qué ocurre si tu pareja persiste en hacer una interpretación errónea del papel que le corresponde? ¿No sería entonces mucho mejor adoptar una postura igualitaria, sin diferenciación por sexos, practicada en sociedad como escudo protector ante malos usos y abusos?

La cuestión es que, aun siendo muy cierto que el pecado ha trastocado el orden natural de las cosas, echar por la borda los distintos papeles según género supondría, en primer lugar, que, a la vista de que la mención que se hace en la Biblia de los distintos papeles según género está íntimamente unida al relato de la creación, no es algo fácil desestimarlos sin más. Por otra parte, además, si los papeles asignados hunden sus raíces en la naturaleza de la relación existente en la Trinidad, alterar la intención divina respecto al matrimonio no es prerrogativa humana.

Las instrucciones que encontramos en el Nuevo Testamento respecto a la situación en que se encuentran los creyentes casados con incrédulos es un buen punto de partida en el tratamiento del tema que nos ocupa. Ahora bien, supongamos un marido, en un matrimonio, declaradamente cristiano con una esposa que no quiere saber nada de un papel según género que la insta a "someterse" a su autoridad. O pensemos en la esposa cuyo marido asiste a la iglesia pero que lee la Biblia un tanto erróneamente, permitiéndose por ello desestimar la opinión de su mujer, no aceptando contribución alguna por parte suya, sintiéndose ella por consiguiente absolutamente marginada. ¿Qué pensar y hacer en semejantes casos?

Sin haber sufrido yo personalmente situaciones semejantes, sí que tengo amigos cuyos matrimonios han pasado por ellas, e incluso más graves. De hecho, reconozco, de entrada, que soy pecadora, casada con otro pecador, lo que supone que no siempre vamos a cumplir con nuestros respectivos papeles a la perfección.

Un pilar básico en toda buena consejería es reconocer que "las únicas personas sobre la que podemos ejercer control somos nosotros mismos". La única conducta sobre la que podamos incidir y cambiar será la nuestra. Pero es asimismo muy cierto que para asumir más plenamente los papeles según género a partir de la definición bíblica no hace falta contar con el asentimiento de la otra persona. Dado que tanto el papel de liderazgo por parte del marido como el papel de sometimiento por parte de la mujer son ambos papeles para *servicio*, siempre se podrá servir sin esperar a que nos den permiso.

Un cambio de actitud interna de esa magnitud puede producirse antes de que entre en acción. El que un marido empiece a canalizar sus energías ayudando a su esposa a progresar espiritualmente (con independencia de cuál sea su punto de partida) puede significar que ha iniciado una vida de oración cuando anteriormente no existía. O tal vez sea la esposa la que cambie de actitud respecto a su marido, estando dispuesta a someterse pese a las reservas que tiene por la conducta un tanto inmadura de su marido en algunas ocasiones, y sin acusar tanto la falta de atención por su parte.

Los detalles particulares de la actualización de papeles en la pareja cambiarán en cada caso en particular, y asimismo lo harán los pormenores de la gloria dada a Dios, en el caso más delicado de un matrimonio falto de ese equilibrio. Pero de lo que no nos puede caber duda alguna es de que, si no somos capaces de sentir satisfacción obedeciendo a Dios, es un hecho cierto que tampoco la sentiremos al no hacerlo.

En definitiva, ¿por qué no ponerlo, pues, a prueba, asumiendo para ello el "papel de Jesús", según respectivo cometido y género, dentro del matrimonio?.

# Soltería y matrimonio

---

Cuando Kathy y yo (Tim) nos trasladamos a Manhattan para poner en marcha una nueva iglesia, pronto nos encontramos con que teníamos a nuestro cargo una congregación soltera en un 80 por ciento. Eso nos sorprendió un tanto, hasta que nos dimos cuenta de que nuestra iglesia, El Redentor, era reflejo de la demografía normal de esa zona de Nueva York. En los primeros meses, tras la puesta en marcha, yo di por sentado que una congregación mayoritariamente soltera no iba a necesitar mucha predicación sobre el matrimonio y la familia. Pero pronto se hizo evidente que yo estaba en un error, y para finales del verano e inicio del otoño de 1991, ya había predicado nueve sermones sobre el tema. El contenido esencial de esa serie de sermones ha dado forma a este libro.

¿Qué fue lo que me llevó a predicar sobre el matrimonio a personas solteras? La respuesta es que las personas solteras no pueden vivir adecuadamente como tales a menos que tengan una información equilibrada y adecuada sobre el matrimonio y su sentido. Carecer de esa información supondrá desear de forma desproporcionada el estar casado o, por el contrario, desestimarlo como algo no válido, siendo la resultante en ambos casos una visión distorsionada que puede pasar factura.

En 1 Corintios 7, el apóstol Pablo dice, "*¿Estás libre de mujer? No procures casarte. Mas también si te casas, no pecas; y si la doncella se casa, no peca; pero los tales tendrán aflicción de la carne, y yo os la quisiera evitar. Pero esto digo, hermanos: el tiempo es corto*" *(7:27-28)*. Este pasaje puede de entrada llevar a confusión, siendo la visión del matrimonio que presenta en contradicción con la exaltada visión del matrimonio en *(Efesios 5:21ss)*. ¿Hemos de pensar que el apóstol Pablo no estaba de humor el día que escribió ese pasaje? De hecho, no ha faltado quien señale que esa visión del matrimonio parece haber estado condicionada por una firme convicción de que Jesús iba a regresar de inmediato *"el tiempo es corto"*. Ahora bien, ¿no ha demostrado el paso de los siglos que Pablo estaba ahí equivocado?

Veamos aun así lo que el propio apóstol dice tras esa nota precautoria:

> *Pero esto digo, hermanos: que el tiempo es corto; resta, pues, que los que tienen esposa sean como si no la tuviesen; y los que lloran, como si no llorasen; y los que se alegran, como si no se alegrasen; y los que compran, como si no poseyesen; y los que disfrutan de este mundo, como si no lo disfrutasen; porque la apariencia de este mundo pasa.*
>
> *(1 Corintios 7:29-31)*[1]

Comprobamos ahí que lo que sigue tras *"el tiempo es corto"* es una muy completa visión de la historia. Pablo quería con ello subrayar cómo se van "solapando" los tiempos.[2] Los profetas del Antiguo Testamento anunciaban que el Mesías pondría fin al orden antiguo, un mundo de "muerte pronta y escasa felicidad", al que seguiría la nueva era del reino de Dios, en el que se restauraría el orden debido, desapareciendo la muerte y la ruina. Al venir Jesús al mundo, se proclamó como ese Mesías, pero, para sorpresa de todos, no ocupó un trono, sino que asumió una cruz. No vino pues a emitir juicio, sino a cargar con sus consecuencias. ¿Cuál era su significado? Sencillamente que Jesús *inauguró* ese nuevo reino de Dios. Mediante arrepentimiento y fe, nosotros podemos hoy también acceder a ese reino *(Juan 3:3, 5)*. El poder de su soberanía está presente y activo entre nosotros, obrando sanidad y restaurando la relación con Dios y entre los hombres *(Lucas 11:20; 12:32)*. Pero eso no significa que el mundo presente esté a punto de desaparecer. Cierto, claro está, que vivimos en un mundo de enfermedad y de muerte, en el que todo parece ir destruyéndose. Eso es lo que significa el "solapamiento de las edades." El reino de Dios, en cuanto que poder para renovar la creación en su totalidad, ha irrumpido en el mundo antiguo con la primera venida de Cristo, pero sin que se haya impuesto todavía en su totalidad. El antiguo orden persiste, pero está condenado a desaparecer, viviendo como de prestado. En palabras de Pablo, "está pasando."

¿Qué implicaciones tiene todo eso para nosotros hoy día? Por una parte, significa que todas las preocupaciones sociales y materiales persisten. El mundo continúa dando vueltas, y nosotros seguimos viviendo en el mundo. Pero el mundo futuro va a ser una realidad inapelable, y la certeza de la soberanía de Dios al respecto hace que tengamos que actuar con la mirada puesta en ese nuevo orden, afectando por igual a pensamiento y acción. El éxito es algo de lo que alegrarse, pero sin extralimitarnos; los fallos y los fracasos serán causa de tristeza, pero no de abatimiento. Y habrá de ser así porque nuestro gozo futuro está garantizado por Dios mismo. Y por ello podemos ya disfrutar de sus primicias, aunque sin dejarnos obsesionar con las cosas de este mundo *(1 Corintios 7:31)*.[3]

¿Cómo afecta, pues, esa visión general, con proyección de futuro, a nuestra visión en el presente del matrimonio y la familia? Pablo afirma que significa que tan bueno es estar casado como no estarlo. No tenemos que entusiasmarnos en exceso por estar casados, ni tampoco hay por qué estar frustrados por no estarlo. Y ello por cuanto Cristo es el único esposo que puede en verdad colmar nuestra existencia, y la familia de Dios es la única que lo será en profundidad para genuino gozo.

## La soltería como buena dádiva

Con esa panorámica en el trasfondo, estamos ahora en mejor condición para entender el carácter radical de las afirmaciones de Pablo respecto a permanecer solteros o contraer matrimonio. Stanley Hauerwas sostiene que el cristianismo fue la primera religión del mundo en proclamar la soltería adulta como alternativa aceptable de vida. En este sentido, escribe, "Una...clara diferencia entre el cristianismo y el judaísmo [y las demás religiones tradicionales] es la aceptación de la soltería como paradigma válido para los creyentes."[4] La práctica totalidad de las religiones antiguas y las culturas en las que florecieron propugnaban el valor absoluto e incuestionable de la familia y los hijos. Sin honor familiar no podía haber honor personal, y tampoco había una herencia que transmitir sin descendientes. Sin hijos, la persona se desvanecía en la nada. La principal esperanza de futuro era, en lógica consecuencia, tener hijos. En las sociedades ancestrales, los solteros de cierta edad tenían una vida incompleta.

Pero el fundador del cristianismo, Jesucristo, y el mayor teólogo de todos los tiempos, el apóstol Pablo, no se casaron. Las personas adultas solteras no pueden ser consideradas menos completas o realizadas que las personas casadas porque Jesucristo, hombre soltero, fue un varón perfecto *(Hebreos 4:15; 1 Pedro 2:22).* La valoración que Pablo hace de esta cuestión en *1 Corintios 7* es que la soltería es un estado que cuenta con la bendición de Dios, y son muchos los casos y circunstancias en los que es incluso mejor que estar casados. Como consecuencia de esta actitud tan revolucionaria, la iglesia de los primeros tiempos no presionó a los creyentes para que contrajeran matrimonio (como vemos en la carta de Pablo), recibiendo pleno apoyo las viudas para que no se vieran obligadas a casarse. Un historiador social dice al respecto:

> *Las viudas paganas eran presionadas para que volvieran a contraer matrimonio, hasta el punto de que el emperador Augusto decretó que se multara a las viudas que siguieran en ese estado al cabo de dos años. Muy distinto era en cambio el caso de las viudas en el cristianismo. La iglesia de los primeros tiempos respetaba grandemente a las viudas, desaconsejándose nuevas nupcias, siendo prerrogativa de la propia persona el decidir o no hacerlo. [Las viudas de esos tiempos tenían un muy activo ministerio cuidando a los enfermos, atendiendo a los necesitados, y practicando el bien en su entorno.]*[5]

¿Cuál era la razón de esa actitud más abierta y tolerante? El evangelio cristiano y la esperanza del reino futuro que habría de implantarse desmitificaban la institución del matrimonio. Pensamiento valiente y radical en unos tiempos en los que el no tener hijos era algo impensable. De hecho, el tener hijos era la principal manera en que un adulto adquiría significado, pues serían los hijos los que conservaran su memoria, y asimismo los que se ocuparían de cuidarles en la vejez. Los cristianos que permanecían solteros hacían patente su confianza de cara al futuro, creyendo firmemente que iba a ser Dios y no la familia quien cuidara de ellos. Dios había instituido para ello la familia extensa de la fe, hecha realidad en la vida de iglesia como cuerpo de Cristo. La plena implantación futura del reino de Dios, con una nueva tierra y unos nuevos cielos, era la razón de su esperanza. Hauerwas resalta en ese sentido que la esperanza cristiana no sólo hacía posible que las personas solteras se sintieran plenamente realizadas aun sin tener pareja ni hijos, sino que, además, hacía que no se tuviera miedo a casarse y tener hijos aun en un tiempo malo. "Porque los cristianos no cifran su esperanza en tener hijos, sino que, muy por el contrario, los hijos son evidencia de esa esperanza...porque Dios no se ha desentendido de este mundo..."[6]

Lamentablemente, la iglesia cristiana de Occidente no ha mantenido esa visión positiva de la soltería. Y, si la recuerda, es, como mucho, el Plan B en la vida cristiana." Paige Benton Brown, en su artículo "Singled Out by God for Good," ya todo un clásico, hace mención de distintas maneras en que las iglesias cristianas tratan de "explicar" la soltería:

- *"Si Dios te basta para ser feliz, él pondrá a alguien especial en tu vida"—como si las bendiciones de Dios dependieran de nuestra buena disposición.*

- *"Es que exigimos mucho"—como si Dios fuera a enojarse por nuestra actitud demandante y caprichosa, y fuera necesario tener criterios más amplios.*

- *"Estando soltero uno puede dedicarse más plenamente a la obra del Señor"—como si Dios demandara mártires de la fe para poder hacer efectiva una obra en la que no parece tener cabida el matrimonio.*

- *"Antes de poder casarte con alguien maravilloso, el Señor tendrá que hacer de ti alguien también maravilloso"—como si Dios concediera el matrimonio como una segunda bendición a aquellas que estén adecuadamente santificados.*

Por detrás de todas esas instancias está la premisa de que la soltería es un estado incompleto para personas que todavía no están suficientemente preparadas para el matrimonio. En ese sentido, Brown comenta, "Yo no estoy soltera por ser demasiado inestable espiritualmente, y no merecer por ello tener marido, ni tampoco porque sea ya tan madura como para no necesitar tenerlo. Estoy soltera porque Dios es en verdad bueno para mí, y porque él así lo ha querido para mí."[7] Actitud en total sintonía con lo expresado por el apóstol Pablo. El cristianismo reivindica la validez de la soltería como ninguna otra fe o concepción social.

## El carácter no definitivo del matrimonio

¿Cuál es la situación en la actualidad? En culturas tradicionales no occidentales, sigue existiendo una gran presión social para cifrar la esperanza vital en la familia y los hijos. Ese no es en cambio el caso en las sociedades occidentales, lo cual no quiere decir que no exista igualmente una cierta presión para casarse. Tal como ya hemos tenido ocasión de señalar, la cultura occidental nos induce a poner nuestra esperanza en un "romance de proporciones apocalípticas," debiendo para ello encontrar absoluta satisfacción y realización junto a la persona ideal y perfecta. En la cultura popular abundan las historias románticas estilo Disney, donde los protagonistas encuentran el Amor Verdadero después de una serie de vicisitudes, pero sin que se nos den detalles de lo que ocurra después. El mensaje es que lo que importa en esta vida es la experiencia romántica seguida de matrimonio, quedando reducido todo lo demás a prólogo y conclusión. En ese sentido, tanto las culturas tradicionales como la avanzadilla occidental hacen que la soltería parezca algo de segunda categoría y totalmente deprimente.

En el Nuevo Testamento ese panorama cambia por completo. De hecho, si pasamos de *1 Corintios a Efesios 5*, con su aparentemente más exaltada visión del matrimonio, la noción de soltería recibe mayor apoyo. ¿En qué manera es así? Tal como tuvimos ocasión de ver en su momento, *Efesios 5* nos informa que el matrimonio no es en última instancia cuestión de sexo o de estabilidad social, ni de realización vital personal. El matrimonio fue instituido como reflejo, a nivel humano, de nuestra relación de amor y de unión definitiva con el Señor. Realidad presente y anticipo de plena realización futura del reino de Dios.

Pero esta elevada visión del matrimonio nos lleva a darnos cuenta del carácter transitorio del matrimonio en la vida presente. En realidad, no hace sino apuntar al Real Matrimonio que nuestras almas necesitan y a la Real Familia para la que fuimos creados. Los matrimonios no llevarán adelante su matrimonio con acierto si no tienen en cuenta esta condición final. El más perfecto matrimonio que pueda existir no sirve para satisfacer el vacío dejado por Dios. Sin una relación de amor profundamente satisfactoria con Cristo en esta vida, y la esperanza de una perfecta relación de amor con él en el futuro, los creyentes casados tendrán unas expectativas poco realistas respecto a su vida de pareja, dando lugar a problemas, e incluso patologías, si ese *sueño* no se hace realidad.

Las personas solteras no son excepción en ese sentido, y tendrán por ello que desarrollar también una adecuada relación de amor con Jesús para no caer en el error de pensar en un matrimonio *ideal*, y no sufrir por ello desajustes que acabarán pasando factura.

Si la soltería se vive descansando y gozando con el matrimonio espiritual con Cristo, la vida de soltero no será una experiencia de estar incompleto y con sensación de pérdida. En ese orden de cosas, va a seguir siendo necesario enfrentarse a la realidad personal. ¿Qué quiero decir con eso? Pues, sencillamente, que el error de plantearse el matrimonio de forma idolátrica afectará a largo plazo su puesta en práctica, si es que llega por fin a producirse. No hay excusa válida para no tomar ya una resolución. El matrimonio y la familia tienen que ocupar el lugar que en verdad les corresponde, esto es, por detrás de Dios, y no hay desde luego ninguna razón para que las personas solteras no puedan gozar de una vida de completa realización.

## Género "Plenitud" y "Soltería"

¿Cómo defender la opción de soltería cómo válida si tanto hombres como mujeres no están completos sin casarse? La respuesta sigue siendo la misma, por estar en relación, una vez más, con nuestra esperanza de plenitud en Cristo y nuestra vida como comunidad. En la familia de la fe somos hermanos los unos de los otros.

La esperanza cristiana hace que la iglesia sea algo más profundo que una organización o un simple club con intereses particulares. Las creencias y experiencias con un origen en el Evangelio crean un vínculo entre los cristianos que supera, en fuerza y profundidad, a cualquier otra posible conexión por relación personal, sea ésta por lazos de sangre, por identidad racial, o por nacionalidad compartida *(Efesios 2; 1 Pedro 2:9-10)*. La experiencia de un genuino arrepentimiento y la consecuente salvación por gracia por medio de la cruz de Cristo significan que nuestras más profundas creencias fundacionales respecto al mundo nos unen a otros cristianos. Yo amo profundamente a mi familia en la sangre, y quiero a mis vecinos, y a otras muchas personas de mi entorno racial y nacional, pero lo cierto es que no compartimos idénticas creencias y expectativas respecto a la realidad de las cosas. Lo que viene a significar, dicho de forma resumida, que yo seré siempre primeramente cristiano, y todo lo demás solamente después, y de manera por completo secundaria. Soy cristiano, como mi verdadera seña de identidad, y blanco, o negro, o indio en segundo lugar. Soy cristiano, y blanco, o negro, o indio, en lo accidental. Soy cristiano, y europeo, o latinoamericano, o asiático, o europeo de forma circunstancial. Soy cristiano, y me apellido Keller, o González, o Malik, o Carlson de forma particular.

Eso no quiere decir que si soy asiático vaya a dejar de serlo por haber creído en Jesús. Si soy asiático y creo en Él, seré un asiático cristiano, y no un cristiano norteamericano. Lo que creo y comparto con otros creyentes son las creencias y la esperanza que se desprenden del evangelio, compartiendo en cambio con otros una identidad cultural y unos hábitos asimilados en lo anímico y en lo mental. La Biblia habla de forma contundente del amor y del cuidado de la familia, sean cuáles sean sus creencias. Aun así, viene en última instancia a ser que el evangelio crea un vínculo entre los creyentes que hace que la iglesia sea la familia definitiva *(1 Pedro 4:17)* y la verdadera nación *(1 Pedro 2:9-10).*

Las personas solteras dentro de una comunidad cristiana van poder disfrutar de esos lazos familiares como propios, y ello en rica y profunda experiencia de intercambio.[8] Personalmente, he podido constatar, en base a una dilatada y muy variada experiencia, que no es en modo alguno posible detallar específicamente aquello que en verdad define y caracteriza lo "masculino" y lo "femenino" según temperamento y cultura. Es por eso que, más que intentar definir lo "masculino" y lo "femenino" (según enfoque tradicional), propongo que en el seno de la propia comunidad cristiana observes y aprecies las inevitables diferencias que existirán entre hombre y mujer en tu generación, en tu cultura, entre tu gente, y en tu entorno particular.

Si estás a la expectativa, verás cómo se manifiestan, y cómo llegas a familiarizarte con ello. El comentar esas diferencias en intercambio de pareceres es una práctica muy válida. Así es como de hecho se harán patentes los ídolos de propia factura que hombres y mujeres nos forjamos respectivamente. Habrá asimismo que tomar nota de los respectivos puntos fuertes y valores potenciales. Las distintas maneras de comunicarse, de tomar decisiones, de asumir liderazgo, de establecer prioridades, y de poner en adecuado equilibrio trabajo y familia, son cuestiones muy necesarias de tener en cuenta. Si las conocemos, las valoramos, las respetamos, y aplicamos sabiamente en la práctica, el beneficio será tremendo. Sin la realidad del evangelio, las personas nos volvemos muy fácilmente temperamentales, haciendo de género y cultura motivo de disensión pretendiendo en cambio que son virtudes morales. Esa es una de las maneras en que potenciamos la autoestima, en ocasiones con un matiz o intención de autojustificación, y con la pretensión de así alcanzar un estatus superior. El resultado puede ser negativo, si se trata con ello de desprestigiar o no tener en la debida consideración las distintas características por género. El evangelio tendría ahí que aplicarse para erradicar esas actitudes.

Kathy señalaba en este sentido en el capítulo anterior que el matrimonio nos lleva a conocer, y a apreciar, con el paso de los años, las distintas formas en que reaccionamos según sexo ante idénticas personas y situaciones. Así, llega un momento en que puede determinarse de forma instintiva cómo va a reaccionar nuestra pareja en determinada situación, calibrando si es apropiada o no según el caso, y aceptándolo de una forma que no habría sido posible de forma previa a la experiencia vital del matrimonio. Visto desde su faceta positiva, viene a ser todo un enriquecimiento en intercambio de pareceres "por sexo." Esa es, pues, una de las formas en que lo masculino y lo femenino se integran y complementan, reflejando en su conjunto la imagen de Dios *(Génesis 1:26-28)*. Pero eso no es algo que tan sólo puedan hacer las personas casadas. Se da de forma espontánea en las comunidades cristianas fuertes, en las que el compartir ideas, sentimientos, y experiencias va más allá de la mera práctica superficial de lo que el Evangelio nos enseña, y lo que va cambiando y creando de forma nueva en nosotros. En situaciones en las que los hermanos en la fe llevan a cabo esta forma de ministerio "personalizado"[9], se produce de forma natural un enriquecimiento por distinta visión según sexo. Experiencia que será en ciertas maneras distinta a la que puede darse en el marco del matrimonio, pero que, aun así, no tiene por qué ser de inferior categoría a la de los casados, y ello, entre otras razones, porque la experiencia en pareja se restringe a una única persona en el intercambio. El matrimonio limita, y así debe ser, la relación que se puede tener con los miembros del sexo opuesto. En la comunidad cristiana, en cambio, las personas solteras tienen un campo de acción más amplio para la amistad entre sexos opuestos.

## Lo positivo de buscar el matrimonio

La postura cristiana respecto a la soltería es prácticamente única. A diferencia de las sociedades tradicionales, el cristianismo ve la soltería como algo bueno, y ello por cuanto el reino de Dios hace posible la existencia de herederos y un legado duradero. A diferencia de la sociedad occidental, obsesionada por el sexo y una idea excesivamente romántica del amor, los cristianos consideramos la soltería algo positivo porque la unión con Cristo puede colmar nuestros más profundos anhelos.

Así, a diferencia de la aversión al compromiso propia de la sociedad postmoderna, el cristianismo ni teme ni huye del matrimonio. Las personas adultas en la sociedad occidental están grandemente influidas por el espíritu del individualismo, y el miedo, que puede convertirse en odio, a una limitación de opciones que beneficie a otros. Muchas de las personas solteras en la actualidad no sufren por ello, y menos aun aspiran a poner fin a su estado, porque a lo que tienen realmente miedo es a casarse.

Las sociedades tradicionales han tendido a idolatrar el matrimonio (haciendo un ídolo de la familia o de la tribu), idolatrando la sociedad actual la independencia (idolatrando la elección personal y la felicidad por encima de todo). Y mientras que el casarse había sido considerado de siempre un deber social, una garantía de estabilidad, y un estatus social deseable, la motivación actual para casarse es como parte de una realización personal. Motivaciones que son en sí mismas parcialmente aceptables, pero que tienden peligrosamente a convertirse a legitimarse a sí mismas si el evangelio no ha operado un auténtico cambio de mente y corazón.

Como pastor en la ciudad de Nueva York, he tenido oportunidad de observar muchos y muy interesantes fenómenos sociológicos. Algunos de los miembros solteros de mi congregación habían sido criados en partes de los Estados Unidos culturalmente tradicionales, donde se les había inculcado la idea de que "no estamos completos hasta estar casados." Al trasladarse a Nueva York, el nuevo lema había sido "no te cases hasta haberte situado profesionalmente, y solamente cuando encuentras la persona idónea que no aspire a cambiarte." En el primer caso se les había hecho ansiar desesperadamente casarse; mientras que en el segundo se les había hecho temer el matrimonio más allá de toda lógica. El anhelo y el temor coexistían en difícil convivencia, y muchas veces hasta en franca oposición.

El miedo al matrimonio puede caer en lo patológico. Una de las principales consecuencias de ese miedo actual a casarse es que las personas solteras se vuelven perfeccionistas y virtualmente imposibles de contentar a la hora de buscar pareja. Lamentablemente, ese deseo de perfeccionismo da pie a caer en estereotipos de género, siendo significativamente el caso que los hombres buscan la perfección física mientras que las mujeres aspiran a pretendientes económicamente solventes. Dicho de otra forma, cuando se habla hoy día de la pareja idónea, se está pensando en satisfacción sexual y estabilidad financiera. Como resultado de todo ello, la búsqueda de pareja se convierte en vulgar autopromoción. Hay que proyectar una buena imagen externa y tener un buen sueldo para poder conocer y salir con potenciales parejas. Y la razón de fondo de ese deseo de una pareja en buena posición económica y atractivo físico es para satisfacer la propia autoestima.

Creo que lo honesto aquí es reconocer que aunque ha habido numerosas y afortunadas excepciones a la norma, los creyentes solteros tienden a funcionar de forma muy similar a lo habitual en la sociedad contemporánea. Así, el creyente soltero tiende a descartar potenciales candidaturas si no cumplen con los obligados requisitos de buen físico, adecuada preparación profesional, y solvencia económica. Lo que supone estar tan mediatizados como el resto por un culto idolátrico a la belleza externa y al dinero. Lo superficial se impone sobre lo esencial.[10]

Qué diferente sería el caso si, tal como apuntábamos al principio del libro, contempláramos el matrimonio como medio idóneo en el que ayudarse como pareja para alcanzar la necesaria meta de crecimiento espiritual en glorioso servicio que no huye del sacrificio para beneficio de la pareja. ¿Qué pasaría, además, si fuéramos también capaces de ver la misión en el matrimonio como medio para poner de relieve nuestros fallos y pecados en profundidad, y poder así rectificar guiados por una verdad que se nos dice en amor? ¿Cómo cambiaría nuestra relación de pareja si el amor que sentimos tuviera presente la gloriosa obra de transformación que Dios está obrando en su persona? Y lo cierto es que, para probable sorpresa de muchos, es justamente esa aceptación de un necesario espíritu de entrega lo que produce una genuina realización propia, que por ello mismo ni huye del sacrificio ni se conforma con lo superficial, siendo el resultado final un sorprendente y extraordinario crecimiento moral y espiritual *(Efesios 5:25-27)* que se hace manifiesto en amor, paz, gozo, y esperanza *(Colosenses 1; Gálatas 5, 1 Corintios 13).*

Muchos solteros aspiran sin duda a una pareja que aúne atractivo físico con brillantez intelectual y la necesaria compatibilidad de carácter. Otros, en cambio, y en el mejor de los casos, viven su soltería como un purgatorio, deseando que acabe para empezar a vivir realmente; mientras que otros, realmente angustiados por ello, lo viven como un infierno. En el primer caso, se dejan pasar oportunidades válidas por temor y por deseo de perfección. En el segundo, se proyecta una imagen de inseguridad que repele, haciéndose elecciones desacertadas inducidas por el desánimo. En algunos casos, ambos casos acaban emparejándose, con lamentables y dolorosos resultados.

Paige Brown concluye su artículo sobre la soltería con muy acertadas palabras, destacando el necesario equilibrio que puede encontrarse en el cristianismo:

> *Seamos justos: la soltería no supone un estatus inferior... Pero yo sí quiero estar casada. Y oro por ello cada día. Puede que conozca a alguien, y que avance camino del púlpito dentro de muy poco, porque Dios me ama. Y puede que nunca conozca a nadie...porque Dios me ama.*[11]

Ahí es donde está el equilibrio.

# Las citas y su historia

En definitiva, ¿qué consejos prácticos dar a una persona adulta que busca pareja para casarse?

En primer lugar, es de gran ayuda hacer un breve repaso de las distintas propuestas en diferentes épocas y por generaciones.[12] En los tiempos antiguos, y asimismo en la América de los siglos XVIII y XIX, los matrimonios solían ser concertados. Evidentemente, el matrimonio romántico existía (Jane Austen nos ha dejado constancia de ello), pero no era la única razón para contraer matrimonio. Por encima de ello estaban las consideraciones de tipo económico y social. Había que emparentar con una familia con la que interesara establecer un vínculo. Y el candidato tenía que disponer de casa y de medios suficientes para mantener una familia.

Pero, para finales del siglo XIX, el matrimonio por amor pasó a ser la norma, haciendo por ello su aparición el concepto y puesta en práctica del "cortejo o noviazgo." Al pretendiente se le animaba a cortejar a la muchacha de su elección, pasando por ello un tiempo en compañía, generalmente en el porche o en la sala de visitas en casa de la chica. Que era, en realidad, una forma sutil de invitarle a *formar parte* de la familia. El joven tenía por consiguiente la oportunidad de ver a la muchacha elegida en un contexto familiar, pudiendo por su parte la familia de la chica ver cómo era él. Y es por tanto sumamente interesante que fuera privilegio de las jóvenes el dar el primer paso invitando a los jóvenes a que pidieran permiso para verlas en su casa.[13]

A principios del siglo XX hizo su aparición una nueva y "moderna" manera de "cortejo," a la que se aplicó el calificativo de "cita." En letra impresa, y con esa idea, quedó registrada en 1914.[14] El joven aspirante a pretendiente ya no tenía que ir de visita a casa de la chica, sino que podía ir a buscarla para *salir* fuera e ir a algún lugar de esparcimiento y así empezar a conocerse. A medida que el salir juntos y las citas fueron imponiéndose en la sociedad, el proceso de cortejo o noviazgo se individualizó, emancipándose del contexto familiar, al tiempo que cambiaba igualmente la idea de conocerse a la de gastar dinero juntos, ser vistos por los demás, y pasarlo bien.

El último cambio social al respecto es más reciente. En los comienzos del siglo XXI, hizo repentinamente su aparición la idea del "ligue." En uno de los primeros artículos en dar noticia de ello, aparecido en *New York Times Magazine*, el articulista reseñaba que los adolescentes opinaban que el sexo opuesto era difícil de tratar e irritante, que las citas formales suponían un toma- y-da trabajoso, el comunicarse, y aprender además a tratar a alguien muy diferente. Dicho con otras palabras, se daban perfecta cuenta de que el salir más formalmente con alguien suponía estar dispuestos a ir dando los pasos necesarios que llevan al matrimonio. Para evitarlo, se puso de moda una nueva forma de conocerse que, además, llevaba directamente al sexo. Un ligue no es más que la posibilidad de tener una relación sexual sin ningún compromiso añadido. El ligue puede dar lugar, o no, a una relación más seria, pero esa posibilidad no se contempla nunca de entrada.[15]

Tras la aparición de la moda del ligue, se han empezado a oír voces que afirman que somos una de las primeras sociedades sin pautas claras para llegar al matrimonio. Reaccionando ante esa alarma, las comunidades religiosas tradicionales han redoblado esfuerzos para fomentar la vuelta a un compromiso conjunto por parte de familias y aspirantes al matrimonio. Así, las comunidades judías ortodoxas, por ejemplo, cuentan con un proceso tradicional, el *sidduch*, en el que amigos y familiares recomiendan candidatos adecuados para que los jóvenes puedan conocerse con vistas a un compromiso formal.[16] Y hay asimismo comunidades cristianas evangélicas que se han esforzado por restablecer las antiguas maneras de conocerse los jóvenes. Hay quien, de hecho, ha propuesto que sea nuevamente el padre de la chica el que decida qué candidato es adecuado para su hija, dirigiendo a continuación todo un proceso conducente al matrimonio.

Personalmente, creo que esos movimientos están condenados, en gran medida, a acabar en fracaso. En primer lugar porque no tienen en cuenta los ídolos prevalentes en las sociedades tradicionales, con la consiguiente institucionalización, no muy realista, de determinadas situaciones históricas. ¿Qué sentido tiene entonces la idea del cortejo? ¿Por qué no volver mejor a la práctica de los matrimonios concertados? La cuestión a tener ahí en cuenta es que se da por sentada la existencia de comunidades estables en las que las personas se conocen bien y desde hace tiempo. Lauren Winner comenta al respecto, "Si eres un joven estudiante que se ha mudado a otra ciudad para realizar estudios superiores, el papel que pueda desempeñar la nueva comunidad en tu vida sentimental será muy distinto al que pueda tener lugar en el caso de un joven de tu misma edad, que se ha formado en el lugar donde nació y creció y que ha encontrado trabajo allí mismo."[17] Winner resalta en ese sentido la historia de una pareja con una experiencia de "amistad con compromiso." Expresión acuñada por ella en referencia a una pareja judía ortodoxa que se conocieron, se enamoraron, y acto seguido buscaron a las personas indicadas para que "concertaran" su cortejo y posible matrimonio, esto es, un *sidduch*.[18]

Hago mención de ello aquí porque creo que es una forma interesante, a tener en cuenta en el ámbito cristiano de las relaciones, a la vista de la confusión reinante en la sociedad actual. Vivimos sin duda alguna en un mundo tremendamente móvil, en el que los vecindarios y las relaciones sociales de toda la vida están perdiendo influencia a pasos agigantados. Aun así, ¿podemos realmente aplicar hoy día modelos y pautas de otros tiempos? ¿Se va a poder contrarrestar el atractivo del sexo y el dinero a favor de la cualidad en el carácter, y de la realización personal a la colaboración para el bien comunitario? En la sección que sigue esbozaré algunas pautas prácticas para conseguirlo.

## Consejos prácticos para los que buscan casarse

*Sé plenamente consciente de que hay razones para no buscar casarse.* De hecho, hay épocas y "situaciones" en las que no es aconsejable buscar pareja. Las personas que necesitan tener siempre a alguien a su lado es muy probable que estén idolatrando la idea del matrimonio. En situaciones de tránsito y de cambio, por inicio de estudios, nuevo trabajo, el fallecimiento de un familiar, o un proyecto absorbente, no va a ser muy aconsejable empezar una relación. Tras un período emocionalmente cargado, es muy probable que se quiera evitar deliberadamente el matrimonio. En situaciones así, la capacidad de juicio se embota, y puede entonces que sea más aconsejable, y mucho más productivo, cultivar una amistad cristiana profunda y dejar para más adelante el salir con alguien en serio y plantearse el matrimonio.

*Entiende bien el "don de permanecer solteros."* En *1 Corintios 7:7*, Pablo habla del estar soltero como un *don*. Son muchos los que piensan que Pablo habla ahí de una total falta de interés en el matrimonio. Entendido así, el don de permanecer solteros supone no ansiar casarse, y no estar inquietos por ello. No es de extrañar que se bromee al respecto con un "¡Me parece que yo no tengo ese don!" Pero lo cierto es que es importante entender bien lo que Pablo está diciendo ahí, porque si no corremos el riesgo de concluir que la ausencia de romanticismo es un auténtico don de Dios. Son muchas las razones equivocadas para la ausencia de interés en el matrimonio, figurando, entre otras, el egoísmo, el no saber mantener las amistades, y desdeñar al sexo opuesto.

En sus escritos, Pablo utiliza el término "don" en referencia a la capacidad que Dios concede para edificación de otros. Lo que significa que Pablo no está hablando ahí, pues, de un estado carente de tensión pero difícil de alcanzar. Para Pablo, la capacidad necesaria para estar soltero radica en gestionar adecuadamente esa libertad para beneficio del ministerio, que es algo que la persona casada no puede hacer en la misma manera. Es muy probable que Pablo estuviera ahí luchando con "sentimientos contradictorios" respecto a la soltería. Puede incluso que hubiera preferido estar casado. Pero de lo que no cabe duda es que supo vivir entregado a la obra de Dios y a un servicio a los demás, descubriendo, y haciendo buen uso en el proceso, de las ventajas (flexibilidad de tiempo, entre otras) de estar soltero para un efectivo ministerio personal.[19]

Lo que hay que tener ahí en cuenta es que el "llamamiento" del que Pablo habla no está exento de lucha, pero no es algo insoportable. Hay abundante fruto en la vida y en el ministerio *en* la soltería. Si se te ha otorgado ese don, tendrás sin duda lucha, pero lo más importante seguirá siendo que Dios estará ahí, ayudándote a crecer espiritualmente y a llevar fruto de bendición para otros. El don de la soltería no tiene por qué ser tan sólo para unos pocos, ni tampoco para toda la vida; aunque habrá casos en que así sea. Puede muy bien ser un estado de gracia durante un tiempo limitado.

*Plantéate casarte según vayas cumpliendo años.* El salir con personas del sexo opuesto tiene toda una serie de etapas. En un posible extremo, estaría el salir para pasar un buen rato en compañía y, sobre todo, como excusa para estar en concreto con la persona que nos gusta. En el otro extremo, el salir con alguien puede suponer simplemente ir acompañado de alguien a un evento de nuestra elección en el que es apropiado estar acompañado—un baile de celebración, un concierto, un espectáculo especial. Cuando uno es muy joven, el factor de ir en compañía puede ser crucial, y tendrá muy poco que ver con futuros planes de matrimonio. Aun así, lo cierto es que llega un momento, relacionado con el paso del tiempo, en el que es prácticamente inevitable pensar, "Si llevo ya un tiempo saliendo con esta persona, es muy probable que vaya en serio y esté pensando en el matrimonio." Y si, aun así, la relación sigue siendo de mera compañía, puede que surjan problemas. Una de las situaciones más dolorosas es aquella en la que uno de los dos cree en una relación formal, pensando la otra parte que no es más que ocasión para pasarlo bien en compañía.

En casos así, hay una serie de factores a tener en cuenta. En primer lugar, compórtate acorde con tu edad. Los adolescentes no deberían "suscitar deseos emocionales y físicos que no van a poder satisfacerse por el momento," si es que se quiere hacer de forma honesta y responsable en el marco del matrimonio.[20] Ahora bien, si aún no te has casado, y has cumplido ya los treinta, tienes que tener en cuenta que si persistes en esa práctica de salir tan sólo para pasar un buen rato en compañía con personas de tu edad, es más que probable que estés jugando con los sentimientos de esa persona. Cuanto mayor seas, y más frecuentes sean las salidas, más probable será que la otra persona piense que la relación va en serio.

*No te dejes llevar por las emociones con una persona no creyente.* Este es sin duda un punto controvertido, aunque no creo que, llegados hasta punto, mis lectores vayan a sorprenderse. La Biblia da por sentado que los creyentes han de casarse con personas asimismo creyentes. Un claro ejemplo de ello lo encontramos en *1 Corintios 7:39*, donde el apóstol Pablo dice expresamente, *"La mujer casada está ligada por la ley mientras su marido vive; pero si su marido muriere, libre es para casarse con quien quiera, con tal que sea en el Señor."* Otros pasajes más, como por ejemplo *2 Corintios 6:14*, se aducen en relación a ese principio, y sin duda muy acertadamente. Las muchas prohibiciones del Antiguo Testamento en contra del matrimonio con personas fuera del pueblo de Israel, podrían de entrada entenderse por cuestión de raza, pero pasajes tales como *Números 12*, que nos informa que Moisés se casó con una extranjera, enseñan que a Dios no le preocupa la raza, sino la *fe*.

Muchas personas piensan que el disuadir de enlaces con distinta fe evidencia estrechez de miras, pero hay razones bíblicas poderosas para así hacerlo. Si tu pareja no comparte tu fe, significará que hay algo que no entiende en su verdadera dimensión y tal como tú lo vives. Y si decimos que Jesús es lo principal en nuestra vida, supondrá que tu pareja no creyente no entiende el verdadero fundamento de tu vida en su auténtica dimensión, ni lo que realmente te motiva. Es cierto, evidentemente, tal como ya indicábamos en capítulos anteriores, que no va a ser posible conocer a nuestra pareja por completo de forma previa al matrimonio. Pero si ambos cónyuges comparten su fe en Cristo, los dos entenderán su visión de la vida y aquello que le mueve a actuar. Pero si nos casamos con alguien que no comparte nuestras más íntimas y profundas creencias, tomaremos decisiones que nuestra pareja no entenderá del todo bien. Esa parte de nuestra vida que, como creyentes, es la más importante, será algo incomprensible e insondable para nuestra pareja.

La esencia de la intimidad en el matrimonio es convivir con alguien que podrá, en última instancia, comprenderte y aceptarte por lo que eres. Como creyentes, nuestra pareja tiene que ser alguien de quien no tengamos que "escondernos," ni contar "historias;" sino alguien que realmente nos entiende. Pero, si la otra persona no es creyente, nunca llegará a comprender lo más profundo y esencial de nuestra persona.

Si, aun así, te casas con alguien que no comparte tu fe, dos son los posibles caminos a seguir. Uno de ellos consistirá en ir perdiendo progresivamente la transparencia. En una vida de creyente saludable, todo lo que se haga estará en debida relación con Cristo y el Evangelio. Incluso viendo una película reaccionaremos como creyentes. Igualmente, las decisiones que hagamos estarán fundamentadas en principios cristianos. Lo que leamos en la Biblia influirá en nuestro diario caminar. Pero si eso transpira en la convivencia, a nuestra pareja le parecerá algo tedioso, en cierta manera incomprensible, y hasta ofensivo. Una muy probable reacción sería, "No tenía ni idea de que estuvieras hasta tal punto comprometido con tu fe."

La otra posible opción, más grave aún, es la retirada de la fe a un segundo plano, dejando por ello Cristo de ocupar el principal lugar en nuestra vida, con el consiguiente enfriamiento espiritual. Teniendo, además, que dejar de aplicar a las distintas esferas de nuestra vida todo lo que creemos por fe. Cristo no podrá ser lo primero ni en nuestro pensamiento ni en nuestro corazón, porque eso nos distanciaría de nuestra pareja.

Las consecuencias en ambos casos son igual de terribles. Esa es la razón por la que hay que evitar casarse con alguien que no comparta nuestra fe cristiana.

*Vive la "atracción" en la forma más amplia posible. 1 Corintios 7:9*, donde el apóstol Pablo advierte que es mejor casarse que "estarse quemando," es uno de los pasajes menos entendidos de todos los relativos al matrimonio. De hecho, hay quien lo ve altamente negativo, porque Pablo parece estar diciendo que, si carecemos de la fuerza moral necesaria para controlar nuestros apetitos, haríamos mejor en casarnos. Pero lo cierto es que no es esa la intención del pasaje, sino justamente todo lo contrario. Si la pasión que sentimos por alguien es tan fuerte, lo lógico es contraer matrimonio con ella.

Pero eso no es todo, porque está también diciendo que excelente cosa es "casarse por amor." Los expertos en Biblia Roy Ciampa y Brian Rosner sostienen que Pablo está ahí rechazando la postura estoica que aconsejaba el matrimonio como transacción necesaria para tener hijos pero no como algo sentimental. Y tampoco aprobaba la postura pagana del sexo fuera del matrimonio como válvula de escape para el instinto. Para Pablo, la pasión física sólo debe satisfacerse en el ámbito del matrimonio. Y esa es justamente la razón de que enseñe que la atracción es un factor importante a la hora de decidir casarse.[21]

Vayamos ahora un paso más allá de lo que hemos venido diciendo acerca del matrimonio como misión. No cabe duda que la atracción física es algo que deberá ir creciendo en el matrimonio, y así será a medida que pase el tiempo si la atracción del inicio incluía algo más profundo que lo meramente físico. Atracción que yo califico de "amplia." ¿En qué consiste exactamente?

En parte es sentirse atraído por el carácter de esa persona como fruto espiritual *(Gálatas 5:22 ss.)*. El filósofo norteamericano Jonathan Edwards sostenía que una "virtud genuina," hecha manifiesta en contentamiento, paz, y gozo, es algo realmente maravilloso. Hemos ido hasta aquí explorando el matrimonio como medio para recíproca ayuda, en la consecución de una vida plena que haga de nosotros personas singulares a imagen de Dios, para gloria y honra suya. Plenitud en el matrimonio que puede hacerse expresa en mutuo apoyo. Así, podemos decirle a nuestra pareja, "Veo los cambios que van operándose en tu vida, y también la persona que vas camino de ser. Y eso me atrae enormemente (¡aunque hay un buen trecho que andar!).

En definitiva, la pareja ha de ser ocasión para complemento y también razón para un cambio. C. S. Lewis hablaba en ese sentido de un "hilo secreto" que nos une cuando compartimos música, lecturas, lugares, experiencias. Habrá siempre cosas que susciten un anhelo que sólo Dios puede colmar. Leonard Bernstein dijo que el oír la Quinta Sinfonía de Beethoven le hacía estar convencido de la existencia de Dios (pese a su agnosticismo intelectual). La Quinta Sinfonía de Beethoven no tiene ese efecto en mí. Pero de lo que no hay duda es que todo el mundo tiene experiencias personales que les llevan a anhelar el cielo o la llegada definitiva del reino de Dios (que muchas personas no creyentes identifican como esa sensación agridulce de esperar que haya "algo más").

Hay ocasiones en las que quizás conozcamos a una persona que comparte con nosotros ese hilo especial, hasta el punto de parecer formar parte de él. Experiencia que resulta por su propia naturaleza muy difícil de describir.

Esa es la clase de atracción que debemos buscar en nuestra futura pareja. Son, en cambio, muchas las personas que eligen pareja por el atractivo físico y la posición económica, antes que por carácter, proyecto de vida, compromiso de fe, y afinidades, siendo el resultado que se encuentran casadas con personas a las que no respetan. El atractivo múltiple es algo que detectamos si somos capaces de dejar a un lado consideraciones tales como el dinero y el aspecto externo. De ser capaces, puede que nos llevemos la sorpresa (no exenta, a veces, de un cierto susto) de que la persona que nos atrae no cumple con esos requisitos que, de entrada, considerábamos tan importantes.

*No dejes que, de entrada, te domine la pasión.* Una de las grandes ventajas de la forma tradicional de encontrar pareja, cada vez más difícil de poner en práctica, era que las posibles parejas se conocían en situaciones cotidianas en su propio entorno, esto es, el barrio, la iglesia, los espacios comunes. La evaluación del carácter y la atracción que se pudiera experimentar tenían espacio y tiempo para madurar y desarrollarse. La forma actual de salir para conocerse mejor suele ser en muchos casos la del "ligue" y una relación sexual casi inmediata. Pero, tal como ya hemos tenido ocasión de señalar, esa clase de experiencia tiende a impedir una valoración realista de la otra persona. La clase de amor que dura toda una vida no tiene que ver sólo con las emociones. Tiene que tener su base en un firme compromiso que nos mueva a un servicio en sacrificio a favor de nuestra pareja en todo momento y situación y, muy particularmente, cuando el ardor del inicio vaya apagándose. Esa clase de amor surge de una atracción que cuenta con varios ingredientes de valor perenne que tienen que ver con una actitud vital comprometida con una misión más trascendental. Sucede con frecuencia que, entusiasmados por lo que, en un principio, parecía un gran amor, acaba en un tremendo desengaño. Lauren Winner lo expresa con muy acertadas palabras:

> *Cuando nos "enamoramos" de alguien la impresión que se tiene es que estamos pendientes de satisfacer a la persona amada cuando, en realidad, lo cierto es todo lo contrario. En vez de ser atentos, somos adquisitivos. De hecho, utilizamos a la persona objeto de nuestras atenciones para propia gloria, y nos gozamos en su presencia porque nos gusta la imagen que proyecta de nosotros…Eso es justamente lo opuesto al amor cristiano. Nada hay ahí que no sea yo mismo. Pero incluso esa idolatría para con el ser amado, riesgo fácil para los recién enamorados, tiene que ver con uno mismo, aun pretendiéndose todo lo contrario. Y es más sobre el propio yo porque no se considera a la persona amada como lo que realmente es, un ser creado y redimido por Dios, sino que se le adjudican cualidades sublimes de perfección que suplirán mis necesidades.*[22]

El hecho de que esa infatuación sea pasajera, y que se transforme posteriormente en hostilidad y resentimiento, demuestra que no estuvo nunca presente ni una verdadera atracción, en sus distintas facetas, y que tampoco lo estuvo un auténtico amor. Sucede por eso con frecuencia en las relaciones en boga en la actualidad que pasan de ser ciegas ante los defectos, a ver tan sólo fallos y faltas, y a desilusionarse, y hasta a enojarse, sin que se tenga ya en consideración todo lo que de bueno pueda haber.

¿Qué puede hacerse al respecto? En mi trabajo de consejería con adultos jóvenes, les oigo con frecuencia insistir en que no es aconsejable casarse antes de haber convivido antes un mínimo de dos años. Y se manifiestan incrédulos cuando les muestro las estadísticas que prueban lo contrario, ya indicado en un capítulo anterior, esto es, que las personas que conviven de forma previa al matrimonio tienen un índice más alto de divorcios. La cuestión es que, en la actualidad, el salir con alguien es básicamente poco más que una forma de pasarlo bien y practicar el sexo. Pero he podido personalmente comprobar que muchas jóvenes parejas optan por la cohabitación porque no tienen formas alternativas de conocerse.

Cuando dos creyentes pertenecen a la misma comunidad, tienen amplia oportunidad de saber más de la otra persona, como ocurría hace años. Ayudando en la obra social, asistiendo a los estudios bíblicos y a las reuniones de jóvenes, o participando en los cultos, se pueden mutuamente conocer, como antiguamente en el porche o en la salita, y ello de forma que resulta muy difícil hoy día fuera de la comunidad de la fe.

Una de las formas en que se puede comprobar si se ha superado la etapa de la infatuación es haciéndose una serie de preguntas. Así, ¿habéis tenido conflictos importantes y habéis sabido cómo resolverlos? ¿Habéis experimentado lo que es el arrepentimiento y el perdón para renovación? ¿Habéis comprobado si sois capaces de cambiar por amor a la otra persona? A este respecto, hay dos tipos de pareja que responden negativamente. En el primer caso, están las parejas que nunca han tenido conflictos. Que puede ser por estar todavía en el período de infatuación. El segundo tipo es el de la pareja que ha tenido de siempre una relación tormentosa, y que cae constantemente en la misma clase de conflicto sin llegar nunca a resolverlo. No han sido capaces de aprender siquiera los rudimentos básicos del arrepentimiento, el perdón, y el cambio para mejor. En ninguno de los dos casos puede decirse que sean parejas preparadas para el matrimonio.

Un factor crucial para evitar el peligro de la ceguera emocional y los cambios bruscos de humor, apasionándose en exceso y excesivamente pronto, es negarse a practicar el sexo antes del matrimonio. El capítulo que sigue a continuación se ocupa del razonamiento cristiano y de la base bíblica que respalda esta postura ética. Pero lo cierto es que el hecho práctico subsiste que la actividad sexual suscita un deseo físico que para nada tiene en cuenta otros factores y, menos aún, el carácter de fondo. El conocerse mejor como amigos debe ir por delante del compromiso amoroso.[23]

*No caigas en el error de ser la pareja ficticia de alguien que no está dispuesto a comprometerse.* Siendo sin duda muy cierto que hay parejas que se lo toman muy en serio demasiado deprisa, hay otras parejas en las que uno de los dos se muestra reacio a dar el paso siguiente y comprometerse en matrimonio. Si una relación se prolonga durante años, sin señales aparentes de querer profundizar más y llegar al matrimonio, puede que sea porque uno de los dos ha encontrado un nivel de relación que realmente le satisface (que no incluye el matrimonio), en el que recibe todo aquello a lo que aspira  y que, por consiguiente, no siente necesidad de un compromiso definitivo.

Kathy y yo comprobamos ese fenómeno estando todavía en la Universidad, y lo calificamos de "el síndrome de la novia que no causa problemas," porque, en la inmensa mayoría de los casos, era la chica la que estaba interesada en casarse. Había casos en los esas parejas salían durante muchísimo tiempo. Para el chico, suponía disponer de compañía femenina para ciertas ocasiones (cuando así lo quería), una mujer con la que hablar (si era eso lo que le apetecía), y alguien dispuesto a escucharle con simpatía (de tener ganas de descargarse contándole sus problemas). Si no había de por medio relación física, el hombre insistiría en decir que la chica no era su novia, y que no había ninguna clase de "compromiso" entre ellos. Y si a ella se le ocurría cuestionarlo, él protestaría acaloradamente diciendo que en ningún momento había dicho que fueran algo más que "amigos." Pero esa postura es en extremo injusta porque, evidentemente, *sí* que eran más que amigos, siendo precisamente él quien salía ganando con esa relación. De hecho, estaba disfrutando de casi todas las ventajas de estar casado sin el coste del compromiso, mientras que la chica iba poco a poco replegándose y dejando de ser ella misma. Eso era algo evidente para nosotros, pero nada podíamos hacer salvo evitar caer en el mismo error.

Pero lo cierto es que hubo un momento en nuestra relación, después de conocernos ya durante años, en el que Kathy se dio cuenta de que eso nos estaba pasando también a nosotros, reaccionando ella con lo que hemos acabado conociendo como el discurso del "echar perlas a los cerdos." Y la verdad del caso era que, aunque siendo ella y yo los mejores amigos del mundo, y almas gemelas en muchos aspectos, yo todavía estaba recuperándome de una relación sentimental anterior que había acabado muy mal. Kathy fue, durante mucho tiempo, comprensiva y paciente, hasta que llegó un día en que me dijo, "Escucha, no estoy dispuesta a seguir así ni un día más. Llevo mucho tiempo esperando la promoción de amiga a novia. Sé que no es esa tu intención pero, con tu actitud, haces que me sienta como si estuvieras examinando el material y lo encontraras defectuoso. Y yo lo vivo como un rechazo. Yo ni puedo ni estoy dispuesta a seguir así, esperando que llegue el día en que decidas que quieres ser algo más que mi amigo. No es que yo me considere exactamente una perla, y desde luego no estoy diciendo que tú seas un cerdo, pero una de las razones por las que Jesús advirtió a sus discípulos que no echaran perlas a los cerdos es porque el cerdo es incapaz de valorarlas. Si tú no me ves como algo valioso para ti, no voy a seguir a tu lado esperando y esperando. Sencillamente, no puedo. El rechazo que siento, tanto si es intencionado como si no, me resulta imposible de soportar."

Eso fue exactamente lo que me dijo. Y fue algo que hizo que me pusiera inmediatamente a pensar y a examinarme a mí mismo. Un par de semanas más tarde, tome una decisión definitiva.

*Relaciónate lo más posible con tu comunidad inmediata.* Las formas antiguas de cortejo daban por sentado que tanto familia como amigos iban a colaborar dando consejos y compartiendo experiencias a la hora de elegir pareja. Las comunidades cristianas de reciente formación están de hecho tratando de recuperar prácticas que demandan la colaboración de las familias, particularmente de los padres, hasta el punto de que casi parecen matrimonios concertados. Pero incluso los judíos ortodoxos saben que eso no funciona en la práctica, sobre todo en el caso de adultos jóvenes que han pasado un tiempo fuera de casa y de su comunidad. A lo que hay también que añadir que muchos cristianos solteros proceden de familias que apenas si saben bien de la fe cristiana y que, en lógica consecuencia, de escasa ayuda van a poder ser. Aun así, persiste ese antiguo principio básico como del todo adecuado y absolutamente imprescindible. El matrimonio no debería nunca ser una decisión estrictamente individual y unilateral. Se trata de algo de la mayor importancia, y la perspectiva personal puede fácilmente estar sesgada. La comunidad cuenta con muchas personas casadas que poseen la sabiduría y la experiencia necesarias para poder ser de ayuda a las parejas jóvenes, que harán sin duda bien en prestar atención a cuantos consejos y pautas reciban.

De hecho, yo me atrevería a decir aún algo más. La comunidad cristiana está genuina y profundamente interesada en que haya en su seno matrimonios saludables y felices. El matrimonio cristiano debe repercutir en las congregaciones con tiempo compartido y con experiencias comunes. Lo que en la práctica supone buscar formas en las que relacionarse. Los cristianos estamos llamados a invitarnos y a convivir *(1 Pedro 4:9)*, lo cual no significa simplemente compartir *casa*. Los creyentes estamos de hecho llamados a ser miembros activos dentro de la gran familia de la fe, según vemos en *Romanos 12:10*, lo que conlleva una transparencia de vida. "Una forma muy particular en la que las parejas casadas con mayor experiencia pueden ser de ayuda…para las más jóvenes, es no sólo compartiendo lo fácil y atrayente, sino asimismo lo más duro y difícil de sobrellevar."[24] ¡Imagina lo que eso podría suponer! Los solteros tienen que saber previamente lo duro *y* lo maravilloso que el matrimonio puede ser, esto es, que no todo es felicidad y satisfacción. La única forma en que eso va a ser así es compartiendo, comparando, aprendiendo, y rectificando, para poder, por fin, vivir el matrimonio en su verdadera y plena dimensión.

El matrimonio es un don de Dios para bendición de su iglesia. La extraordinaria verdad del Evangelio, en cuanto al pecado, la gracia, y la restauración, puede ser percibida tanto dentro como fuera de la iglesia, y los matrimonios cristianos así lo proclaman. La comunidad cristiana deriva bendición d los matrimonios sólidos, siendo un buen ejemplo a seguir por las personas solteras. Es más, la decisión de con quién casarse no debería ser algo exclusivamente individual, sino que debería también tener en cuenta a la comunidad.

# Sexo y matrimonio

*Por lo demás, cada uno de vosotros ame también a su mujer como a sí mismo; y la mujer respete a su marido.*
*(Efesios 5:31)*

No se puede hablar sobre el matrimonio sin hacerlo acerca del sexo, pero la cuestión de cómo el sexo está relacionado con el matrimonio consta de dos niveles. En su nivel fundamental, necesitamos entender bien el principio básico de la ética sexual bíblica y, más en particular, cómo es que Dios limita de forma exclusiva la actividad sexual a las parejas casadas. Así, una vez hayamos comprendido, y asimilado bien el planteamiento bíblico, pasamos a la cuestión que más nos preocupa, esto es, cómo vivimos ese principio en nuestra práctica cristiana, sea como personas solteras sea como parejas casadas.

## El sexo no es más que un apetito. No, no sólo es eso

Históricamente, ha habido incontables actitudes acerca del sexo. En primer lugar, está el sexo como apetito natural. Visto así, el razonamiento es: el sexo ha estado siempre rodeado de tabúes, pero ahora nos hemos dado cuenta de que el sexo es lo mismo que comer o cualquier otro apetito bueno y natural. Eso supone que deberíamos sentirnos libres para satisfacer ese apetito cada vez que surja la necesidad. Y tampoco hay razón alguna para no probar distintas "variedades" o buscar activamente "nuevas formas de satisfacer ese apetito". Prohibir la satisfacción de un apetito natural, o limitarlo durante una serie de años, es tan poco aconsejable (y, además, imposible) como dejar de comer durante años.

Otra postura acerca el sexo es, en cambio, negativa y hunde sus raíces en una línea de pensamiento que viene de antiguo. El sexo es visto como parte de nuestra naturaleza física inferior, muy distinta de nuestra naturaleza superior, más racional y "espiritual". En esta forma de verlo, el sexo es algo degradante y sucio, un mal necesario para la propagación y continuidad de la especia humana. Esta concepción sigue ejerciendo una influencia notable incluso hoy día.

En la sociedad actual, hay otra concepción más de indudable relevancia. Así, mientras que, en el primer caso, el sexo se entiende como un impulso inevitable y, en el segundo, como un mal necesario, la tercera postura ve el sexo como una forma de expresión o manifestación personal, una manera de ser o de encontrarse a "uno mismo". La persona *puede* querer aplicarlo al matrimonio, para formar una familia, pero siempre por propio deseo y voluntad, y desde luego sin matiz alguno de obligación social. Visto así, el sexo va a ser siempre para satisfacción y realización personal, dentro de un proyecto de propia construcción.

La postura bíblica respecto al sexo suele entenderse como afín a la segunda concepción mencionada líneas atrás, esto es, como algo que nos rebaja de nuestra categoría humana y como algo sucio. Pero eso no puede sostenerse con la Biblia en la mano. De hecho, la postura bíblica respecto al sexo es radicalmente distinta a las mencionadas.

¿Es el sexo, pues, un apetito carnal? Sí, desde luego que lo es, pero sin pertenecer a la misma categoría de la necesidad que tenemos de sueño y comida. Necesidades esas, por cierto, que tampoco pueden ser satisfechas de cualquier manera, sea cual sea su intensidad. Hay muchas personas que comen más de lo que su organismo necesita, teniendo que luchar para controlar su apetito. El impulso sexual precisa también una atención especial. El sexo no tiene que ver tan sólo con lo físico y material, sino que afecta a nuestro ser interior, a nuestra personalidad. El pecado, que en primer lugar es un problema de la voluntad, puede afectar de forma muy particular en el área de lo sexual. La pasión y deseo de sexo se han distorsionado extraordinariamente. El sexo es, en esencia, una entrega generosa de uno mismo en el ámbito de una vida compartida. El corazón de pecado que anida en el ser humano busca el sexo por motivos egoístas. De ahí que la Biblia advierta acerca de su uso.[1]

La ética sexual cristiana puede resumirse de forma muy sencilla: el sexo es para practicarlo en el seno del matrimonio entre un hombre y una mujer.

## El sexo es algo sucio. No, no lo es

¿El sexo es realmente algo sucio que degrada a la persona, como algunos afirman? No, desde luego que no. El cristianismo bíblico es probablemente la religión más positiva respecto al cuerpo. Su enseñanza es que Dios creó cuerpos materiales, calificándolo de bueno *(Génesis 1:31)*. En el Nuevo Testamento, se afirma que, en Jesucristo, Dios mismo tomó forma humana (que sigue teniendo en forma glorificada) y que llegará el día en que nos dará a nosotros también un cuerpo resucitado y perfecto. La sexualidad es parte de esa creación corporal de Dios, dada desde el principio a la pareja para mutuo disfrute. La Biblia contiene en sus páginas una extraordinaria muestra de poesía amorosa que celebra sin ambages el apasionamiento amoroso y el goce sexual. Si alguien dice del sexo que es algo sucio o malo en sí mismo, disponemos de la Biblia para refutarlo ampliamente.

Dios no sólo permite las relaciones sexuales dentro del matrimonio, sino que de hecho lo convierte en ordenanza *(1 Corintios 7:3-5)*. En el libro de Proverbios, se exhorta a los maridos a tener deleite en los pechos de sus esposas, en sublime éxtasis amoroso *(Proverbios 5:19; cf. Deuteronomio 24:5)*. El Cantar de los Cantares exalta los deleites del sexo en el matrimonio. Tremper Longman, experto en Antiguo Testamento, dice en ese sentido:

> *El papel de la mujer en el conjunto del Cantar de los Cantares es realmente extraordinario, sobre todo a la vista de los tiempos en que se compuso. De hecho, es la mujer, y no el hombre, la que tiene la voz principal en todo el poema. Ella es la que busca, inicia y persevera en su relación amorosa. En el cántico 5:10-16, proclama sin vergüenza la atracción física que siente por su amado, "Su cuerpo, como claro marfil cubierto de zafiros…". (14) La mayoría de las traducciones titubean a la hora de encontrar ahí las palabras adecuadas. El hebreo del original es sumamente erótico, y por eso la renuencia de los traductores a reflejar claramente el preludio del encuentro*

*amoroso. Pero nada de lo que tiene lugar en el lecho conyugal es tímido, vergonzoso o mecánico. Muy al contrario, la pareja se contempla gozosa y extasiada en su espléndida desnudez, anticipando el disfrute de su sexualidad...*[2]

¡La Biblia puede fácilmente hacer sonrojar a los vergonzosos!

## El sexo es algo estrictamente privado. No, no lo es

¿Es, entonces, el sexo un medio para felicidad individual y realización personal? No, no es así. Pero eso no significa que el sexo no sea ocasión de gozo o tan sólo un deber a cumplir. La enseñanza cristiana en ese sentido es que el sexo es primariamente una forma más de comprender a Dios en su creación y de construir una comunidad, y, si somos capaces de disfrutarlo y hacer uso de ello con esos fines en mente, antes que para satisfacción personal, el resultado será una realización personal mucho más extraordinaria de lo que podríamos pensar.[3]

La primera mención explícita en la Biblia acerca de las relaciones sexuales la encontramos en *Génesis 2:24*, pasaje de todos conocido, que el apóstol Pablo cita de forma expresa en *Efesios 5*. Varón y hembra se unirán para ser *"una sola carne"*. Leído de corrido, la impresión que se tiene es que se trata de una relación física sexual. Pero, aun siendo muy cierto que eso es lo que dice, su significado total es más profundo todavía. Cuando en la Biblia se afirma que *"toda carne"* se había desviado del buen camino, corrompiéndose *(Génesis 6:12)*, o que Dios derramaría su espíritu sobre *"toda carne" (Joel 2:28)*, no significaba que sólo estuviera pecando el cuerpo, o que Dios estuviera impartiendo su Espíritu a toda criatura. "Carne" es ahí una sinécdoque, tropo literario en el que la parte alude al todo (como cuando decimos 'el pan de cada día' entendido como el alimento en general).

Dicho de otra forma, el matrimonio es la unión de dos personas, de manera tan profunda que se hacen virtualmente una sola. Unión que, en origen, llevaba implícita la noción de contrato o pacto, quedando ahí incluido todo posible aspecto y apartado de una vida conjunta en pareja. Se trata, en esencia, de una verdadera unidad en lo social, en lo económico y en lo legal. Por amor, la pareja renuncia a gran parte de su independencia, haciendo mutua entrega de su persona.

Considerar el matrimonio *"una sola carne"* supone que la relación sexual se entiende como símbolo de esa unión polifacética y asimismo como medio para hacerla real y efectiva. La Biblia advierte acerca del peligro de la unión física si no estamos dispuestos a comprometernos en lo emocional, en lo social, en lo económico y en lo legal. No expongas tu cuerpo, desnudo y vulnerable, sin que haya una vulnerabilidad mutua en todo posible aspecto, porque en la unión en pareja se renuncia a una libertad para un compromiso real y sincero.

Cuando la entrega en el matrimonio abarca toda posible esfera de una vida en común, el sexo es una forma sin igual de mantener y profundizar en esa unión en el transcurso de los años. En el Antiguo Testamento, eran frecuentes las "ceremonias de renovación de un pacto". Al establecer Dios un pacto con su pueblo, dejó ordenado que se celebrara de forma pública y periódica una lectura recordatoria de los términos sucritos por ambas partes, seguida de una renovación de ese compromiso. Esa era una cuestión crucial para mantenimiento de una vida de fe.

Lo mismo ocurre con el pacto del matrimonio. Cuando nos casamos, hacemos solemne voto, que la Biblia califica como "pacto de compañerismo" *(Proverbios 2:17).* El día de nuestra boda es de plenitud y nuestros corazones rebosan de gozo y esperanza. Pero, a medida que pasa el tiempo, se hace necesario avivar el fuego del corazón y renovar ese compromiso inicial. Tiene que haber, por tanto, una oportunidad para traer de nuevo al recuerdo lo que nuestro marido, o esposa, significa para nosotros, haciendo renovada entrega de nuestra persona en amor y compromiso. Las relaciones sexuales entre marido y mujer son un medio extraordinario y verdaderamente especial de hacer realidad ese pacto.

Cabe decir que el sexo es, muy probablemente, la forma más poderosa instituida por Dios para facilitar esa entrega mutua. El sexo hace posible que dos personas se digan: "Te pertenezco por entero, y de forma permanente y exclusiva". Y nosotros no debemos hacer del sexo algo inferior a todo eso.

Según la Biblia, es necesario un pacto para una adecuada relación sexual, y ello por cuanto crea un contexto de seguridad ante la vulnerabilidad y la intimidad. Pero aunque sea innegable la necesidad de pacto del matrimonio para una adecuada relación sexual, el sexo es necesario, a su vez, para el adecuado mantenimiento de ese pacto. Por eso se puede hablar ahí de una renovación constante que tiene en consideración un mutuo servicio.

## El sexo como acto de unión

El apóstol Pablo es considerado por muchos como el escritor bíblico con la visión más negativa respecto al sexo. Pero un análisis pormenorizado de los libros y pasajes concretos donde se ocupa el tema, pone de relieve que eso no es ni mucho menos así.

En *1 Corintios 6:16 ss.*, Pablo prohíbe a los creyentes que tengan relaciones sexuales con una prostituta. Su razonamiento para así hacerlo es sumamente instructivo:

> *¿No sabéis que el que se une con una ramera, es un cuerpo con ella? Porque se nos ha dicho: Los dos serán una sola carne… Huid de la fornicación… ¿O ignoráis que vuestro cuerpo… no es vuestro? Porque habéis sido comprados por precio; glorificad, pues, a Dios en vuestro cuerpo.*
>
> *(1 Corintios 6:16-20)*

¿Qué quería decir concretamente Pablo con ello? Sin lugar a dudas, que, para él, *"una sola carne"* supone mucho más que una mera unión física. Si no fuera así, Pablo habría incurrido ahí en pura tautología: "¿No sabéis que cuando tenéis relación con una prostituta estáis teniendo relación con una prostituta?". Obviamente, Pablo entiende por *"una carne"* el ser una única persona en la relación a *todos* los niveles que se dan entre un hombre y una mujer. Lo que rotundamente Pablo rechaza ahí, es la monstruosidad de ser una sola carne en lo físico, sin que estén igualmente comprometidas todas y cada una de las facetas de la vida de una persona.[4]

D. S. Bailey, autor del magistral *The Man-Woman Relation in Christian Thought*, señala el carácter innovador de la enseñanza de Pablo en ese sentido, sin precedentes en la historia del pensamiento humano:

> *Su pensamiento no es deudor de concepciones previas, haciendo gala de una aguda percepción de la psicología humana en lo referente a la sexualidad, del todo excepcional para la mentalidad propia del siglo I. El apóstol niega rotundo que el coito sea... poco más que un ejercicio de los órganos genitales. Muy al contrario, insiste en que es un acto en el que... interviene y se expresa el todo de la persona en un extraordinario despliegue de compromiso.*[5]

Dicho de forma breve, según Pablo, la relación sexual con una prostituta es inadmisible porque *cada* acto sexual debería ser un *acto de unión*. Pablo insiste por ello en que es radicalmente contrario a su sentido en origen el compartir tu cuerpo con quien no tienes un compromiso. C. S. Lewis comparaba el sexo sin matrimonio con probar comida sin tragarla y digerirla. La analogía no puede ser más adecuada.

## El sexo como razón para el compromiso

La moderna revolución sexual encuentra la idea de abstenerse del sexo hasta el matrimonio ridícula e irrealista hasta rozar el absurdo.[6] De hecho, son muchas las personas que piensan que es incluso perjudicial tanto psicológica como físicamente. Pero, aun a pesar de la incredulidad contemporánea, esa ha sido la enseñanza mantenida por la iglesia ortodoxa, católica, y la protestante.

La Biblia no aconseja la abstinencia sexual por tener una baja opinión del sexo, sino justamente por tenerlo en alta estima. La noción bíblica es que el sexo fuera del matrimonio no sólo es moralmente condenable, sino que es personalmente nocivo. Si el sexo está pensado como parte de un pacto conjunto que va renovándose en la convivencia, nada más lógico que ver el sexo como una razón para el compromiso.

Si, además, la relación sexual ha sido instituida por Dios para un "compromiso de por vida" en mutua entrega, no debería sorprendernos que el sexo nos haga estar más profundamente conectados con la otra persona, incluso cuando se usa indebidamente. Si no se utiliza mal deliberadamente, y no se practica como mero impulso físico, el sexo hace que nos sintamos unidos a la otra persona no sólo en lo físico, sino asimismo en lo emocional. En el ardor pasional, podemos fácilmente sentirnos impulsados a decir: "¡Te querré siempre!". E incluso sin estar casados, puede que sintamos un vínculo similar al propio del matrimonio, esperando algún tipo de obligación por parte de la otra persona. Pero esa otra persona no tiene ninguna responsabilidad moral, social o legal de llamarte al día siguiente o de tenerte en cuenta. Esa incongruencia puede originar sentimientos heridos, celos injustificables y conducta obsesiva. La ruptura en esas circunstancias es particularmente dolorosa, y puede llevarnos a tratar de mantener una relación nociva por un deseo enfermizo de sentirnos unidos a alguien.

El sexo practicado fuera del matrimonio puede hacernos depositar nuestra confianza en quien no lo merece. El problema en esos casos es que el sexo así practicado deja de percibirse como un compromiso, hasta en el caso de posterior matrimonio, produciéndose incluso un *retroceso* en la capacidad para confiar en otra persona.

## Una castidad práctica

¿Qué va a ocurrir si decides, como persona soltera, seguir la directriz cristiana y practicar la castidad? De entrada, no cabe duda de que va a ser algo difícil de mantener, sobre todo en contextos culturales y sociales de convicciones muy distintas. Pero tendremos éxito si aplicamos los recursos a nuestro alcance.

En primer lugar, ha de estar presente y activo en nuestra vida el "amor en compromiso (conyugal)" con Jesús. El sexo fue creado en origen para una relación de compromiso, como verdadero anticipo del gozo que se deriva de una completa unión con Dios a través de Cristo. El amor más apasionado entre un hombre y una mujer en este mundo no es más que un pequeño atisbo de lo que será en última instancia *(Romanos 7:1-6; Efesios 5:22 ss.).* El saber que va a ser así es de gran ayuda. Una de las razones por las que nos consumimos por pasiones, en apariencia incontrolables, es que pensamos que una auténtica experiencia sexual podrá hacernos sentir por fin plenamente realizados dando sentido a la vida.

Para hacer frente a la tentación, lo primero de todo será hablar la verdad a nuestro corazón. Los sentimientos tienen que someterse a la razón, porque lo cierto es que el sexo no puede ocupar el vacío cósmico que tratamos de llenar con las relaciones amorosas. Únicamente conocer a Cristo personalmente podrá colmar el vacío creado por el pecado para una nueva y duradera relación. Pero eso no significa que tengamos que esperar al mundo del futuro para experimentarlo. La Biblia nos informa de que nuestra relación presente con Cristo no va a ser sólo racional, sino asimismo de amor *(Romanos 5:5; Efesios 3:17 ss.)*. Y eso es algo ya a nuestro alcance a través de la oración.

Para andar por ese camino, las personas solteras necesitan una comunidad a la que pertenecer, y ello para un trato con otras personas solteras, que no estén ansiosas por casarse, pero que tampoco rechacen o teman esa posibilidad. Lo apropiado es vivir en una comunidad, relacionándose con otras personas también solteras, en la que las aspiraciones no son las mismas que las dominantes en la sociedad en general, esto es, belleza física y posición económica, sino que se busca algo muy distinto en la elección de pareja. Por otra parte, también es recomendable tener trato con familias que no consideran su situación como el paradigma ideal y que, en consecuencia, no hacen que la soltería parezca algo superfluo.

Otro de los rasgos distintivos de esa comunidad sería el debate abierto de la postura bíblica respecto al papel que desempeñe el sexo en la vida y en las relaciones personales. Cuanto más frecuente sea ese intercambio de pareceres entre solteros y casados, mayor será su beneficio. Y, por encima de todo ello, los solteros que busquen una relación sentimental, pero sin que el sexo sea por ello lo prioritario, estarán en contacto con un número significativo de personas en situación similar y con parecidas aspiraciones.

Soy, claro está, plenamente consciente de que estos dos últimos párrafos habrán hecho exclamar a más de un paciente lector: "Pero, ¡es que no hay iglesias de esas características!". Eso es muy cierto en un elevado porcentaje de casos y, como pastor, confieso que en mi propia iglesia se dan ciclos en los que se funciona bien en esa línea, seguidos de otros, lamentablemente más frecuentes, en los que la comunidad no es reflejo de ese ideal. Por eso, quiero retar a mis lectores a que se comprometan con la creación de esas condiciones en sus iglesias o que pongan en marcha nuevas iglesias en las que la comunión entre sus miembros sea algo prioritario.

Por último, es necesario alcanzar un equilibrio entre lo que se espera del sexo y el propio impulso sexual. Hay cristianos que se avergüenzan profundamente de los pensamientos que acuden a su mente y de sus fantasías sexuales. Otros, en cambio, no tienen ningún problema al respecto. Pero lo cierto es que el evangelio no es ni legalismo ni antinomianismo. Los cristianos no nos salvamos por obedecer a Dios, pero la auténtica salvación sí lleva a obedecer a Dios por genuina gratitud. El saber que es así debería marcar un equilibrio entre pensamientos y tentaciones. En relación a los deseos sexuales, Lutero dijo: "No puedes evitar que los pájaros revoloteen sobre tu cabeza, pero sí puedes evitar que hagan ahí su nido". Lo que quería decir que no siendo posible evitar tenerlos, por ser algo natural, sí que somos, en cambio, responsables de lo que hagamos al respecto. La regla más segura es no prestarles ninguna atención.

En el caso de una conducta errónea, no debemos dudar en aplicar el evangelio de gracia a nuestras conciencias. El evangelio no le resta importancia al pecado, pero tampoco nos insta a flagelarnos por ello, ni a no salir del marasmo de la culpa indefinidamente. El perdón que hallamos en el evangelio y el ser limpios de pecado nos ayuda a seguir adelante. Hay vergüenza sin resolver por antiguas ofensas que siguen suscitando fantasías nocivas en el presente.

## El diálogo interno

No existen técnicas que nos ayuden como creyentes a aplicar una ética cristiana sexual de manera infalible. Para cambiar de pensamiento y de conducta, se necesita convicción. *Jane Eyre* es una novela clásica sobradamente conocida. Su protagonista, la Jane del título, se enamora de Rochester, enterándose, según va avanzando la trama, que está casado con una enferma mental que vive recluida en lo más alto de la casa. Aun así, Rochester insiste en que conviva con él como su amante. Esa petición sume en un conflicto a Jane:

> *...según iba hablándome, mi conciencia y mi razón empezaron a traicionarme, haciéndome creer que el delito sería no hacer como me pedía. De tal manera pugnaban por salirse con la suya que era totalmente como si me gritaran a gran voz: "¡Cede ante lo que te pide!" "Piensa en el dolor que le causarías rechazándole; piensa en el riesgo que correría —qué es lo que hará cuando se vea solo; ten en cuenta su carácter díscolo; considera lo que trae consigo la desesperación. Aplácale; sálvale; ámale; dile lo que en verdad sientes por él y que estás dispuesta por ello a ser suya. ¿Quién te tiene en cuenta como él lo hace? ¿A quién perjudicarías aceptándole?"*

Jane está sopesando ahí las distintas facultades de su alma. Por un lado, se encuentran la conciencia y la razón, y también los sentimientos, haciendo todo lo posible por ser oídos, siendo su recomendación acceder a la petición de Rochester. En su soledad y desdicha, bien merece que Jane tenga compasión de él. Rochester es un caballero rico que la ama apasionadamente. Tras una vida de privaciones, Jane tendría derecho a disfrutar lo bueno de esta vida. Pero no es eso lo que ella piensa.

Su respuesta es la de un espíritu indomable: "Me preocupa mi buen nombre. Cuanto más solitaria y llena de privaciones sea mi vida, más me respetaré a mí misma. Cumpliré con lo ordenado por Dios y sancionado por los hombres. Me atendré a los principios que se me inculcaron cuando aún tenía sensatez y no estaba loca, como ahora sí lo estoy. Las leyes y los principios no están para la ausencia de tentación: son para momentos como este, donde el cuerpo y el alma se alzan rebeldes ante su rigor. Principios duros de poner en práctica, bien lo sé, pero de naturaleza inviolable. Si por propia conveniencia los quebranto, ¿en qué quedaría su valor? Porque tienen mucho valor. Y así al menos lo he creído yo siempre. Y si ahora parece que no lo hago es porque he perdido la cordura. La locura corre por mis venas como fuego líquido; el corazón palpita agitado. Lo que siempre he creído, lo que ha marcado la pauta en mi conducta hasta hoy, es por lo que me regiré: en eso me planto, nada me va a conmover".

Y así fue.

*Jane Eyre* ha sido llevada al cine y a la TV en distintas ocasiones y, salvo error por mi parte, esta declaración de principios no se ha incluido nunca. La única frase que se deja decir a Jane es: "Me debo respeto a mí misma". Los espectadores modernos tienen así pie para creer que Jane resiste la tentación por propia autoestima, no porque ser la amante de Rochester sea inmoral, sino porque la rebaja en su dignidad. Todas las versiones que yo conozco dan la impresión de que mira en su interior para encontrar la fuerza y la seguridad necesarias para no rebajarse en su dignidad y no ocupar un segundo lugar en inferioridad.

Pero el texto de la novela no dice esto. Jane no consulta a su corazón para tomar una determinación, en el que, de hecho, sólo hay en ese momento conflicto y sentimientos en pugna. Jane *ignora* lo que el corazón le dicta para considerar lo que Dios dice al respecto. La ley moral instituida por Dios no era lo que su corazón quería, y ni siquiera parecía razonable o justa. Pero ella entiende bien que, si la transgrede por propia conveniencia, perdería todo su valor. Si únicamente obedecemos a Dios cuando nos parece razonable, y conviene a nuestros intereses, la noción de obediencia desaparece por completo. La auténtica obediencia supone someterse a una autoridad superior incluso en contra de nuestro deseo. La ley de Dios es *para* cuando surge la tentación, en situaciones en las que "cuerpo y alma se rebelan ante su rigor".

Jane reacciona no en base a sus sentimientos y su deseo, sino guiándose por la Palabra de Dios. No conozco otro ejemplo más claro de cómo debería ser el diálogo interno a mantener ante la tentación. Todos deberíamos aprender a hacerlo así.

## La importancia del amor erótico en el matrimonio

A la vista de que la Biblia circunscribe la práctica del sexo al matrimonio, no debe sorprendernos que sean varios los pasajes en los que se insta a las parejas casadas a disfrutar del sexo con regularidad. Ya citamos en su momento pasajes significativos del *Cantar de los Cantares y Proverbios 5:19*, donde se nos exhorta a deleitarnos con el cuerpo de nuestra pareja. En *1 Corintios 7:3-5,* Pablo habla con toda honestidad de la importancia de la relación en el matrimonio:

*El marido cumpla con la mujer el deber conyugal, y asimismo la mujer con el marido. La mujer no tiene potestad sobre su propio cuerpo, sino el marido; ni tampoco tiene el marido potestad sobre su propio cuerpo, sino la mujer. No os neguéis el uno al otro, a no ser por algún tiempo…*

Pablo hace ahí una afirmación revolucionaria respecto al marido y sus deberes en un tiempo en el que las mujeres eran consideradas propiedad de su esposo. "En negativo, le comunica la obligación de abstenerse de tener relaciones sexuales fuera del matrimonio: mientras que, en positivo, le recuerda la obligación de cumplir con el deber conyugal para placer y satisfacción de su mujer." [7] Eso suponía todo un duro golpe para una tradición en la que se esperaba del hombre, y se le permitía, que tuviera distintas parejas para el sexo, despreciándose, en cambio, a la mujer que pretendiera hacer lo mismo. Como complemento de la afirmación previa, que el cuerpo de la mujer le pertenece al marido, Pablo recalca que ambos cónyuges tienen derecho a una satisfacción sexual. Nadie había afirmado algo así hasta entonces.

El lector actual encontrará ese pasaje satisfactorio, dada nuestra visión occidental contemporánea sobre los derechos humanos, pero ese no es el propósito que movió a Pablo. Lo que está haciendo ahí es darnos una concepción muy positiva de la satisfacción sexual dentro del matrimonio. En la cultura de trasfondo romano en la que vivían los cristianos de Corinto, la idea dominante era que "los hombres debían tomar esposa para tener herederos legales, mientras que el placer sexual, de ser eso lo que se buscaba, se hallaba fuera del matrimonio". Los historiadores señalan, en este sentido, que "Pablo, en efecto, redefine el matrimonio como ámbito propio para mutua satisfacción del deseo erótico, y ello en total contraste con la noción pagana, influida por ciertas corrientes filosóficas, que el propósito del matrimonio era la procreación de herederos legítimos que darían continuidad al apellido de la familia, conservando en su seno el patrimonio y los ritos familiares".[8] Expresado de otra forma, Pablo está ahí diciéndoles a los creyentes casados que las relaciones sexuales mutuamente satisfactorias son una parte esencial de su vida como pareja. De hecho, el pasaje como tal indica que esas relaciones deben ser frecuentes y recíprocas. Ninguno de los dos debe negarse al otro.

## El matrimonio erótico

Estoy plenamente convencido de que esta parte en concreto de *1 Corintios 7* constituye una fuente práctica de suma importancia. Cada uno de los cónyuges en el matrimonio debe preocuparse al máximo no de obtener placer sexual, sino de *proporcionarlo*. En resumen, el mayor placer sexual deberá ser el placer de proporcionar placer a nuestra pareja. Cuando llegamos a ese punto en el que dar placer es lo que más nos motiva en nuestra relación, estaremos aplicando en la práctica ese principio.

Mientras investigaba para la redacción de este capítulo, encontré los apuntes de unas charlas sobre este tema que Kathy y yo habíamos dado hacía ya un tiempo. Yo ya había olvidado la lucha de los primeros tiempos y algunas de esas notas me hicieron recordar que, al principio de nuestra vida de casados, hubo un período en el que temíamos tener relaciones sexuales. Kathy había llegado a decir entonces que si ella no llegaba al orgasmo, ambos nos sentíamos mal y como fracasados. Si yo le preguntaba

"¿Has disfrutado?" y ella respondía "Lo único que he sentido es dolor", yo me sentía fatal y lo mismo le ocurría a ella. Eso fue un problema hasta que, finalmente, empezamos a darnos cuenta de una cosa. Como Kathy bien decía en sus notas:

> *Llegó por fin un momento en el que nos dimos cuenta de que el orgasmo es algo grandioso, sobre todo si llega al clímax a la vez. Y la maravilla y el gozo de ser uno en mutua confianza y dependencia es algo que apenas si hay palabras para expresarlo. Cuando Tim y yo dejamos de intentar de hacerlo de forma perfecta, para concentrarnos sencillamente en amarnos, las cosas empezaron a ir hacia delante. Ya no nos preocupaba el resultado, y por eso nos decíamos a nosotros mismos: "Veamos, ¿qué es lo que puedo hacer para que mi pareja disfrute y sea feliz?".*

Sin duda alguna, esa es una actitud que tiene importantes consecuencias en la resolución de un problema que experimentan muchas parejas en su vida como matrimonio, sobre todo cuando uno de los cónyuges quiere tener sexo con mayor frecuencia que su pareja. Si el principal propósito en la práctica del sexo es proporcionar placer, no el obtenerlo, la persona que en principio no tiene tanto impulso sexual físico puede plantearse el acto en sí como un regalo. Esa es una forma muy legítima de amar a nuestra pareja y no hay razón alguna para descalificar esa posibilidad diciendo: "Pero, es que si no hay verdadera pasión y deseo, no deberían tenerse relaciones". Esa es justamente la razón de verlo como un regalo.

En relación con todo eso, están las diferentes opiniones respecto a cuál sea el contexto más adecuado para una relación sexual satisfactoria. Y aunque yo no estoy aquí proponiendo una noción de validez universal, debo decir que, como hombre, el contexto o situación me son del todo indiferentes. Lo que en la práctica significa, siendo totalmente franco, que me puede apetecer en cualquier momento y en cualquier lugar. Pero la convivencia con mi pareja me ha llevado a darme cuenta de que yo no estaba ahí planteándome algo que sí era importante para Kathy. "¿Cómo que el momento y la situación? ¿Te refieres a velas y a música ambiental?" Pero para ella, al igual que para muchas otras mujeres, no era eso lo que quería decir, sino algo que tiene mucho más que ver con los sentimientos y una preparación previa. Ella se refería a muestras de cariño y de interés, de conversaciones y detalles con anterioridad a lo meramente físico. Yo acabé aprendiendo que era de eso de lo que se trataba, y también que es necesario tener mutua paciencia en lo relativo al sexo. A nosotros nos llevó años aprender por fin a darnos mutuo placer. Pero los resultados compensaron con creces la espera.

## El sexo como una prueba

La Biblia presenta una elevada visión del sexo. Y es, sin duda, sello y señal de la unidad como pareja a los ojos de Dios. Por tanto, no debería sorprendernos descubrir que pueden surgir "problemas en la cama" que, de no ser por la cuestión del sexo, nunca se harían evidentes. Así, es posible que exista culpa, miedo e ira como consecuencia de anteriores relaciones. Por eso mismo, puede hacerse manifiesto un odio, o una falta de respeto, que tiene que ver con diferencias no resueltas en la relación presente. El sexo es algo maravilloso pero frágil, y no es buena táctica ocultar bajo la alfombra problemas que por fuerza tienen que airearse y salir a la luz. Si la relación marital no está funcionando como es debido, la relación sexual no va a funcionar bien. Hay que asegurarse yendo más allá de la superficie. Una falta de "compatibilidad sexual" no tiene necesariamente que ser una falta de habilidad en lo físico. Puede ser, por el contrario, indicio de problemas más profundos en la relación de pareja. Y suele darse con mucha frecuencia el caso de que, si se hace frente a esos problemas, la relación sexual mejora.

Una regla fundamental en el matrimonio es que, a medida que pasa el tiempo, y tal como Lewis Smedes señala, descubrimos que no nos casamos con una sola persona, sino con las muchas personas que esa misma persona acaba siendo. El tiempo, los hijos, si los hay, las enfermedades, las múltiples experiencias y la acumulación de años provocan cambios que requieren respuestas creativas y disciplinadas para que sea posible la necesaria renovación de una intimidad sexual que era más fácil en sus inicios. Si no reconocemos y no nos adaptamos a esos cambios, nuestra relación sexual como pareja sufrirá por ello. Kathy y yo solemos comparar el sexo en el matrimonio con el aceite que engrasa un motor. Si el aceite no está ahí, la fricción que se produzca acabará en desastre. Sin una práctica sexual gozosa, la fricción en el matrimonio provocará ira, resentimiento, desilusión y una relación pobre. Lo que debería ser motivo de unión, se convierte en motivo para división. Nunca debemos renunciar a una legítima relación sexual.

## Lo glorioso del sexo

El sexo es algo realmente maravilloso y totalmente extraordinario. Eso es algo que sería evidente aun sin que la Biblia lo afirme. El sexo nos mueve a un gozo que se manifiesta espontáneo en agradecida alabanza. La Biblia lo expone con acertadas palabras. *Juan 17* nos informa de que, ya desde la eternidad, el Padre, el Hijo, y el Espíritu Santo se han glorificado y profesado mutua adoración, expresada en mutua devoción, en recíproco gozo del corazón *(véase Juan 1:18; 17:5, 21, 24-25)*. La relación sexual entre un hombre y una mujer es, en su más pura esencia, reflejo del amor existente entre el Padre y el Hijo *(1 Corintios 11:3)*. Y es, asimismo, reflejo de una generosa y gozosa entrega personal generadora de amor en el seno de la Trinidad.

El sexo es algo glorioso no sólo por ser reflejo del gozo existente en un Dios trino, sino por ser también primicia del eterno deleite del alma que experimentaremos en el cielo, en el seno de una relación de amor con Dios y con nuestros hermanos en la fe. *Romanos 7:1ss.*, nos informa de que los matrimonios bien avenidos son primicia de la futura relación de amor que tendremos con Cristo, en una profunda unión final infinitamente satisfactoria.

Por tanto, no ha de sorprendernos que, como alguien ha señalado, la relación sexual entre un hombre y una mujer pueda llegar a ser una verdadera experiencia extracorpórea. Y es, sin posible parangón, visión anticipada de la gloriosa vida de profunda unidad que tendrá lugar en el futuro, por ello mismo inimaginable, pero, sin duda, extraordinaria.

# Epílogo

El matrimonio no consiste en una simple forma de amor humano. Ni tampoco se trata de mera pasión romántica, ni de amistad en pareja o de mutuos deberes y obligaciones. El matrimonio es, evidentemente, todo eso, pero también otras cosas más. En su verdadera dimensión, es algo abrumador y extraordinario. Ahora bien, ¿de dónde obtenemos la fuerza necesaria para responder adecuadamente a las aparentemente imposibles demandas del matrimonio?

Herbert, el poeta inglés del siglo XVII, compuso tres poemas sobre el amor, pero el que mayor fama alcanzó fue el último, titulado, simplemente, "Amor (III)".

*El amor me dio la bienvenida, pero mi alma retrocedió,*
*reseca de pecado y polvo.*
*Mas el Amor, observando con ojo certero mi indecisión*
*desde que me vio llegar,*
*se me acercó, preguntando con dulzura*
*si de algo tenía necesidad.*
*"Encontrar un invitado", respondí yo, "digno de aquí estar";*
*y el Amor dijo, "Pues tú lo serás".*
*"¿Yo, el ingrato, y el no gentil? Lo siento, amor,*
*no puedo siquiera mirarte a ti".*

*El amor me tomó de la mano y sonriendo respondió,*
*"¿Quién te dio ojos sino yo?".*
*"Muy cierto, Señor mío, pero yo lo desaproveché;*
*deja ahora que mi vergüenza more donde debe ser".*
*"¿Acaso no sabes", replicó el amor, "quién con tu culpa cargó?"*
*"Mi muy preciado, yo ahora de ti cuidaré".*
*"Siéntate, pues, ahora", me instó el amor, "y aprecia el manjar que te daré".*
*Hice entonces como se me instaba. Y me senté, y gusté.*

El Amor le acoge en su ámbito, pero el peso de culpa y pecado que lastra al poeta le lleva a actuar con "desgana" y desidia, volviéndose atrás en el umbral mismo. Pero el Amor se da cuenta de lo que está pasando en realidad. Ve su indecisión y se le acerca solícito, deseoso de saber cómo se encuentra: "¿Qué es lo que te falta?" La respuesta se hace manifiesta —sentirse en verdad digno de ser amado. Esa es la tarea que está dispuesto a asumir el Amor. Su afecto al poeta no es por mérito de éste, sino que surge de su deseo de hacerle merecedor de ello.

Reacio a dejarse convencer, ni siquiera puede mirarle al rostro.

La misteriosa figura le revela entonces quién es realmente. "Yo soy tu Creador, el que hizo tus ojos, que ahora hace que se vuelvan a mí". El hombre sabe quién es en verdad ese Amor, reconociéndole como su Señor. Pero, aun así, la esperanza es todavía algo lejano.

--"Deja que me vaya, desdichado de mí."

--"¿Es que todavía no sabes que yo asumí tu culpa por ti?"

La inmensidad de esas palabras le sella la boca. Pero el Señor insiste y le invita a que siente con Él y comparta su mesa. El Señor de todo el universo, que humilde lavó los pies de sus discípulos, se dispone una vez más a servir al que no merece ser servido.

--"Tienes que probar mi alimento."

--"Y yo me senté, y comí."[1]

La escritora francesa Simone Weil, filósofa agnóstica judía, se encontró un día a sí misma meditando en este poema. La experiencia personal de la realidad de ese amor de Cristo a la humanidad fue tan real y abrumadora que, a partir de ese momento, se hizo cristiana profesa. En palabras textuales suyas, "ese Amor inconmensurable se apoderó de mí".[2] Como judía agnóstica, nunca había buscado tener una experiencia semejante, ni tampoco había leído libros sobre experiencias místicas, ni había tratado de comprender la figura de Cristo. Aun así, el poema de Herbert hizo que el sacrificio de Cristo en la cruz fuera para ella algo particularmente real. "Cristo se apoderó de mí... y sentí en medio de mi sufrimiento la realidad de su inmenso amor, con un rostro reconocible que me sonreía con bondad."[3]

Cuando examinamos al principio del libro la conversión de Louis Zamperini y vimos cómo el amor de Cristo había hecho posible que perdonara a sus torturadores, advertimos que esa clase de crecimiento espiritual tan inmediato no es la norma. Y similar nota precautoria se impone asimismo en el caso de Simone Weil. El poema de Herbert es una magistral obra de arte espiritual. Su análisis puede poner de relieve múltiples facetas, y así ha sido en mi vida. Pero, si lo que estamos buscando es un encuentro espiritual que resuelva todas nuestras dudas e interrogantes, es muy probable que acabemos desencantados.

Aun así, y en última instancia, el amor de Cristo es el supremo fundamento para un matrimonio de plenitud. El amor de Cristo puede llegar a ser como mansa agua de lluvia que empapa la tierra reseca del corazón y como neblina que lo envuelve protectora. Nuestra vida puede ser terreno abonado en el que también pueda crecer el amor humano.

> *Amados, amémonos unos a otros; porque el amor es de Dios. Todo aquel que ama, es nacido de Dios, y conoce a Dios. El que no ama, no ha conocido a Dios; porque Dios es amor… En esto consiste el amor: no en que nosotros hayamos amado a Dios, sino en que él nos amó a nosotros, y envió a su hijo en propiciación por nuestros pecados. Amados, si Dios nos ha amado así, debemos también nosotros amarnos unos a otros. Nadie ha visto jamás a Dios. Si nos amamos unos a otros, Dios permanece en nosotros, y su amor se ha perfeccionado en nosotros.*
>
> *(1 Juan 4:7-8, 10-11)*

# Apéndice

## Toma de decisiones y función según sexo

Tim y yo (Kathy) hemos seguido los principios que detallo a continuación como guía en la toma de decisiones, y ello tanto en los casos fáciles como en los más difíciles y complejos. Las directrices que siguen nos han sido de mucha ayuda en nuestra vida en común, y es mi deseo y esperanza que sea también así para nuestros lectores.

*La autoridad del marido (como ocurre con la del Hijo sobre nosotros) nunca debe usarse para propia satisfacción, sino que ha de ser puesta al servicio de la esposa.* El liderazgo no significa que sea el marido el que "tome todas las decisiones", ni tampoco que sea su juicio el que tenga que imponerse en todo desacuerdo. ¿Por qué es así? Jesús nunca hizo nada para agradarse a sí mismo *(Romanos 15:2-3).* El líder siervo tiene que anteponer el bienestar conjunto de la pareja a su propio deseo *(Efesios 5:221ss.).*

*La esposa no tiene que ceder de forma pasiva, sino que debe utilizar sus propios recursos y facultades para la madurez y el crecimiento del matrimonio.* Está llamada a ser la más estimada amiga y consejera de su marido, tal como lo es él para ella *(Proverbios 2:17).* La "plenitud" que estamos llamados a alcanzar en pareja conlleva un dar y un recibir. Esa plenitud en la relación matrimonial sólo se alcanza estando dispuestos a escucharnos mutuamente en la resolución de conflictos *(Proverbios 27:17),* con mutuo afecto *(1 Pedro 3:3-5)* y de modo que sea enriquecedor y estimulante. La esposa tiene que aportar a la relación todos sus dones y capacidades, teniendo el marido que estar dispuesto, como todo buen gestor, a admitir la superioridad del juicio de la mujer cuando la realidad así lo haga patente.

*La esposa no está obligada a obedecer a su marido de forma incondicional.* Ningún ser humano está obligado a hacerlo. Como indica el apóstol Pedro, *"Es necesario obedecer a Dios antes que a los hombres" (Hechos 5:29).* Dicho de otra forma, la esposa no está obligada a obedecer o a ayudar a su marido en aquello que no sea del agrado de Dios, como, por ejemplo, vender droga; ni debe permitir tampoco que la maltrate. En el caso, por ejemplo, de que el marido le pegue, la mujer deberá amarle y perdonarle en su corazón, pero aun así tendrá que denunciarle para que sufra el peso de la Ley. Es un amor mal entendido el que condona los abusos y las injusticias, y nadie está llamado a permitirlo y facilitarlo.

*Asumir la función de liderazgo por parte del esposo tiene como único propósito servir a la esposa y a la unidad familiar.* Hay quien dice "En la Biblia, se insta a los casados a servirse mutuamente sin egoísmo. Si eso es así, ¿en qué consiste en realidad esa diferencia?". Es innegable que el Hijo *obedece* a la cabeza de la Trinidad, esto es, al Padre, y que nosotros *obedecemos* a nuestra cabeza, a Cristo.[1] Ahora bien, ¿cómo se manifiesta esa autoridad en el ámbito del servicio a los demás, iguales a nosotros en dignidad y esencia? La respuesta es que la cabeza sólo puede prevalecer sobre la esposa si se sabe con certeza que la elección de ella es errónea o inaceptable, o destructiva para si misma y la familia. El marido no ha de abusar de su liderazgo con fines egoístas, ni tampoco ha de tratar de imponer su gusto en cuestiones como el color del nuevo coche o qué programa se ve en televisión. Las opciones de salidas con los amigos o tener que renunciar y quedarse cuidando de los niños ha de ser siempre algo consensuado. Eso último puede llegar a ser el área de mayores conflictos y desavenencias. Hay hombres que no se dan cuenta de sus obligaciones, o que no están dispuestos a asumirlas, convencidos de que ser varón les da derecho a todo. Por su parte, las mujeres, en cuanto que posibles víctimas de esa concepción errónea, se niegan rotundamente a asumir semejante papel de sumisa inferioridad.

¿Qué sucede, pues, cuando la pareja no llega a un acuerdo y ninguno de los dos está dispuesto a desistir en su derecho? En la mayoría de los casos, el desacuerdo se resuelve al ceder una de las dos partes por deferencia a su pareja. La mujer tratará de respetar el liderazgo del marido y el esposo procurará complacerla. Si esa dinámica está viva y activa, dentro de un saludable matrimonio bíblico, la "imposición" autoritaria rara vez ocurrirá.

Habrá, en cambio, situaciones en las que no se alcance un acuerdo. ¿Qué se hace en casos así? Uno de los dos tendrá que tomar una determinación, asumiendo la responsabilidad.

Si pasa eso, el "cabeza" de familia es el que está llamado a asumir esa responsabilidad, teniendo ambas partes que obrar en conformidad con el puesto que ocupan dentro del matrimonio. Sucede, sin embargo, que un marido capaz no quiere, pese a ello, asumir ese papel, pero estando, en cambio, dispuesta a hacerlo una esposa capaz. En situaciones así, el caos es lo que impera. Pero lo cierto es que todos estamos por igual llamados a vivir la realidad de la redención, donde el Hijo se sometió voluntariamente al Padre, como cabeza rectora, diciendo: "No mi voluntad, sino la tuya."

A finales de la década de los 80, vivíamos muy confortablemente en una zona residencial a las afueras de Filadelfia, trabajando Tim como profesor de plena dedicación. Entonces le ofrecieron trasladarse a Nueva York para poner en marcha una nueva iglesia. La idea le atraía muchísimo, pero yo estaba totalmente consternada. Criar a tres inquietos hijos pequeños en Manhattan era para mí algo impensable. Y no sólo eso, sino que todo aquel que conocía la zona nos advertía de que era un proyecto inviable. Yo sabía, además, que era un trabajo en el que no bastaba con seguir un horario convenido. Nuestro tiempo iba a quedar por completo subordinado a las necesidades y obligaciones del puesto, y la vida familiar iba, sin duda, a resentirse por ello.

Estaba, desde luego, muy claro que Tim quería responder a ese llamamiento, pero yo no podía dejar de pensar si aceptar iba a ser una buena decisión. Al exponerle yo a Tim todas mis dudas y temores, su respuesta fue, "Vale, si tú no estás dispuesta a ir, no iremos". A lo que yo respondí de inmediato: "Eso no vale. Me dejas a mí la decisión y eso es abdicar sin cumplir con tu obligación. Si crees que aceptar ese puesto es lo correcto, adelante, acéptalo ejerciendo tu liderazgo. Tú eres el que tiene que decidir qué se hace. Lo que a mí me corresponde es luchar con mis sentimientos para que Dios me ayude y pueda acompañarte gozosa en esa nueva etapa".

Tim tomó la decisión de aceptar el trabajo de poner en marcha la Iglesia presbiteriana El Redentor. Tanto mis hijos como yo estamos ahora convencidos de que ha sido lo más valiente que Tim ha hecho en su vida, porque, a pesar de que la tarea le intimidaba, lo vivió como su respuesta a un verdadero llamamiento de parte de Dios. De entrada, ninguno de los dos nos sentimos cómodos con la nueva situación, pero estuvimos dispuestos a asumir nuestros respectivos papeles como pareja. Y llegó un momento en el que no nos cupo ya ninguna duda de que Dios estaba obrando en nosotros, y a través nuestro, al estar dispuestos a aceptar nuestra responsabilidad como hombre y como mujer. Diferencia según sexo que es todo un don de parte de Aquel que diseñó nuestro corazón.

¿Por qué tiene la mujer que someterse en situaciones así? Desde luego, no por la respuesta al uso de una supuesta la inferioridad femenina en la toma de decisiones importantes. Es un hecho comprobado que muchas esposas son más capaces que sus maridos. ¿Por qué, pues, ese llamamiento a ceder? Tal como ya he hecho notar, la respuesta a esa pregunta es, a su vez, otra pregunta: "¿Por qué se sometió Cristo a la voluntad del Padre?". No lo sabemos. Pero de lo que no cabe duda es de que fue muestra de grandeza, no de indecisión o debilidad. Las mujeres estamos llamadas a seguir el ejemplo de Cristo, pero teniendo siempre presente que asumir una autoridad puede ser tan duro como tener que aceptarla.

# Notas

## Introducción

[1] Yo, Tim, escribo en primera persona porque la mayor parte de este libro está basada en una serie integrada por nueve sermones, predicados por mí en el otoño de 1991, al inicio de mi ministerio en la iglesia presbiteriana El Redentor, en la ciudad de Nueva York. Pero lo cierto es que este libro es producto de la experiencia conjunta de *dos* personas, de sus conversaciones, de sus reflexiones, de horas de estudio, de enseñanzas compartidas y de una constante y progresiva labor de consejería a lo largo de treinta y siete años. Kathy y yo tenemos una concepción compartida de lo que es el matrimonio. Aquellos primeros nueve sermones ya eran el fruto de un esfuerzo común por entender qué es en verdad el matrimonio cristiano. Yo me limité entonces a ponerlo por escrito y a presentarlo en público.

[2] A la edad de doce años, Kathy escribió a C. S. Lewis, recibiendo una contestación que guardó dentro de su ejemplar de *Las crónicas de Narnia*. Las cuatro cartas que Lewis le escribió ( a "Kathy Kristy") se pueden leer en el escrito de Lewis *Letters to Children* y en el tercer volumen de *Letters of C. S. Lewis*.

[3] C. S. Lewis, *The Problem of Pain* (HarperOne, 2001), 150. Curiosamente, Lewis era un componente principal en el "hilo" que nosotros dos compartíamos.

[4] "How Firm a Foundation" fue compuesto por John Rippon, 1787.

[5] El presente libro va a ocuparse, un tanto ineludiblemente, de dos de los más discutidos temas presentes tanto en el seno de la iglesia como en la sociedad actual; a saber, el papel de los distintos sexos y la sexualidad. Los dos principales pasajes bíblicos que citaremos, *Efesios 5 y Génesis 2*, se han convertido con el tiempo en auténticos campos de batalla. En esos textos, encontramos términos tales como "cabeza" y "ayuda" que han venido siendo objeto de dilatados y sustanciales debates en cuanto a su sentido e importancia. Las cuestiones específicas son: ¿Se da un papel distinto al hombre y a la mujer dentro del matrimonio, y debería la mujer dar a su marido la autoridad final dentro del matrimonio? Otra segunda cuestión a tratar es la del matrimonio de personas del mismo sexo. En este caso, los textos bíblicos se prestan mucho menos al debate. La Biblia respalda la heterosexualidad, prohibiendo explícitamente la homosexualidad. De hecho, y como tendremos ocasión de comprobar, uno de los principales propósitos del matrimonio, según

la Biblia, es crear un profundo compañerismo entre dos personas de sexo distinto. En la sociedad actual, está tomando auge la idea de que las personas del mismo sexo tienen pleno derecho a contraer matrimonio. Es imposible escribir un libro sobre el matrimonio sin pronunciarse al respecto y permanecer neutral. Nuestra postura es la tradicional cristiana, expresada con la mayor deferencia, respecto al liderazgo masculino, al papel según género y a la homosexualidad. Dedicaremos adecuado espacio en las notas complementarias para presentar los correspondientes argumentos bíblicos por nuestra parte. Lamentablemente, la limitación de espacio va a dejarse sentir. Este no es un libro que pretenda ofrecer una casuística exhaustiva de las distintas posiciones que se dan en nuestra sociedad, con inclusión de los argumentos contrarios y las correspondientes respuestas. Nuestro deseo ha sido, más bien, presentar las distintas posturas de la mejor manera posible en el contexto del libro y *aplicarlas* para constatar mejor su funcionamiento en la práctica del matrimonio. Por eso instamos al lector a "poner en práctica" estas posturas en su valoración de nuestra propuesta de vida matrimonial.

6 Debatiremos estas cuestiones de forma más extensa en los capítulos 7 y 8.

7 Soy plenamente consciente de que la postura presentada por mí, que lo que la Biblia dice respecto al sexo y el matrimonio es coherente y de profunda sabiduría, ha sido objeto de acerbas y enconadas críticas por parte de la cultura popular. El libro de Jennifer Knust, *Unprotected Texts: The Bible´s Surprising Contradictions About Sex and Desire* (HarperOne, 2011) es claro ejemplo de ello. El argumento aducido por Knust es que la Biblia acepta tanto la poligamia como la prostitución (en ciertas partes del Antiguo Testamento) pero que después lo prohíbe (en determinados pasajes del Nuevo Testamento). La conclusión a la que llega es que, tomada como un todo, la Biblia no ofrece una postura coherente y unificada respecto al sexo y el matrimonio. Así, en la introducción de su libro, se expresa en los siguientes términos, "la Biblia no se opone a la prostitución, al menos no de forma consecuente. Judá, por ejemplo, uno de los patriarcas de la Biblia, no tuvo reparo alguno en solicitar los servicios de una prostituta con ocasión de un viaje de negocios… Cuando, más adelante, se enteró de que esa 'prostituta' era en realidad su nuera Tamar, que reaccionó consecuentemente… ¿Supone un problema la prostitución en la Biblia? No necesariamente…" (p. 3). Pero lo cierto del caso es que en modo alguno es lícito concluir que la Biblia aprueba la prostitución por el hecho de hacer mención de su existencia y práctica. Knust debería conocer que el experto en literatura hebrea Robert Alter, en su libro *The Art of Biblical Narrative* (Perseus Books, 1981), ya todo un clásico, argumenta muy plausiblemente que el caso concreto que encontramos en *Génesis 38* está en estrecha relación con el capítulo que le sigue, donde José se niega a tener relaciones sexuales con la mujer de su dueño. Alter concluye en ese sentido que: "Cuando pasamos del episodio de Judá a la historia de José *(Gn. 39)*, se percibe en nítido contraste la diferencia abismal entre un episodio de incontinencia sexual y una historia plena de aparente derrota y posterior triunfo final por dominio propio de las pasiones" (pp. 9-10). Alter, sin duda uno de los más destacados decanos dentro del estudio de la literatura hebrea, no cree en absoluto que al autor de Génesis "le suponga un problema la práctica de la prostitución". Lo que el escritor bíblico está haciendo ahí es contrastar deliberadamente la manera de comportarse Judá con la conducta de José, en el capítulo siguiente, donde el sexo fuera del matrimonio es algo "indebido" y un *"pecado contra Dios" (Génesis 39:9)*.

Decir que Génesis aprueba la prostitución, o la poligamia, cuando son prácticas que claramente producen infelicidad en los afectados, es prueba, en mi opinión, de un fallo elemental a la hora de entender el texto y su auténtico mensaje. Por mi parte, he estudiado el tema a la luz de los textos en litigio, según las propuestas de Knust, incluyéndolos en mi práctica pública de la enseñanza de la Biblia, y son incontables los tratados por parte de estudiosos y expertos sobradamente cualificados, por no mencionar también lo que dicta el más elemental sentido común, dándole oportuna y documentada réplica en todos y cada uno de los casos que ella postula y defiende. Llama la atención que Knust no proporcione al lector indicio alguno de validación académica, e incluso en casos como la interpretación que hace de *Génesis 38*, en el que una abrumadora mayoría crítica disiente de sus conclusiones, tanto por parte de liberales como de conservadores, sin incluir siquiera una nota a pie de página que lo mencione. Y esa es de hecho la actitud habitual en la inmensa mayoría de los que disienten de la noción bíblica acerca de la sexualidad.

## Capítulo 1. El secreto del matrimonio

[1] Cuando Adán ve a Eva por primera vez, su exclamación de gozo es pura poesía, recurso literario que subraya la importancia del hecho y la fuerza de su reacción. Las palabras originales en hebreo no son de fácil traducción. Tomadas en un sentido literal, serían: "¡Esto-ahora sí!" En una de las versiones en castellano, leemos: *"Esto es ahora hueso de mis huesos…"*.

[2] Las cifras están tomadas de W. Bradford Wilcox, ed., "The State of Our Union: Marriage in America, 2009" (The National Marriage Project, University of Virginia), y "The Marriage Index: A Proposal to Establish Leading Marriage Indicators" (Institute for American Values and the National Center on African American Marriages and Parenting, 2009). Ambos informes están disponibles en PDF, en www.stateofourunion.org y www.americanvalues.org (Wilcox) y www.hamptonu.edu/ncaamp (American Values).

[3] Mientras que el 77 por ciento de los matrimonios se mantenían estables en 1970, tan sólo un 61 por ciento lo son en la actualidad (*The Marriage Index*, 5). Contemplado de otra forma, un 45 por ciento del total de los matrimonios acaban en separación o en divorcio (*The State of Our Unions*, 78).

[4] *The Marriage Index*, 5.

[5] "The Decline of Marriage and the Rise of New Families" (Pew Research Center Report, November 18, 2010). Accesible en http://pewsocialtrends.org/2010/11/18/the-decline-of-marriage-and-rise-of-new-families/2/

[6] Wilcox, *The state of Our Unions*, 84.

[7] Mindy E. Scott, et al., "Young Adult Attitudes about Relationships and Marriage: Times May Have Changed, but Expectations Remain High", en Child Trends: Research Brief (Publication #2009-30 July 2009). Véase página inicial. Accesible en www.childrentrends.org/Files/Child_Trends-2009_07_08_RB_YoungAdultAttitudes.pdf.

[8] David Popenoe y Barbara Dafoe Whitehead, *The State of Our Unions: 2002-Why Men Won't Commit* (National Marriage Project), 11.

[9] *Ibid.*, 85.

[10] *Ibid.* Las parejas que cohabitan antes del matrimonio acaban divorciándose en mayor proporción que las parejas que no lo hacen hasta después de la boda. Pero lo cierto es que no hay consenso respecto a las razones. Hay quien cree que la experiencia de cohabitación crea malos hábitos que pasan factura una vez casados. Hay quien en cambio sostiene que las personas que optan por cohabitar de forma previa al matrimonio tienen un perfil distinto que las que no lo hacen, y es pues ese perfil personal, y no el hecho en sí de cohabitar, lo que hace que el matrimonio fracase posteriormente. Estas teorías no influyen de forma notable en los datos finales. La disposición a cohabitar se asocia con una futura fragilidad marital. Con independencia de las posibles causas, el deseo y la decisión de cohabitar disminuye las posibilidades de un posterior matrimonio fuerte.

[11] "Your Chances of Divorce May Be Much Lower than you Think", en Wilcox, *The State of Our Unions, 2009*, 80.

[12] Popenoe, *The State of Our Unions*, p. 7. Una de las diez razones que los hombres aducen para vivir juntos antes del matrimonio es que "Quieren una casa propia antes de conseguir esposa" (número 9).

[13] "The Surprising Economic Benefits of Marriage", en Wilcox, *The State of Our Unions*, 86.

[14] *Ibid.*, 87.

[15] http://answers.yahoo.com/question/index?qid=20090823-064213AAoKwvq

[16] Adam Sternburgh, "A Brutally Candid Oral History of Breaking Up," *New York Times Magazine*, 11 de marzo, 2011.

[17] *Ibid.*

[18] Linda Waite, et al., Does Divorce Make People Happy? Findings from a Study of Unhappy Marriages (American Values Institute, 202). Véase www.americanvalues.org/UnhappyMarriages.pdf.

[19] "El estudio puso de relieve que, como promedio, los adultos casados infelices que acaban en divorcio no son después más felices que los matrimonios adultos infelices que permanecen unidos. Hecho constatado aplicando los 12 parámetros de estabilidad psicológica promedia. El divorcio no reduce los síntomas de depresión, ni fomenta la autoestima, ni aumenta la sensación de dominar la situación. Datos que se mantienen tras considerar la raza, la edad, el sexo y el nivel de ingresos.... Los resultados en esa línea parecen indicar que se han exagerado en gran medida los beneficios del divorcio", sostiene Linda J. Waite. Tomado del comunicado relacionado con Does Divorce Make People Happy?, disponible en www.americanvalues.org/html/r-unhappy_ii.html.

[20] "The Decline of Marriage" (2010 Pew Center Report). Este informe indica en sus conclusiones que el 84 por ciento de las personas casadas están muy satisfechas con su vida familiar, en comparación con el 71 por ciento de los que viven en pareja, el 66 por ciento de los solteros y el 50 por ciento de los divorciados o separados.

[21] Wilcox, *The State of Our Unions*, 101.

[22] Véase "Teen Attitudes about Marriage and Family" en Wilcox, *The State of Our Unions*, 113. Pero, de forma un tanto sorprendente, y tras años de constante incremento, el número de adolescentes que piensa que cohabitar antes del matrimonio es una "buena idea" ha empezado a disminuir. El informe concluye diciendo que "Chicos y chicas por igual están más dispuestos a aceptar otras formas de vida alternativas al matrimonio, sobre todo en lo relativo a tener hijos sin estar casados, si bien los últimos datos al respecto muestran un sorprendente descenso en la aceptación de la cohabitación prematrimonial" (p. 112).

[23] John White, Jr., *From Sacrament to Contract: Marriage, Religion, and Law in the Western Tradition* (Louisville: John Knox Press, 1997), 209.

[24] Véase su artículo "God´s Joust, God´s Justice: An Illustration from the History of Marriage Law" en *Christian Perspectives on Legal Thought*, ed. M. McConnell (New Haven: Yale University Press, 2001), 406 ss.

[25] Véase W. Bradford Wilcox. *Why Marriage Matters: Twenty-six Conclusions from the Social Sciences,* 3ª ed. (Institute for American Values, 2011). Uno de los hallazgos de este volumen es que "el matrimonio parece ser particularmente importante entre las personas civilizadas, desviando su atención de actividades antisociales y potencialmente peligrosas, o de intereses egoístas, para centrarse en las necesidades de la familia". Véase www.americanvalues.org/html/r-wmm.html.

[26] *New York Times*, diciembre 31, 2010, www.nytimes.com/2011/o1/02/weekinreview/02parkerpope.html.

[27] Popenoe y Whitehead, *The State of Our Unions*. Accesible en www.virginia.edu/marriageproject/pdfs/SOOU2002.pdf.

[28] Sternburgh, "A Brutally Candid Oral History".

[29] *Ibid.*, 13

[30] *Ibid.*, 15.

[31] *Ibid.*, 17.

[32] *Ibid.*, 17.

[33] Sara Lipton. "Those Manly Men of Yore", *New York Times*, junio 17, 2011.

[34] Popenoe y Whitehead, The State of Our Unions, 14. Consultado en www.virginia.edu/marriageproject/pdfs/SOOU2004.pdf.

[35] *Ibid.*

[36] John Tierney, "The Big City: Picky, Picky, Picky," *New York Times*, febrero 12, 1995.

[37] *Haven in a Heartless World: The Family Besieged* (Nueva York, Basic Books, 1977). Lasch fue uno de los primeros en contrastar la forma tradicional de entender el matrimonio, en cuanto que formativo para la persona y la comunidad, con la noción "terapéutica" del matrimonio como realización de las necesidades particulares de individuos autónomos.

[38] Tierney, "Picky, Picky, Picky".

[39] C. S. Lewis, *The Four Loves* (New York: Harcourt, 1960), 123.

[40] Stanley Hauerwas, "Sex and Politics: Bertrand Russell and 'Human Sexuality'," *Christian Century*, abril 19, 1978, 417-422. Disponible en Red en www.religion-online.org/showarticle.asp?title=1797.

[41] Término latino que significa "estar curvado hacia uno mismo" aplicado por Lutero en su descripción de la naturaleza humana pecadora. Véanse sus estudios sobre la Epístola a los Romanos, donde utiliza este término en varios puntos para describir el pecado original y la pecaminosidad ordinaria. Para un estudio más amplio sobre estar centrado en uno mismo, como punto de fricción en el matrimonio, véase el capítulo 2, "El poder del matrimonio".

[42] *Love in the Westrn World* (New York: Harper y Row, 1956), 300. Citado en el libro de Diogenes Allen, *Love: Christian Romance, Marriage, Friendship* (Eugene, OR, Wipf and Stock, 2006). 96.

[43] Ernest Becker, *The Denial of Death* (New York: Free Press, 1973), 160.

[44] *Ibid.*, 167. En el libro *Counterfeit Gods* (Dutton, 2009), yo aplico el análisis de Becker a una lectura atenta y cuidadosa de la historia bíblica de Jacob, Raquel y Lea. Véase capítulo 2, "Love Is Not All You Need".

[45] Los ejemplos de parejas casadas en esa línea, tal como irán apareciendo a lo largo del libro, están tomados de mi propia experiencia en la vida, pero no guardan relación alguna con mi ministerio pastoral de consejería en mi congregación.

[46] Véase, por ejemplo, Sharon Jayson, "Many Say Marriage is Becoming Obsolete" *USA Today*, noviembre 11, 2010.

[47] Rashida Jones, ¡hablándole a E! Según información en http://ohnotheydidnt.livejournal.com/5729681.html.

[48] No sólo no hay evidencia de que los "matrimonios abiertos" sean mejor para la mayoría de las personas, sino que hay indicios suficientes como para concluir que lo cierto es justamente lo contrario. Esa era la conclusión a que se había llegado cuando Nena O´Neill murió. O´Neill era una de las dos autoras del libro *Open Marriage: A New Life Style for Couples* (M. Evans and Company, 1972), fenómeno editorial, del que se vendieron más de 35 millones de ejemplares, traducido a catorce idiomas. Su propuesta de fondo, aunque no ciertamente de forma impositiva, era que "No es que recomendemos el sexo fuera de la pareja, pero tampoco decimos que deba evitarse. Se trata de una elección personal". Razonamiento que, junto con su célebre frase, "La fidelidad sexual es el falso dios al que se rinde culto en el matrimonio cerrado", era respaldado por los postulados de la psicología popular típica de los años 70, dándose con ello permiso a los lectores para tener relaciones fuera del matrimonio. En la nota necrológica, aparecida en *New York Times* a la muerte de O´Neill, se decía que "las atrevidas propuestas de entonces habían quedado reducidas en la actualidad a lamentable ingenuidad". No mucho después de que fuera publicado *Open Marriage*, O´Neill había dicho expresamente en una entrevista del *New York Times:* "El tema de las relaciones extramaritales es, desde luego, espinoso. La verdad es que en ningún momento pensamos que fuera algo para la mayoría y la realidad ha venido a demostrar que es así". Comentario con el que hacía referencia al hecho incuestionable de las muchas parejas que habían sufrido por celos, por sentirse traicionadas y por ver destruida su intimidad de forma irreparable. (Las citas están tomadas de Margalit Fox, "Nena O´Neill, 82, an Author of 'Open Marriage,' Is Dead", *New York Times*, marzo 26, 2006). Aunque dicho de otra forma, lo cierto es que, a pesar de la aparente popularidad de los matrimonios abiertos, no hay confirmación empírica o reseña anecdótica que certifique unos buenos resultados en la práctica.

[49] Elissa Strauss, "Is Non-Monogamy the Secret to a Lasting Marriage?". Comentario aparecido el 1 de junio de 2011, en slate.com/blogs/xx_factor/2011.

[50] Un ejemplo de ello lo tenemos en el artículo de Mark Oppenheimer "Married, with Infidelities", publicado en *New York Times Magazine*, el 30 de junio de 2011, donde citaba al columnista Dan Savage diciendo: "Reconozco las ventajas de la monogamia… en lo que se refiere a sexo seguro, ausencia de infecciones, estabilidad emocional y paternidad libre de dudas. Pero las parejas monógamas tendrían que ceder parte de su terreno y admitir conmigo que tiene también sus inconvenientes…".

[51] En ese sentido, véase, por ejemplo, Dr. Neil Clark Warren, "On Second Thought, Don´t Get Married", en huffingtonpost.com/dr.neil-clark-warren/on-second-thought-dont-ge_b_888874.html.

[52] Puede sonar a controversia, pero esa no es la intención. Como puede leerse en la mayoría de los libros de historia, el matrimonio existía ya en la "prehistoria" —lo que quiere decir que no puede pensarse en un tiempo en el que no existiera. Se ha tratado, eso sí, de demostrar la existencia de casos, en lugares remotos y aislados, en los que no aparecía el concepto de matrimonio, pero sin que haya podido verificarse. Un ejemplo de ello es el de los Mosuo (o "pueblo Na"), reducida población étnica del sur de China. En su seno, las parejas no viven bajo un mismo techo. Hermanos y hermanas conviven juntos criando los hijos de las hermanas. Los hombres se hacen, pues, cargo de la crianza de los hijos de sus hermanas, esto es, de sus sobrinos y sobrinas, pero no de sus hijos biológicos. Como sistema, es realmente insólito, pero no presupone la ausencia de contrato matrimonial y de costumbres familiares, porque de hecho existen y se respetan. Los padres desempeñan un papel importante en la vida de sus hijos, aun sin convivir juntos, estableciendo las mujeres un vínculo duradero con su pareja, dándose casos de verdadera convivencia marital. En este sentido, véase el informe de Tami Blumenthal, *The Na of Southwest China: Debunking the Myths*, (2009), en web.pdx.edu/˜tblu2/Na/myths.pdf.

[53] P. T. O´Brien, *The Letter to the Ephesians* (Grand Rapids, MI: Eerdmans, 1999), 109-110. Me guío a lo largo del libro por la exégesis de O´Brien del pasaje correspondiente en Efesios 5. Creo que tiene razón al decir que en Pablo "no hay muchos misterios, sino distintas caras de un único misterio" (pp. 433-434). "El misterio [secreto] no es… el matrimonio como tal; se trata más bien de la unión de Cristo con su iglesia a manera de matrimonio cristiano… [El matrimonio] reproduce a escala menor la inmensidad de lo que comparten el Novio y la Novia. Y es en el seno de esa relación donde se desvela el misterio del evangelio" (p. 434).

[54] G. W. Knight, "Husbands and Wives as Analogues of Christ and the Church: Ephesians 5:21-33 and Colossians 3:18-19", en *Recovering Biblical Manhood and Womanhood: A Response to Evangelical Feminism*, eds. J. Piper y W. Grudem (Wheaton, IL: Crossway, 191), 176. Citado por O´Brien, en *Ephesians*, 434n.

[55] Robert Letham, *The Holy Trinity: In Scripture, History, Theology, and Worship* (Phillipsbutg, NJ: Presbytrian and Reformed, 2004), 456.

[56] O´Brien, *Ephesians*, 434.

## Capítulo 2. La fuerza para el matrimonio

[1] ¿Se está diciendo en *Efesios 5:21* que todos y cada uno de los creyentes tienen que someterse mutuamente? ¿O se trata más bien de un postulado "programático" que introduce lo que sigue a continuación, siendo por lo tanto una afirmación de cobertura general normativa para todos los cristianos en sumisión a una autoridad superior, dentro, claro está, de una variedad de disposiciones sociales? P. T. O´Brien (*The Letter to the Ephesians*) [Grand Rapids, MI: Eerdmans, 1999], 436) y otros más argumentan muy convincentemente a favor de la segunda interpretación del término en ese contexto en particular. El versículo 21 es una declaración resumida que Pablo pasa, acto seguido, a desarrollar, dando instrucciones específicas para una adecuada relación entre maridos y mujeres, padres e hijos, y amos y siervos. Así, el versículo 21 no sólo introduce la sección sobre maridos y mujeres (versículos 22-32), sino asimismo la sección sobre la relación entre padres e hijos. Es evidente que los padres no tienen que someterse a sus hijos de la misma manera que los hijos tienen que someterse a sus padres. Por eso, no deberíamos utilizar el versículo 21 para "desvirtuar" las diferencias existentes entre las obligaciones de esposas y maridos, aduciendo que son las mismas (véase el capítulo 6). Por otra parte, no se debe incurrir en el error contrario y no ver la reciprocidad en las obligaciones conyugales. *Filipenses 2:1-3* nos indica que los cristianos no tenemos que obsesionarnos con nuestros propios intereses, sino que debemos atender a las necesidades de los demás. El propio deseo tiene que ser secundario respecto al bien ajeno y al interés de la comunidad. Hay otros muchos textos bíblicos que insisten en la responsabilidad que tiene el cristiano de servir deferente al prójimo. Véase, en este sentido, *Gálatas 5:13,* donde Pablo insiste en que los creyentes nos "debemos" amor *(Romanos 13:8).* A la luz de esas exhortaciones, sería un error pensar que, aun no estando llamadas las esposas de forma específica a amar a sus maridos, ni los maridos a ceder ante sus esposas en *Efesios 5:22-31*, no sea implícita una forma de amor y servicio mutuo.

[2] Estrictamente hablando, los propios apóstoles son los primeros beneficiarios de este ministerio del Espíritu al que Jesús hace referencia. En el "Discurso del aposento alto" de *Juan 13-17,* Jesús estaba preparando a sus discípulos para su ministerio como representantes suyos tras su muerte y resurrección. Jesús les da la seguridad de que el Espíritu les capacitará de forma particular para que puedan recordar todo cuanto les había dicho y enseñado durante su ministerio en este mundo *(Juan 14:26),* y ello por haber estado con él desde el principio de su ministerio *(Juan 15:27).* El testimonio vivencial de los apóstoles y su enseñanza constituyen la base del Nuevo Testamento. Aun así, "puede hablarse por derivación de la obra continuada del Espíritu en los discípulos de Jesús asimismo en el presente". (D. A. Carson, *The Gospel According to John* [Leicester, England: Inter-Varsity Press], 541). Hay otros textos más en la Biblia que confirman que la obra del Espíritu Santo en los creyentes es hacer presente y real en sus corazones y en sus mentes a un Cristo glorioso, tal como leemos en *Juan 14-17*. Véase *Efesios 1:17, 18-20; 3:14-19; 1 Tesalonicenses 1:5.* Deberíamos recordar en este sentido que, en *Juan 14-17,* Jesús promete la recepción de este Espíritu primeramente a los apóstoles, de forma que no perdamos de vista el principal vehículo del ministerio del Espíritu a favor nuestro, esto es, las Escrituras. Comúnmente, el Espíritu glorifica a Jesús en nuestros corazones según vamos leyendo, estudiando u oyendo enseñanza

sobre la palabra apostólica, esto es, el evangelio que nos ha sido transmitido a través de los documentos del Nuevo Testamento y que iluminan asimismo el Antiguo Testamento. En conclusión, la iluminación de la Palabra por la acción del Espíritu es la forma ordinaria en que llega a nosotros la plenitud del Espíritu.

[3] El tema de la supremacía del marido respecto a la esposa recibe tratamiento más extenso en el capítulo 6.

[4] Un estudio clásico sobre el egocentrismo lo encontramos en *Mere Christianity* ("Mero cristianismo"), concretamente en el capítulo titulado "The Great Sin." ("El gran pecado"). Se trata de un capítulo breve que es fácil consultar en Internet (en inglés, podemos encontrarlo en www.btinternet.com/˜a.ghin/greatsin.htm.

[5] Eso no significa, por cierto, que todos aquellos que no son cristianos no puedan vivir su matrimonio con éxito. Pero sí que, desde luego, supone que todos los que disfruten de un matrimonio venturoso y satisfactorio están en alguna manera siendo ayudados por Dios dentro de su providencia, y ello tanto si son conscientes de ello como si no *(Santiago 1:17)*. Me estoy refiriendo aquí a eso que muchos teólogos cristianos han denominado de forma sistemática "la gracia común", que no hace sino referirse a que Dios bendice a toda la humanidad con los dones de la verdad, el carácter moral, la sabiduría, y la belleza, incluidos aquellos que no le reconocen, en cuanto que acto misericordioso al reducir y atenuar los efectos del pecado y el egoísmo humano. Los textos bíblicos que así lo indican son *Santiago 1:17 y Romanos 2:14-15.* La Biblia discrimina muy claramente entre los hechos y las obras de las personas no creyentes como buenas o malas *(2 Reyes 10:29-30; Lucas 6:33)*, pero insistiendo aun así en que toda posible bondad tiene siempre su fuente y origen en Dios.

[6] C. S. Lewis, *The Problem of Pain* (HarperOne, 201), 157. Lewis está citando ahí a George MacDonald.

[7] C. S. Lewis, *Mere Christianity* (Macmillan, 1960), 190.

[8] Eso no significa que no haya situaciones en las que el divorcio no esté permitido y sea incluso aconsejable. Véase el capítulo 3 y la nota 79.

[9] Derek Kidner, *Psalms 73-150: An Introduction and Commentary* (Leicester, UK: IVP, 1973), 446.

[10] Tanto las citas como el contenido principal están tomados de los tres últimos capítulos de Laura Hillenbrand, *Unbroken: A World War II Story of Survival, Resilience, and Redemption* (Random House, 2010). Los capítulos correspondientes son: 37, "Twisted Ropes", 38, "A Beckoning Whistl"; y 39, "Daybreak".

[11] "El temor del Señor" es la manera en que en el Antiguo Testamento se habla de la experiencia espiritual en su línea principal, siendo usada con menor frecuencia en el Nuevo. Por otra parte, la plenitud del Espíritu es expresión de uso extendido en el Nuevo Testamento, siendo mucho menor su aparición en el Antiguo. Para una primera aproximación al primero de esos conceptos, véase el capítulo "The Fear of God" en el libro de John Murray *Principles of Conduct: Aspects of Biblical Ethics* (Grand Rapids, MI: Eerdmans, 1957). Murray demuestra de manera convincente que, según el Antiguo Testamento, la mera creencia externa y la observancia mecánica que no vayan acompañadas de una experiencia espiritual interna y una motivación personal se considera falsa religiosidad. Hay, desde luego, mucho más escrito acerca

del ministerio del Espíritu Santo. Dado, además, que el Espíritu Santo se recibe por intervención de Cristo, sería incurrir en generalización extrema afirmar que el temor del Señor en el Antiguo Testamento es idéntico a la plenitud del Espíritu en el Nuevo. Aun así, no dejan de estar haciendo referencia a una misma realidad básica.

## Capítulo 3. La esencia del matrimonio

[1] *Deuteronomio 10:20, 11:22; Josué 22:5; 23:8*. Véase especialmente *Dt. 10:20: "A Jehová tu Dios temerás, a él solo servirás, a él seguirás, y por su nombre jurarás".*

[2] Tomado del libro de Russell, *Marriage and Morals*, 1957, citado por Stanley Hauerwas, "Sex and Politics: Bertrand Russell y 'Human Sexuality'" en *Christian Century*, abril 19, 1978, 417-422.

[3] Lo que yo oí es lo que está actualmente en alza. En una entradilla de Wikipedia, bajo el título "Wedding Vows" (http://en.wikipedia.org/wiki/Wedding_vows), 3 de febrero, 2011, se decía lo siguiente: "Son muchas las parejas que redactan sus propios votos. La inspiración se busca en poemas, canciones, novelas y películas, y, en la mayoría de los casos, lo que se pretende es destacar las virtudes y aspectos positivos de cada contrayente, lo que esperan de su vida en común y cómo todo ya empezó a cambiar al conocer a su futura pareja. La lectura de los votos no suele durar más de 2 o 3 minutos y puede considerarse una expresión pública de amor". Nótese ahí que el énfasis está en la manifestación del amor presente, sin referencia alguna a cómo será en el futuro.

[4] Linda Waite, *et al.*, *Does Divorce Make People Happy? Findings from a Study of Unhappy Marriages* (American Values Institute, 2002). Artículo que se puede consultar en www.americanvalues.org/UnhappyMarriages.pdf.

[5] El tema del matrimonio, el divorcio y las nuevas nupcias es de gran calado y todo aquel que aspire a trazar las líneas maestras deberá realizar ineludiblemente un muy detallado trabajo exegético. Tarea, sin duda, que excede los límites del presente libro. Pese a ello, incluyo a continuación un resumen de mis propias conclusiones tras años de reflexión e indagación. Creo firmemente que, para un cristiano, hay dos posibles situaciones en las que está indicado el divorcio: (a) Si ha habido adulterio, se puede solicitar divorcio. *Mateo 19:3-9* así lo indica. (b) Si se produce un abandono sin intención de retorno. En un caso así, el creyente puede consentir en divorciarse *(1 Corintios 7:15)*. En este segundo caso, además, el texto en cuestión califica al cónyuge que se ausenta de "incrédulo". (El hombre o la mujer que se comporta de ese modo puede considerarse a sí mismo como tal, o puede que sea así calificado mediante disciplina eclesial. Lo que quiere decir que si la persona no está actuando como creyente y se niega a arrepentirse, los que ostenten la autoridad en la iglesia pueden disciplinar aplicando la directriz de *Mateo 18:15-17)*. En cualquier caso, el cónyuge agraviado y divorciado no está, según Pablo, "sujeto" a su anterior voto *(1 Corintios 7:15)*. Matización que carecería de sentido si ahí no estuviera implícito que esa persona puede volver a casarse. Una cuestión razonable sería, pues, qué es lo que ha de entenderse por "abandonar". El texto bíblico dice que el esposo tiene que *"consentir en vivir con ella" (1 Corintios 7:13*. ¿Qué ha de hacerse

entonces en los casos de maltrato físico? ¿No podría decirse que el marido que maltrata físicamente a su mujer está incurriendo en abandono y está demostrando no querer seguir conviviendo *con* su mujer? En mi opinión, así es. Pero esa es una cuestión que nos lleva a una importante conclusión. Los cristianos que están planteándose el divorcio, si desean vivir con una conciencia tranquila, y ante Dios, para el resto de su vida, no deberían tomar esa decisión en solitario. *Mateo 18:15ss.*, dice que, cuando alguien peca contra nosotros, y el adulterio, el abandono y el maltrato son realmente pecados graves, "la iglesia debe tener conocimiento de ello". La mayoría de los comentaristas entienden así dicho pasaje, estando por tanto indicado consultar al menos con los líderes de la propia congregación. Una cuestión final a dilucidar sería la siguiente: ¿La persona que obtuvo el divorcio, pero no según alguna de las razones aducidas en la Biblia, puede volver a casarse? No hay mucho consenso al respecto entre pastores y biblistas y sin duda alguna es una cuestión compleja y de gran calado, pero creo que la respuesta breve es afirmativa, en algunos casos, sobre todo cuando se ha producido un arrepentimiento interno y se ha hecho confesión pública de la falta cometida. En definitiva, la respuesta es afirmativa porque, como Jay Adams pregunta, ¿por qué ha de ser el divorcio el único pecado sin perdón? (Véase Jay. E. Adams, *Marriage, Divorce, and Remarriage*, Grand Rapids, MI: Zondervan, 1980, 92ss.)

[6] Este pasaje constituye un discurso en el que Dios manifiesta su pesar y su enojo por haberse vuelto Israel a dioses paganos. Desde una perspectiva espiritual, constituía adulterio. Las gentes estaban comprometiéndose por ello con un nuevo cónyuge y amante, a lo que Dios responde diciendo: "Por haber fornicado la rebelde Israel, yo la había despedido y *dado carta de repudio*". Según ese texto, Dios conoce el sufrimiento que causa la traición y el divorcio. Eso ha sido de consuelo y de ayuda para muchas personas que han atravesado por una situación similar.

[7] Citado por Gary Thomas, *Sacred Marriage* (Grand Rapids, MI Zondervan, 2000), 11.

[8] Publicado en *Christianity Today*, 21 de enero, 1983.

[9] Peter Baehr, *The Portable Hannah Arendt* (Nueva York: Penguin Classics, 2003), 181. Citado también en el artículo de Smede.

[10] Wendy Plump, "A Roomful of Yearning and Regret", *New York Times*, 9 de diciembre, 2010. Disponible en www.nytimes.com/2010/12/12/fashion/12Modern.html.

[11] J. R. R. Tolkien, *The Lord of the Rings: The Return of the King* (Nueva York: Houghton-Miflin, 2005) p. 146, capítulo 8, "The Houses of Healing".

[12] Kierkegaard discute sobre la naturaleza del amor romántico y el matrimonio en una serie de trabajos suyos. Véase "The Aesthetic Validity of Marriage" en *Either/Or, Concluding Scientific PostScript*, y "On the Occasion of a Wedding" en *Three Discourses on Imagined Occasions*. Me he servido de la destilación del pensamiento de Kierkegaard en esos trabajos de Diógenes Allen, en *Love: Christian Romance*, 68ss.

[13] Allen, 69.

[14] *Ibid.*, 15.

[15] Lewis, *Mere Christianity*. (Harper San Francisco, 2001), pp. 130-131.

[16] Ibid., pp. 131-132.

[17] Debería destacarse que los "matrimonios concertados" de las culturas tradicionales encajan en el patrón bíblico de forma significativa. Mi abuela era hija de inmigrantes italianos de finales del XIX, y su casamiento con mi abuelo fue concertado por sus padres. Ella no escogió a su pareja. Pero, según me dijo, "Yo sabía que era un buen hombre. Al principio, no estaba enamorada de él, pero aprendí a quererle. Así es como eran las cosas en aquellos tiempos". Los actos de amor desembocan en sentimientos amorosos.

[18] Según Lewis, en *Mere Christianity* ("Mero cristianismo"), Libro III, capítulo 6, Christian Marriage.

[19] *Ibid.*

[20] *Ibid.*

## Capítulo 4. La misión del matrimonio

[1] La expresión *"y vio que era bueno"*, que se repite en cada momento de la creación en *Génesis 1*, pone de relieve que el mundo físico material es intrínsecamente bueno. Los griegos creían que la aparición del mundo físico era mero accidente, o incluso el resultado de un acto de rebeldía por parte de las deidades inferiores. Se proclamaba, por tanto, que la materia era la prisión del alma, algo intrínsecamente malo, que embotaba al alma y al espíritu. Visto así, el cuerpo material tenía que trascenderse para poder alcanzar la dimensión espiritual. En consecuencia, un gran porcentaje de la sociedad grecorromana creía que el placer sexual era algo sin valor e incluso, en cierta forma, denigrante. En total contraste con esa visión, *Génesis 1-2* nos muestra a Dios activo en la creación y añadiendo específicamente espíritu al cuerpo humano. Por otra parte, la encarnación de Cristo y su resurrección tras la muerte hacen probablemente del cristianismo la fe más a favor de lo físico. ¡Hasta la vida futura será física! Ninguna otra religión proclama esa unión de lo material y lo espiritual en integración eterna. Se puede argumentar que los judíos y los cristianos eran, en su momento, más estrictos en ética sexual que la sociedad pagana del momento, y ello por considerar el cuerpo más importante y el sexo un bien superior.

[2] Para un tratamiento estándar de las teologías sistemáticas, recomiendo leer a Louis Berkhof, *Systematic Theology* (Grand Rapids, MI: Eerdmans, 1949), Parte Segunda, capítulo III, "Man: The Image of God"; Herman Bavinck, *Reformed Dogmatics: God and Creation,* Volumen 2 (Grand Rapids, MI: Baker, 204), Parte V, The Image of God; Michael Horton, *The Christian Faith: A Systematic Theology for Pilgrims on the Way* (Grand Rapids, MI Zondervan, 2011), Parte Tercera, capítulo 12, "Being Human"; G. C. Berkouwer, *Man: The Image of God* (Grand Rapids, MI: Eerdmans, 1962).

[3] El término *´ezer* procede de un verbo que significa "rodear y proteger." La mayor parte el debate respecto a su significado tiene que ver con sus implicaciones en referencia al concepto de género y sus respectivos papeles. Diremos más en este sentido en otras partes del libro. Por el momento, nos limitaremos a señalar que la primera esposa no era tan sólo una amante, sino asimismo una amiga.

[4] Dinah Maria Mulock Craik, *A Life for a Life* (Nueva York: Harper and Brothers, 1877, p. 169.

[5] Ralph Waldo Emerson, en su ensayo sobre la Amistad, sostiene que la mejor de las amistades es la que se produce entre personas que son a la vez profundamente iguales *y* por completo distintas, pero que, aun así, tienen una visión común y se dirigen juntas hacía una misma meta: "La amistad requiere una infrecuente mixtura de semejanza y disimilitud. Mejor ser el azote del amigo que su eco y comparsa. Tiene que haber primeramente dos para que pueda haber después realmente uno; que se produzca en primera instancia una firme alianza entre dos naturalezas distintas y formidables, que se tienen mutuamente en cuenta, y que también se temen, antes de estar en condiciones de reconocer la identidad de fondo, compartida por encima de la disparidad". Consultado en www.emersoncentral.com/frienship.htm.

[6] C. S. Lewis, *The Four Loves* ("Los cuatro amores"), primera edición en pasta blanda (New York: Mariner Books, 1971), capítulo 4.

[7] Peter O´Brien sostiene que la "limpieza" que Jesús hace efectiva en el seno de la iglesia universal no constituye un dilatado proceso de santificación gradual, sino un acto único que los teólogos denominan "santificación definitiva". En la Biblia, el término "santificación" puede hacer referencia en ocasiones a un proceso gradual, en virtud del cual la persona es renovada para glorificación y en semejanza a Cristo, siendo aun así aplicado mayoritariamente por el hecho singular en el que la persona deposita su fe en Cristo. O´Brien argumenta al respecto que el verbo que Pablo utiliza ahí está en aoristo, indicativo, por tanto, de una acción realizada una sola vez, que nada tiene que ver con un proceso (P. T. O´Brien, *Letter to the Ephesians* [Grand Rapids, MI: Eerdmans], 199, 422). Aun así, como el propio O´Brien señala en su comentario de *Filipenses 1:6*, sí que hay un proceso gradual de santificación que Jesús obra a título individual en la vida de cada creyente, siendo la meta de Jesús, como nuestro esposo espiritual, en Efesios la de hacernos "gloriosos" (versículo 27, en griego *endoxan*). Lo cual es una clara referencia a una futura "perfección ética y espiritual" (O´Brien, *Ephesians*, 425). Véase también sobre Filipenses 1:6, Peter T. O´Brien, *The Epistle to the Philippians: The New International Grek Testament Commentary* [Grand Rapids, MI: Eerdmans, 1991], 64-65).

[8] Hay que tener en cuenta, una vez más, que, en *Efesios 5:22ss*, Pablo les dice únicamente a los maridos que se comprometan con el crecimiento espiritual de sus esposas para que alcancen su futuro yo glorioso. Pero no es tarea que encomiende a las esposas, lo cual ha hecho que no sean pocas las voces airadas de lectores confusos. Pero, tal como hemos ido indicando, *todos* los creyentes sin excepción tienen que confesarse mutuamente sus pecados, siendo por ello responsables del crecimiento, el servicio y la exhortación mutuos. *Efesios 5* no puede entenderse, en modo alguno, sino como responsabilidad de absolutamente todo creyente. Y aunque sea mera especulación por mi parte, creo que Pablo destaca la obligación de los maridos por dos razones: (a) por tener quizás una tendencia innata a no hacerlo así, y/o (b) porque Pablo los considera más responsables si el matrimonio fracasa en su propósito de ser ayuda idónea para mutuo crecimiento espiritual

[9] Lewis, *Mere Christianity*, 174-175.

[10] "Su amor a la Iglesia es el modelo a seguir por los maridos en cuanto a su propósito y meta, y en voluntario sacrificio personal (v. 25). A la luz de la total entrega de Jesús

para santificación de su iglesia, los maridos deberían estar dedicados por completo al bienestar espiritual de sus esposas" (O´Brien, *Ephesians*, 423).

[11] Esta verdad queda excelentemente ilustrada en la película *The Truth about Cats and Dogs* (1996), con Uma Thurman, Jeanne Garofalo, Jamie Foxx y Ben Chaplin. El personaje que interpreta Ben Chaplin se enamora de la personalidad de Garofalo (por conversación telefónica) pero con el cuerpo de Thurman (a la que ve en persona).

[12] C. S. Lewis, *The Problem of Pain* (New York: HarperOne, 201), 47.

## Capítulo 5. Amar a la persona desconocida

[1] Stanley Hauerwas, "Sex and Politics: Bertrand Russell and 'Human Sexuality'" en *Christian Century*, 19 de abril, 1978, 417-422.

[2] Gary Chapman, *The Five Love Languages: The Secret to Love that Lasts* (Chicago: Northfield Publishing, 2010), del capítulo 3, "Falling in Love".

[3] La cita en su totalidad es como sigue: "¿No sabéis que llega la hora de la medianoche cuando todo el mundo tendrá obligadamente que quitarse la máscara? ¿Pensáis que la vida va a permitiros una burla constante? ¿O creéis acaso que podéis marcharos antes de que llegue el fatídico momento? ¿No os asusta un tanto saber lo que se avecina?". Søren Kierkegaard, *Either/Or*, II, Princeton: Princeton University Press, 1988, p. 160.

[4] Esta es una respuesta demasiado escueta para una pregunta de la envergadura de "¿Cómo sé si debo o no casarme con esa persona?". En el capítulo 7, se trata con la necesaria extensión y en detalle.

[5] Por muy ingenioso que pueda parecer el incidente de los platos hechos añicos, no es ni mucho menos la forma habitual en la que una esposa trata de resolver un conflicto, emitiendo y recibiendo mensajes difíciles de resolver. Kathy comenta con frecuencia ese incidente, advirtiendo muy seria que sólo da resultado una vez.

[6] Para muchas de las ideas en esta sección, estoy en deuda con Arvin Engelson: "El matrimonio es un vehículo para la santificación". (De un artículo suyo, no publicado, en Gordon-Conwell Theological Seminary). "En el contexto del matrimonio, nos encontramos con la posibilidad de redimir la vida en su totalidad, con una sanidad retrospectiva en lo que respecta a nuestra historia personal. La tercera conversión en la biografía personal es la obra divina que tiene su inicio en el presente, siendo evidente que Dios ha dotado a la relación marital de suficiente poder emocional como para hacer frente a toda historia pasada para su redención."

[7] Esta ilustración no demuestra únicamente la importancia del "lenguaje del amor", sino que hace patente, asimismo, la importancia de lo tratado en el capítulo 4 en cuanto a "independizarse y forjar un nuevo compromiso". La pareja forma en el matrimonio una nueva comunidad y por eso mismo no debemos insistir en imponer modelos y pautas tomadas de la anterior experiencia familiar. Kathy y yo tuvimos un problema en ese sentido, por no haber estado atentos desde el principio a esa posible influencia dispar, obrando por ello cada uno de nosotros según lo vivido en familia de forma previa al matrimonio. Por eso, fue necesario tomar una decisión

conjunta respecto a cómo íbamos a actuar. De hecho, ese fue uno de los primeros pasos significativos en nuestra "independencia" para un nuevo "compromiso".

[8] Este relato está tomado del capítulo 10, 'Love is a Choice,' en el libro de Chapman *The Five Love Languages: Secrets to Love That Lasts* (Chicago: Northfield Publishing, 2010, pp. 134-138).

[9] *Ibid.*

[10] En esta sección, voy a reunir varias expresiones de amor según tres distintas categorías: afecto, amistad y servicio. En lo que respecta a la categoría del amor expresado de forma romántica y a través del sexo, véase el capítulo 8.

## Capítulo 6. La aceptación en el matrimonio

[1] Nos limitamos a tratar la cuestión del modo en que operan los distintos sexos en el matrimonio, por ser ese el tema general de este libro. Ahora bien, como es lógico, se trata de un tema que no puede separarse de la cuestión general de las diferencias según sexo, incluyéndose el modo en que afecta la relación entre hombres y mujeres tanto en la iglesia como en la sociedad, pero no disponemos aquí del espacio suficiente para tratarlo en detalle.

[2] *"Hagamos al hombre a nuestra imagen y semejanza… Y creó Dios al hombre a su imagen, a imagen de Dios lo creó; varón y hembra los creó. Y les bendijo Dios, y les dijo: Fructificad y multiplicaos; llenad la tierra y sojuzgadla, y señoread en los peces del mar, en las aves de los cielos, y en todas las bestias que se mueven sobre la tierra" (Génesis 1:26-28).*

[3] No es mera curiosidad lingüística que Dios diga: *"Hagamos al hombre a NUESTRA semejanza" (Génesis 1:26).* De hecho, esta es la única vez en todo Génesis en que Dios alude a sí mismo en plural ("nuestra") y ello en referencia a la creación del hombre y la mujer. Lo cual es, en cierta manera, indicativo de que la relación existente entre hombre y mujer es reflejo de la relación existente dentro de la Trinidad. Las relaciones de género nos muestran de alguna manera la relación entre el Padre, el Hijo y el Espíritu Santo. Y si Dios es tres personas, esto es, Padre, Hijo y Espíritu Santo, van a intervenir al menos dos de ellas (con el potencial adecuado para amar, servir, honrar y glorificarse mutuamente) para reflejar la imagen plena de Dios. Más significativo todavía, serán necesarias dos personas para realizar papeles distintos, así como el Padre, el Hijo, y el Espíritu Santo han asumido un papel diferente en la realización de la Creación y la Redención. Véase en ese sentido el Credo Niceno que, desde los primeros tiempos del cristianismo, resaltó los distintos papeles del Padre, el Hijo y el Espíritu Santo en cuanto a la Creación y la Redención, a la vez que afirma una misma esencia. Y aunque hombres y mujeres por igual portamos la imagen de Dios, pareciéndonos a Él como criaturas suyas que somos, reflejando por tanto su gloria, y siendo sus representantes en la gestión del mundo creado, es necesaria la unión singular de lo masculino y lo femenino dentro de una sola carne en el seno del matrimonio para que sea realmente efectiva la relación de amor presente en un Dios trino.

[4] *"Y dijo Jehová Dios: No es bueno que el hombre esté solo; le haré ayuda idónea para él. Entonces Jehová Dios hizo caer sueño profundo sobre Adán, y mientras este dormía,*

*tomó una de sus costillas, y cerró la carne en su lugar" (Génesis 2:18, 21).* El significado particular de estos versículos reside en que, hasta ese momento, todo cuanto iba haciendo su aparición como resultado de la actividad creativa de Dios era consignado como "bueno". Este es, pues, el único caso en el que algo *no* es bueno y tiene lugar antes de la Caída y del pecado de desobediencia en el Edén. Una de las razones de esa falta de bondad intrínseca es que los seres humanos habían sido creados para relacionarse entre sí, significando asimismo que lo masculino no está completo sin lo femenino, quedando, por tanto, implícita la complementariedad natural de los sexos.

[5] *Génesis 2:20; 3:20: "Y llamó Adán el nombre de su mujer, Eva, por cuanta ella era madre de todos los vivientes".* En este caso, el sentido particular "nombrar" no puede ser ignorado, siendo evidencia inapelable de su soberanía y autoridad. De hecho, puede decirse que tan sólo en los casos en que poseemos tanto autoridad como responsabilidad sobre un ser vivo tenemos derecho a ponerle nombre. Compárese esto con Adán poniendo nombre a los animales, Dios nombrando a Juan el Bautista y a Jesús con independencia de sus respectivos padres, e igualmente de ese segundo nombre calificativo que Dios da a Abraham, a Sara y a Jacob, y otros casos similares. Para más amplia información relativa a la imposición de nombres, véase Bruce Waltke, *Genesis: A Commentary* (Grand Rapids, MI: Zondervan, 2001), 89. Hay quien, en cambio, no aprecia una autoridad intrínseca en Adán al poner nombre a lo creado, siendo únicamente indicativo de discernimiento. Véase Victor Hamilton, *The Book of Genesis: Chapters 1-17* (Grand Rapids, MI: Eerdmans, 1990), 176. Gerhard Von Rad está probablemente en lo cierto al aunar ambas posibilidades, señalando en ese sentido que poner nombre implica "enseñoreamiento". Así, al poner Adán nombre a todo lo creado por Dios, no está sino indicando la relación que tiene consigo. Hay que tener, además, muy en cuenta que el orden lo marca el que nombra, no al contrario. Véase Gerhard Von Rad, *Genesis* (Philadelphia Westminster, 1961), 81.

[6] Véase Gordon J. Wenham, *Genesis 1-15* (Waco, TX: Word, 1987), 68. "*'Ezer* es generalmente indicativo de ayuda divina, con la notable excepción de tres pasajes proféticos en los que denota ayuda militar *(Isaías 30:5; Ezequiel 12:14; Oseas 13:9).* Ayudar a alguien no implica necesariamente que el que ayuda sea más fuerte [o más débil] que quien es ayudado, sino, simplemente, que las fuerzas del que recibe la ayuda no son adecuadas en ese caso concreto."

[7] Gordon Wenham sostiene que la expresión como tal es indicativa "más de complementariedad que de identidad". Véase Wenham, *Genesis*, 68.

[8] A este respecto, son varias las observaciones necesarias, siendo unas totalmente pertinentes, y otras no tanto. Una obvia es, sin duda, que el pasaje, en su totalidad, explica por qué se prohíbe posteriormente la homosexualidad en la Biblia. Otra, no tan obvia, es que todos necesitamos, incluso fuera del marco del matrimonio, una relación entre ambos sexos. Lo que supone amistad y compañerismo entre personas de distinto sexo, y tanto da que sea por lazos familiares, o entre hermanos en la fe, o entre amigos, o incluso en el seno mismo del matrimonio. Siempre habrá necesidad de un intercambio enriquecedor, al tiempo que estimulante por lo que tenga de reto en las relaciones entre los dos sexos. De hecho, hay cosas que sólo van a poder aprenderse (sea por imitación, sea por consejo expreso) del sexo opuesto, lo que, obviamente, no quiere decir que sea indispensable casarse para poder disfrutar de ese mutuo enriquecimiento.

[9] *"Y oyeron la voz de Jehová Dios que se paseaba en el huerto, al aire del día; y el hombre y su mujer se escondieron de la presencia de Jehová Dios entre los árboles del huerto. Mas Jehová Dios llamó al hombre, y le dijo: ¿Dónde estás tú? Y él respondió: Oí tu voz en el huerto, y tuve miedo, porque estaba desnudo; y me escondí. Y Dios le dijo: ¿Quién te enseñó que estabas desnudo? ¿Has comido del árbol de que yo te mandé no comieses? Y el hombre respondió: La mujer que me diste por compañera me dio del árbol, y yo comí. Entonces Jehová Dios dijo a la mujer: ¿Qué es lo que has hecho? Y dijo la mujer: La serpiente me engañó, y comí" (Génesis 3:8-13).*

[10] En el conjunto de los Evangelios, todos los encuentros de Jesús con mujeres son de carácter positivo. Las mujeres entendieron a Jesús mejor que los hombres, y sucede que incluso quedan excusadas de sus labores para que puedan sentarse y aprender junto con los hombres *(Lucas 10:38 ss.)* Las mujeres se mantienen a su lado en la crucifixión, manteniéndose, en cambio ocultos los discípulos. Es, además, a las mujeres a las que Jesús se aparece tras la resurrección, y es una mujer, María Magdalena, la que representa a la iglesia en su totalidad en un primer momento, pues es a ella a la que Jesús comisiona para que dé a los discípulos la noticia de su resurrección y lo que han de hacer al respecto. María Magdalena es, por tanto, la primera cristiana y la primera evangelista *(Juan 20:1 ss.)*. El trato de Jesús con las mujeres las elevó de categoría en un entorno social en el que eran consideradas seres de segunda clase. La iglesia de los primeros tiempos, por haber presenciado cómo el Espíritu Santo descendía por igual sobre hombres y mujeres en Pentecostés, adoptó una postura tan radical respecto a la mujer, que el apóstol Pablo se vio obligado a recordarles a las propias mujeres que no adoptasen una posición indiferenciada en cuanto al ministerio. Así, aun en el caso de una actividad conjunta en idéntico ministerio, las mujeres habrían de hacerlo de forma que destacase su papel particular, antes que obviarlo o incluso negarlo. Véase *1 Corintios 11, 14.*

[11] *"Haya, pues, en vosotros este sentir que hubo también en Cristo Jesús, el cual, siendo en forma de Dios, no estimó el ser igual a Dios como cosa a que aferrarse, sino que se despojó a sí mismo, tomando forma de siervo, hecho semejante a los hombres; y estando en la condición de hombre, se humilló a sí mismo, haciéndose obediente hasta la muerte, y muerte de cruz. Por lo cual Dios también le exaltó hasta lo sumo, y le dio un nombre que es sobre todo nombre, para que en el nombre de Jesús se doble toda rodilla de los que están en los cielos, y en la tierra, y debajo de la tierra; y toda lengua confiese que Jesucristo es el Señor, para gloria de Dios Padre" (Filipenses 2:5-11).*

[12] *1 Corintios 11:3: "El varón es la cabeza de la mujer, y Dios la cabeza de Cristo".* Como todos los textos que tienen que ver con las diferencias por sexo, este pasaje es objeto de continuo estudio y debate. La cuestión de la supremacía aparece en este versículo en concreto en tres maneras distintas. Pero sin duda es evidente que la sumisión del Hijo respecto al Padre en *Filipenses 2* se relaciona en este caso con la relación existente entre lo masculino y lo femenino.

[13] Tomado de "Notes on the Way", *Time and Tide*, volumen XXIX (14 de agosto, 1948).

[14] Al anunciar ante el Presbiterio de Pittsburgh mi decisión de salirme del sistema establecido para la ordenación, inculcado durante mis estudios en el Seminario, para trabajar por libre "por ser eso lo que la Biblia enseña", fui abucheado por la mayor parte de los 350 ministros y ancianos responsables presentes en la reunión.

[15] *Marcos 10:32-45*; véase también *Mateo 20:17-28: "El que quiera hacerse grande entre vosotros será vuestro servidor, y el que de vosotros quiera ser el primero, será siervo de todos. Porque el Hijo del Hombre no vino para ser servido, sino para servir, y para dar su vida en rescate por muchos."*

[16] Marieta Cheng, "When Women Make Music", *New York Times*, 19 de abril, 1997.

[17] Véase Carol Gilligan, *In a Different Voice: Psychological Theory and Women´s Development* (Cambridge, MA: Harvard University Press, 1993). El libro de Gilligan hacía suya la muy influyente obra de Laurence Kohlberg y su "diferenciación por etapas en el desarrollo moral". La conclusión de Kohlberg en ese sentido es que los hombres suelen alcanzar generalmente un nivel de desarrollo moral más elevado que las mujeres, argumentando Gilligan al respecto que la definición adoptada por Kohlberg primaba el tipo de razonamiento moral propio de la mentalidad masculina en claro detrimento de la femenina. Para Kohlberg, el más elevado nivel de desarrollo moral consiste en un "sistema moral personal basado en principios abstractos", eso dejaba fuera a las mujeres, señalaba Gilligan, y ello por cuanto los hombres tienden a formar su criterio respecto a lo que está "bien" y lo que está "mal" razonando según principios abstractos, haciéndolo, en cambio, las mujeres en base a una relación personal en la que influyen la compasión y la empatía. Ese enfoque ha sido tildado de "feminismo de la diferencia".

[18] Gilligan aboga por una nueva definición del desarrollo adulto, que para ella supondría una "madurez en la interdependencia" (p. 155). Al igual que Marietta Gheng, Gilligan considera superior el desarrollo adulto alcanzado desde los parámetros femeninos, siendo por ello objeto de diversas críticas. De hecho, y aplicando categorías propias del cristianismo, eso supondría que las mujeres están menos "caídas" que los hombre, lo que no encaja con el dictamen bíblico. Aun así, justo es reconocer que Gilligan está en lo cierto al señalar que las mujeres son profundamente distintas a los hombres en su dotación y desarrollo psicológico y psicosocial.

[19] "Cualquier hombre puede acabar siendo un mal marido y de nada serviría tratar de remediarlo intercambiando los respectivos papeles. Así, un hombre puede ser igualmente un compañero inadecuado para el baile. El remedio estaría en asistir a clases de baile, no en que en el salón de baile no se diferencie entre hombres y mujeres, tratando a todos por igual como género neutro. Alternativa que puede que se vea como muy sensata, civilizada, y hasta avanzada, pero que, desde luego, no funcionaría en un verdadero baile." C. S. Lewis, "Notes on the Way", en *Time and Tide*, volumen XXIX (14 de agosto, 1948).

[20] Los filósofos europeos Jacques Lacan y Emmanuel Levinas popularizaron el término "el Otro" y la "Diferencia" en oposición a "lo Mismo". Para un informe cristiano accesible sobre ese debate y la respuesta cristiana al mismo, véase Miroslav Volf, *Exclusion and Embrace: A Theological Exploration of Identity, Otherness, and Reconciliation* (Nashville: Abingdon, 1996).

[21] "Que toda criatura se ponga en pie y rinda honores al rey." (Isaac Watts, *Jesus Shall Reign*, 1719.

[22] Referencia a la breve discusión sobre la homosexualidad en la introducción.

[23] Volf, *Exclusion and Embrace*, citando a Jurgen Moltmann, 23.

[24] *"Maridos, amad a vuestras mujeres, así como Cristo amó a la iglesia, y se entregó a sí mismo por ella" (Efesios 5:25).* "La autoridad, pues, reside no en el marido que uno quisiera ser, sino en aquel cuyo matrimonio mejor recuerde la entrega en la crucifixión; así, la esposa recibe el mayor número de atenciones, sin esperar nada a cambio... [ya que] por su propia naturaleza, menos proclive está a recibir esa clase de atenciones." C. S. Lewis, *The Four Loves*, p. 148.

[25] Cuando Adán y Eva pecaron, Dios le advirtió acerca de las consecuencias de su acto con las siguientes palabras: *"tu deseo será para tu marido, y él se enseñoreará de ti" (Génesis 3:16).* Derek Kidner comenta en ese sentido: 'Amar y cuidar' se ha convertido en la actualidad en 'desear y dominar'". (*Genesis: An Introduction and Commentary* [Leicester, Inglaterra: Tyndale, 1967], 71).

[26] Según parece, esa ha sido una medida necesaria después de que un muchachito se atara una toalla roja a manera de capa y tratara de emular a Superman lanzándose al vacío desde la terraza de su casa, desde el tejado, y también desde lo más alto de un árbol en el jardín.

[27] En *1 Timoteo 3:15*, Pablo se refiere a la iglesia como "la casa de Dios". Ahora bien, la distribución de cargos según género en la vida de la iglesia es materia para otro libro. Nos limitaremos aquí al análisis del modo en que se relacionan los dos sexos creados por Dios en el seno del matrimonio.

[28] Yo estaba tan entusiasmada con la idea de mi matrimonio como una revelación de la redención de Dios en ese apartado que, en un principio, pensé que sería muy apropiado que los vestidos de las damas de honor fuera cada uno de los colores del año litúrgico, y que Tim y yo representáramos con mímica a Cristo y su Iglesia. Pero, siendo consciente de que muchos de los invitados no entenderían el simbolismo y las verdades que yo quería transmitir, la mejor opción iba a ser demostrar la verdad del matrimonio cristiano en nuestra vida de casados. Mi madre me convenció para que planeara algo más convencional tanto para las damas de honor como para los acompañantes del novio. Pero la verdad es que todavía hoy sigo pensando que mi idea era mejor.

[29] Elisabeth Elliot, de la que aprendí a ver los diferentes papeles asignados a cada sexo como un don y no como una maldición, o algo bochornoso, hablaba a partir de su experiencia en diferentes culturas. Viviendo entre los aucas de Ecuador, que habían asesinado a su esposo junto con otros cuatro misioneros, se había dado cuenta de que la noción de "masculinidad" en la cultura auca incluía la composición de poemas y la creación de obras de arte. Las mujeres, como responsables de la alimentación de la familia, se ocupaban de recoger raíces y bayas comestibles y de una agricultura rudimentaria.

## Capítulo 7. Soltería y matrimonio

[1] La referencia a *1 Corintios 7* es habitual en los debates sobre matrimonio y soltería, planteando, sin embargo, varios retos exegéticos. En este caso, he seguido la línea marcada por dos comentaristas bíblicos, Roy Ciampa y Brian Rosner, *The First Letter to the Corinthians* (Grand Rapids, MI: Eerdmans, 2010), y Anthony Thistleton,

*The First Epistle to the Corinthians* (Grand Rapids, MI: Eerdmans, 2000). En los versículos 25-38, Pablo da amplio consejo a los adultos solteros "residentes en urbes" (Ciampa y Rosner, 328). El argumento básico sería: Pablo sostiene que estar soltero es algo bueno, incluso más aconsejable en determinadas circunstancias. Dichas circunstancias serían: 1) En los versículos 25-38, la enseñanza es que la soltería es una buena cosa, sobre todo en épocas de crisis. Pablo califica de sabias a las personas que están refrenándose, y no se casan, por razón del "tiempo que apremia" (26). Thistelton, Ciampa y Rosner son unánimes en opinar que esa expresión es de uso más frecuente en referencia a períodos circunstanciales de crisis, como puede ser una hambruna, una guerra o inestabilidad social. Eso explica por qué no apoya decididamente el matrimonio en este caso, como sí lo hace, en cambio, en la mayoría de sus escritos. 2) En los versículos 29-31, su argumento es que estar soltero es bueno porque "el tiempo es corto" y "el mundo presente va a pasar". Pablo está queriendo decir con ello que, a la vista de que el mundo de ahora dará lugar a unos nuevos cielos y a una nueva tierra, no tenemos que aferrarnos a cosas como el dinero, la familia y las herencias. No deja de ser muy cierto que hay quien busca en el matrimonio una seguridad que sólo vamos a poder encontrar en Dios. Si el mundo que conocemos va a dejar de existir, no deberíamos casarnos llevados de esa ansiedad. De ahí que el apóstol presente la soltería como medio para no cifrar nuestra esperanza de continuidad en el dinero, las posesiones y la posición social. 3) En los versículos 32-35, Pablo resalta la ventaja de las personas solteras a la hora de predicar el Evangelio y llevar a cabo la obra del ministerio. La vida de familia consume necesariamente gran parte de nuestro tiempo, y de nuestra actividad, para beneficio de un número limitado de personas. En cambio, si se está soltero, ese servicio puede hacerse extensivo a un mayor número de personas. Razón de peso para mantenerse soltero.

[2] Hay en el presente un consenso tan abrumador en relación a esta enseñanza bíblica que es difícil reducir las reseñas bibliográficas a un par de autores. Así, entre las muchas obras que podrían citarse, cabe mencionar a Oscar Cullman, *Christ and Time: The Primitive Christian Conception of Time and History* (Philadelphia: Westminster, 1962), Herman Ridderbos, *The Coming of the Kingdom* (Philadelphia: Presbyterian and Reformed, 1962) y *Paul: An Outline of His Theology* (Grand Rapids, MI: Eerdmans, 1997).

[3] Un pasaje relacionado es *Colosenses 3:1-4*, donde Pablo dice lo siguiente, *"Si, pues, habéis resucitado con Cristo, buscad las cosas de arriba, donde esta Cristo sentado a la diestra de Dios. Poned la mira en las cosas de arriba, no en las de la tierra. Porque habéis muerto, y nuestra vida está escondida con Cristo en Dios. Cuando Cristo, vuestra vida, se manifieste, entonces vosotros también seréis manifestados con él en gloria"*. Pablo está resaltando con ello que nada de lo presente en el mundo es "nuestra vida". Puede que tengamos prosperidad económica, éxito y familia, pero la verdadera seguridad, la propia identidad y una genuina esperanza en el futuro están ahora "escondidas en Cristo" por cuanto estamos unidos a Él por fe. Por tanto, no debemos poner la mira en "las cosas terrenales". Lo cual no quiere decir que no pensemos en ahorrar, en la vida de familia, en el matrimonio, en lo cotidiano de trabajar, comer y pasar ratos agradables. En definitiva, significa que mente y corazón no van, sin embargo, a encontrar su reposo y esperanza tan sólo en esas cosas.

[4] Stanley Hauerwas, *A Community of Character* (South Bend, IN: University of Notre Dame Press, 1991), 174.

[5] Rodney Stark, *The Rise of Christianity: A Sociologist Reconsiders History* (Princeton, NJ: Princeton University Press, 1996), 104.

[6] "Debemos tener presente que el 'sacrificio' hecho por los solteros no consistió [tan sólo] en 'renunciar al sexo', sino en renunciar a tener descendencia. ¡Y nada podía ser más radical! Era, pues, el [reino de Dios] y la iglesia lo que garantizaba el futuro, no la familia en la carne..." (Hauerwas, *A Community of Character*, 190). "[Ahora] tanto soltería como matrimonio *son* instituciones simbólicas para constitución del testimonio del reino por parte de la iglesia. De hecho, la una no es válida sin la otra. Si la soltería es símbolo de la confianza de la iglesia en el poder de Dios, para conversión de vidas en el crecimiento de la iglesia, el matrimonio y la procreación son el símbolo de la esperanza de la iglesia para el mundo". (Hauerwas, 191).

[7] Paige Benton Brown, "Singled Out by God for Good". Disponible en varios lugares en Internet, incluído www.pcpc.org/ministries/singles/singledout.php.

[8] Sería, por tanto, lógico y natural preguntarnos si (como señalábamos en el capítulo 6) creemos en el principio de liderazgo masculino en el marco del matrimonio cristiano, qué papel desempeña la autoridad asimismo en las relaciones en el seno de la iglesia entre hombres y mujeres. La respuesta tendría entonces dos vertientes. Por una parte, si una iglesia, sea esta cual sea, tan sólo tiene ancianos y pastores varones, ello sería indicativo de una aquiescencia al principio de autoridad masculina, viviendo en la práctica tanto hombres como mujeres, corporativamente, los correspondientes principios de servicio y liderazgo dentro de la comunidad. Por otra parte, creo que necesariamente debemos estar prevenidos ante la posible aseveración de que en la iglesia cada varón, y además a título individual, puede y debe hacer patente una cierta forma de liderazgo sobre la mujer. C. S. Lewis destaca en ese sentido, en un breve ensayo titulado "Equality", por qué es tan importante *no* esperar, ni tampoco fomentar, que todas y cada una de las mujeres se sometan deferentemente a todos y cada uno de los varones en la sociedad en general. Según él, debemos tomarnos muy en serio la realidad de la Caída. En un mundo dominado por el pecado, la autoridad sufre constantes abusos. *Génesis 3* dice específicamente que los hombres tenderán siempre a tiranizar a las mujeres por culpa del pecado *(cf. 3:16)*. De ahí que Lewis sostenga que hemos de apoyar la noción de igualdad de derechos y justicia para toda persona, sin distinción de sexo, y ello como protección ante posibles abusos de poder que sin duda alguna proliferarían (C. S. Lewis, "Equality" en *Present Concerns* [London: Fount, 1986]). Esa es una perspectiva muy bíblica y cristiana que se toma muy en serio la Caída en Génesis 3. Deberíamos disuadir a los varones creyentes de pensar que, como hombres, puedan tener derecho, en toda posible situación, formal o no, de forma implícita y automática, a ostentar la autoridad—sea en forma de comité, sea en grupo informal de amigos, decidiendo qué ha de hacerse a continuación.

[9] Esto hace referencia a un extenso número de pasajes en el Nuevo Testamento que describen la clase de mutuo ministerio que todos los cristianos han de ejercer recíprocamente. Las categorías serían: la defensa de los respectivos puntos fuertes, capacidades y dones *(Romanos 12:10; Santiago 5:9; Romanos 12:3-6)*; aseveran la respectiva importancia en total igualdad en Cristo *(Romanos 15:7; 1 Corintios 12:25; 1 Pedro 5:5)*; mutua afirmación en patente demostración de afecto *(Romanos 16:16; Santiago 1:19; 1 Tesalonicenses 3:12)*; compartir un espacio común, los bienes materiales y el tiempo disponible *(Romanos 12:10; 1 Tesalonicenses 5:15; 1 Pedro 4:9)*, así como

también los respectivos problemas y necesidades *(Gálatas 6:2; 1 Tesalonicenses 5:11)*. A lo que todavía cabe añadir el compartir creencias, pensamientos y espiritualidad *(Romanos 12:16; Colosenses 3:16; 1 Corintios 11:33; Efesios 5:19)*; servirse los unos a los otros rindiendo cuentas por ello *(Santiago 5:16; Romanos 15:14; Hebreos 3:13; Efesios 4:25)*, practicando el perdón y la reconciliación *(Efesios 4:2, 32; Gálatas 5:26; Romanos 14:19; Santiago 4:11; Mateo 5:23 ss.; 18:15 ss.)* y pensando en el interés de los demás antes que en el propio *(Romanos 14:9; Hebreos 10:24; Gálatas 5:13; Romanos 15:1-2)*.

[10] Se me pregunta con frecuencia cómo es que en las ciudades populosas, con iglesias con un alto porcentaje de miembros solteros, no hay un índice más elevado de emparejamientos y matrimonios. Las razones, creo yo, son tres. La primera es el poder de la cultura dominante. La actitud contemporánea a la hora de encontrar pareja o "ligar" es 1) tan sólo pasar un buen rato, tener sexo y puede que también mantener una posición social, mientras que 2) el tener intención de casarse es una opción más, y para los muy valientes y, si se pone en práctica, es para propia realización, disfrutar de sexo seguro y encauzar la vida profesional. Los cristianos deberíamos pensar de distinta manera, pero lo cierto es que la presión social es tan grande que afecta a nuestro comportamiento. Esas influencias culturales están haciendo que disminuya el índice de matrimonios y puede que asimismo acabe influyendo en el número de los que se celebran en las iglesias. En segundo lugar, hay personas que valoran mucho su libertad y autonomía, siendo muy elevada su presencia justamente en las grandes ciudades, donde tienen la oportunidad de vivir a su aire, libres de las cortapisas y expectativas ajenas que suelen experimentar en ámbitos más reducidos. Temen, además, la pérdida de libertad que conlleva el matrimonio. En tercer lugar, la idea de casarse siempre ha asustado a un porcentaje de personas en todas las generaciones. En entornos más tradicionales, las personas solteras reciben apoyo y guía (¡y cierta presión para que se casen!) de parte de su comunidad, integrada en su mayoría por parejas casadas, algo habitual en sociedades reducidas. En las grandes ciudades, ese apoyo es inexistente.

[11] Paige Benton Brown, *op. cit.*

[12] Lauren Winner, "The Countercultural Path" en *Five Paths to the Love of Your Life*, ed. A. Chediak (Colorado Springs, CO: NavPress, 2005). Winner presenta una breve historia social de las relaciones y el cortejo, basándose para ello en gran medida en el libro de Beth L. Bailey, *From Front Porch to Back Seat: Courtship in Twentieth Century America* (Baltimore: John Hopkins University Press, 1989).

[13] Bailey, *Front Porch*, 15-20, citado en Winner, "Countercultural Path", 22.

[14] Bailey, *Front Porch*, 16.

[15] Benoit Denizet-Lewis, "Friends, Friends with Benefits and the Benefits of the Local Mall", *New York Times Magazine*, 30 de mayo, 2004. Este artículo ha sido incluido, con algunos cambios, en el capítulo que lleva por título "Whatever Happened to Teen Romance?", *American Voyeur: Dispatches from the Far Reaches of Modern Life*, ed. Denizet-Lewis (New York: Simon and Schuster, 2010).

[16] Véase la muy interesante versión de Lauren Winner acerca del cortejo *shidduch* ("Countercultural Path," 17-19), o también una descripción genérica de esa práctica en http://en.wikipedia.org/wiki/Shidduch.

[17] Winner, "Countercultural Path", 25.

[18] *Ibid.* 17 ss. Winner está hablando ahí de una pareja de ficción de la novela *The Outside Word* de Tova Mirvis (New York: Knopf, 2004).

[19] "La auténtica cuestión no es determinar si ciertas personas tienen un don particular para el celibato, sino hasta qué punto alguien puede llevar una existencia digna del Evangelio para gloria de Dios sin que el impulso sexual sea un problema" (Ciampa y Rosner, *Corinthians*, 285).

[20] Winner, "Counterculture Path", 45.

[21] Ciampa y Rosner, *Corinthians*, 289.

[22] Winner, "Counterculture Path", 38.

[23] La idea de no tener relaciones sexuales hasta después de celebrado el matrimonio es algo impensable para muchos jóvenes adultos. Sin embargo, cuando se acepta y se pone en práctica el concepto cristiano (véase el capítulo 8), las preguntas lógicas son: ¿Se puede expresar una intimidad física sin pensar en tener relaciones físicas? ¿Qué formas de expresión de intimidad son aceptables? Lauren Winner cuenta cómo ella y su futuro marido le hicieron esas preguntas al pastor de su Facultad, siendo su respuesta: "No hagáis nada relacionado con el sexo que no querríais hacer en medio de la Rotonda" (el edificio singular situado en el mismísimo centro de la Universidad de Virginia). Como pareja, decidieron que era un buen consejo para poner en práctica. De hecho, probaron una vez a darse un beso apasionado en los escalones de ese monumento, pero sin deseo alguno de quitarse la ropa. Esa fue la prueba definitiva para ellos (Winner, "Counterculture Path", 30).

[24] Winner, "Counterculture Path", 32-33.

## Capítulo 8. Sexo y matrimonio

[1] En la década que tuvo su inicio en 1940, C. S. Lewis escribió que, en los círculos más sofisticados, y ello tanto en las Islas Británicas como en el Continente, el pensamiento acerca del sexo era: "El deseo sexual es idéntico en naturaleza a cualquier otro deseo humano, y si nos decidiéramos a desechar la anticuada noción victoriana de hablar de ello a hurtadillas, el jardín florecería por fin en todo su esplendor" (*Mere Christianity*, 97-98). A lo que Lewis responde: "Eso no es en absoluto cierto". Según él lo ve, el sexo puede que sea un apetito, pero en nada se parece al apetito que podamos sentir por la comida. "Puede con toda facilidad reunirse una amplia audiencia para un espectáculo de striptease—en el que una mujer se desnuda en escena. Supongamos ahora que llegamos a un país en el que es posible llenar un teatro en el que lo único que se muestra en escena es un plato cubierto con una servilleta, procediéndose acto seguido a levantarla poco a poco, para que todo el mundo pueda ver, justo antes de que vuelvan a apagarse las luces, que contenía una chuleta de cordero y una loncha de tocino. ¿No pensaríamos entonces que algo raro estaba pasando en ese país en relación a su deseo de comida? Un crítico señaló, en este sentido, que si alguien llegaba a descubrir un país en el que eran populares esas actuaciones, la conclusión lógica sería que las gentes estaban muertas de hambre". (*Mere Christianity*, 96).

[2] Dan B. Allender y Tremper Longman, *Intimate Allies: Rediscovering God's Design for Marriage and Becoming Soulmates for Life* (Wheaton, IL: Tyndale, 1999), 254.

[3] El crítico y ensayista Wendell Berry, en su libro *Sex, Economy, Freedom, and Community* (Nueva York: Pantheon, 1994), se ocupa de la premisa subyacente a mucha de la hostilidad ante la ética cristiana, por ser la idea predominante en la sociedad actual que el sexo es algo privado y lo que yo pueda hacer en la intimidad de mi dormitorio con otra persona adulta consentidora es estricto asunto mío. A lo que pensadores como Berry responden que esa pretensión parece superficialmente muy amplia de miras, pero que, en su fondo, es absolutamente dogmática. Y ello por estar basada en una serie de premisas filosóficas que nada tienen de neutrales sino que son hasta casi religiosas y con una notable carga de implicaciones políticas. Más en particular, tienen su base en un enfoque altamente individualista de la naturaleza humana. En palabras más específicas, comenta Berry: "El sexo no es, ni puede ser, un 'asunto particular', ni tampoco es algo que concierna exclusivamente a la pareja. El sexo, como toda cosa necesaria y digna de estima y consideración, y con un poder de suyo volátil, es asunto que nos concierne a todos…" (p. 119). Las comunidades sólo tienen lugar cuando las personas, de forma voluntaria, se unen por mutuo afecto y respeto, dispuestas por tanto a limitar su propia libertad. En el pasado, la intimidad sexual entre un hombre y una mujer se entendía como una forma poderosa en que dos personas de sexo opuesto se comprometían a permanecer juntas y a crear una familia. El sexo, insiste Berry, "No es, ni puede ser, asunto 'estrictamente privado' ni de las personas, ni de las parejas. El sexo, insiste Berry, es la forma definitiva de "disciplina del mutuo cuidado." Es, pues, esa "ligazón relacional" la que crea un vínculo de unidad en esencia y por ello mismo la estabilidad necesaria para no sólo la crianza de los hijos, sino como algo verdaderamente crucial para la adecuada prosperidad de las comunidades locales. El coste social más obvio del sexo practicado fuera el matrimonio es la tremenda difusión de ciertos males y la carga de niños sin el necesario apoyo paterno. El coste menos obvio, pero infinitamente mayor, es el creciente número de problemas psicológicos relacionados con desarrollo y la integración en sociedad de niños que no tienen una situación familiar estable. Pero el más sutil de todos esos males es el hecho innegable de que lo que hacemos forma el carácter, y eso es algo que afecta a la sociedad como un todo. Cuando las personas usan el sexo para propia diversión y placer, se debilita la estructura social que facilita la vida de todos. Eso nos lleva a ver a las personas en función del beneficio que nos reportan y como medio para satisfacción de un deseo pasajero. Por lo tanto, el sexo no es asunto meramente privado, sino cuestión que nos afecta a todos.

[4] Podemos ahí parafrasear al apóstol Pablo: "¿Acaso no sabéis que el propósito de las relaciones sexuales es siempre el hacerse "una sola carne", estar por ello unido a otra persona en todas las áreas de su vida? ¿Es eso lo que realmente se busca al estar con una prostituta? Por supuesto que no. Y, si es así, desiste de tener sexo con ella".

[5] D. S. Bailey, *The Man-Woman Relation in Christian Thought* (Londres: Longmans, Green, 1959), 9-10.

[6] Un importante nuevo libro de Mark Regnerus y Jeremy Uecker, *Premarital Sex in America: How Young Americans Meet, Mate, and Think of Marriage* (Oxford,

2011) aporta toda una serie de datos empíricos que apoyan muchos de los puntos controvertidos y de las propuestas que hemos ido haciendo hasta aquí (especialmente, en los capítulo 1, 7 y 8) acerca de las creencias erróneas de muchos adultos jóvenes en relación al sexo y el matrimonio. El último capítulo del libro incluye una lista con los "Diez mitos acerca del sexo y las relaciones" que creen la mayoría de los adultos jóvenes en América, y ello a pesar de que la evidencia "no lo confirma" (p. 240). De entre esos diez mitos, cabe destacar: (1) "La inclusión del sexo es necesaria para consolidar una relación en sus inicios, y de cara además a las dificultades que vayan surgiendo" (p. 242). Pero, lo cierto, y muy al contrario, es que son varios los autores que señalan el hecho empírico que cuanto más pronto la relación se hace sexual, mayores son las probabilidades de ruptura. (2) "La pornografía no afecta a las relaciones" (p. 246). Los autores argumentan al respecto que la pornografía "sí afecta a la virtual totalidad de las relaciones". Las personas habituadas a ello suelen tener expectativas poco realistas respecto a los aspectos físicos y su comportamiento en la práctica. Regnerus y Uecker van todavía más lejos demostrando hasta qué punto está afectando hoy día la pornografía a las relaciones personales, tanto si se usa habitualmente como si no. Un número significativo de usuarios del porno acaban experimentando una disminución del deseo sexual a causa de las dificultades que plantea una relación real y la vida marital, quedando así reducida la oferta potencial de matrimonio para la mujer. Y la totalidad de las mujeres, prosiguen, están progresivamente viéndose forzadas a adaptar su comportamiento sexual a las imágenes y el estilo del porno. (3) "El sexo no necesita tener significado" (p. 247). [Es posible practicar el sexo sin darle una importancia excesiva.] Los autores aseguran que un cierto porcentaje de hombres puede practicar el sexo sin gran compromiso emocional. Y un número creciente de mujeres, en nombre de la igualdad, han tratado de practicar el sexo con el mayor número posible de hombres, pero en el capítulo 5 esos mismos autores plantean la hipótesis de que cada vez es menor el número de mujeres que pueden o quieren igualar ese nivel de desafecto y ausencia de compromiso. (4) "El irse a vivir juntos es un paso definitivo hacia el matrimonio" (p. 249). Hablando en términos generales, las personas que cohabitan de forma previa al matrimonio están *más expuestas* al divorcio, mostrando esos mismos autores que la cohabitación tampoco suele acabar en matrimonio. Ahora bien, a pesar de las estadísticas, los adultos jóvenes persisten en creer que vivir juntos de forma previa ayuda a un buen desarrollo en la relación. "Las [cohabitaciones] que concluyen en matrimonio aportan credibilidad a su práctica, mientras que las que terminan sin más son ignoradas u olvidadas."

[7] "La acusada reciprocidad en lo que Pablo resalta (que el marido tiene autoridad sobre el cuerpo de su mujer, y ella, a su vez, sobre el de su marido) fue algo verdaderamente revolucionario en un tiempo y en un mundo en el que el patriarcado era la norma... y apuntaba muy claramente a una restricción radical y sin precedentes en la libertad sexual del varón. Que se tenga noticia, tan sólo hay otra instancia más en la que se dé constancia de lo mismo, y es en los matices poéticos *del Cantar de los Cantares (2:16 a; 6;3 a; 7:10 a): 'Yo soy de mi amado y él es mío.'*" (Ciampa y Rosner, *Corinthians*, 280-281).

[8] Las citas incluidas en ese párrafo proceden de Ciampa y Rosner, *Corinthians*, 278-279.

## Epílogo

[1] Son muchos los que han señalado que este pasaje se retrotrae al contexto en el que Jesús ciñe sus lomos y sirve a sus discípulos lavándoles los pies *(Juan 13),* pero cabe la posibilidad de que exista una conexión aún mayor con la increíble promesa por parte de Jesús en la Última Cena al final del relato, de que vuelva a ceñir sus lomos para dar respuesta a nuestros más profundos anhelos en virtud de su infinito poder *(Lucas 12:37).*

[2] Simone Weil, *Waiting for God* (Nueva York: Harper, 2009), 27.

[3] *Ibid.* Para Simone Weil, esa experiencia subjetiva cambió por completo la forma de ver el mundo. En su escrito "Spiritual Autobiography" (incluido en el volumen que lleva por título *Waiting for God*), cuenta cómo, siendo ella joven, había llegado a la conclusión de que el problema de la existencia de Dios era irresoluble filosóficamente. No daba por ello con una prueba suficientemente fehaciente de esa existencia, ni con argumentos que probaran o refutaran de forma definitiva su existencia o ausencia de ella. Pero, aun así, sus palabras definitivas al respecto fueron: "Nunca me había planteado esa posibilidad, que un ser humano pueda en verdad tener, aquí y ahora, un contacto real con Dios…" (p. 27).

## Apéndice

[1] 1 Corintios 11:3.

# Acerca de los autores

**Timothy Keller** nació y creció en Pensilvania. Realizó estudios de grado en Bucknell University, en Gordon-Conwell Theological Seminary y en Westminster Theological Seminary. Su primer trabajo fue como pastor en Hopewell, en el Estado de Virginia. En 1989, puso en marcha la iglesia presbiteriana El Redentor, en la ciudad de Nueva York, junto con su esposa, Kathy y sus tres hijos. El Redentor cuenta con una congregación de más de cinco mil miembros que asisten con regularidad a los cultos del domingo. Tim ha colaborado además en la instauración de más de doscientas iglesias en diversas partes del mundo. También es autor de *Generous Justice, Counterfeit Gods, The Prodigal God, La Cruz del rey* y *La razón de Dios. E*n la actualidad vive en Nueva York en compañía de su familia.

**Kathy Keller** creció en los alrededores de Pittsburgh, Pensilvania, realizando estudios de grado en Allegheny College, colaborando allí con los grupos cristianos. Posteriormente realizó estudios universitarios en Gordon-Conwell Theological Seminary. Allí conoció a Tim, casándose con él al comienzo del último semestre de permanencia en el seminario. En 1975, obtuvo su correspondiente título de licenciada en Teología. Tras mudarse al estado de Virginia, Tim puso en marcha su primera iglesia, West Hopewell, Presbiterian Church, naciendo allí los tres hijos del matrimonio. Tras nueve años de trabajo en la iglesia, se trasladaron a Nueva York para fundar la iglesia presbiteriana El Redentor en la zona de Manhattan.

# El redentor

Las publicaciones El Redentor abarcan toda una serie de cuestiones de actualidad en el área de lo espiritual y lo social, con un formato y un estilo dirigido por igual a creyentes y a escépticos. El objetivo que nos alienta es hacer presente el poder del evangelio cristiano en las distintas facetas que integran la existencia. El rótulo está tomado de la iglesia presbiteriana El Redentor de la ciudad de Nueva York, puesta en marcha por Tim Keller, junto con su esposa, Kathy, y sus tres hijos. Entre otros proyectos más, cabe destacar el de contextualización de un ministerio urbano, acompañado de predicaciones relevantes, y la fundación de nuevas iglesias tanto en América como en otras partes del mundo.